Sur l'auteur

Reporter de guerre et auteur de romans policiers,
l'Américain Dan Fesperman a couvert la plupart des
conflits en Europe et au Moyen-Orient.

DAN FESPERMAN

L'ÉCRIVAIN PUBLIC

Traduit de l'anglais (États-Unis)
par Jean-Luc Piningre

10/18

Grands détectives

créé par Jean-Claude Zylberstein

CHERCHE MIDI

Titre original :
The Letter Writer

Éditeur original :
Alfred A. Knopf
© Dan Fesperman, 2016
© le cherche midi, 2018, pour la traduction française.
ISBN 978-2-264-07381-5
Dépôt légal : avril 2019

PROLOGUE

De mauvais présages l'accueillaient. Une fumée noire s'élevait au-dessus des immeubles de Manhattan. Les foules silencieuses avaient les yeux rivés sur quelque invisible calamité, à l'autre bout de la ville. On parlait à voix basse d'un ennemi déterminé et impitoyable.

À l'évidence, un terrible événement venait de se produire. Mais quoi ? Encore groggy après son long périple depuis le sud du pays, Woodrow Cain observait les visages inquiets à l'extérieur de Penn Station et tentait de trouver une réponse.

Il était maintenant seul. Sa femme partie, sa fille abandonnée. Il avait renoncé à tout pour un nouveau départ, et voilà que New York le recevait dans une sorte d'hystérie collective. Sa valise en main, il s'adressa à un type coiffé d'un chapeau mou.

— Que se passe-t-il ?

— Il se passe que le *Normandie* est en train de flamber, répondit l'homme. Au quai 88.

— Le *Normandie* ?

— Le grand paquebot qu'ils veulent utiliser pour le transport des troupes. Y en a qui disent que c'est un coup des Allemands. Il a chaviré, va couler d'un instant à l'autre. Il y a des milliers de personnes sur place, même le maire est là-bas.

— Fiorello LaGuardia ?

Cain s'était renseigné sur les célébrités locales.

— Complètement trempé sous les lances à incendie, avec son imper noir. Je l'ai entendu à la radio. Il se prend pour la tête de proue sur les bateaux-pompes.

— Il ferait mieux de se préparer à de nouvelles catastrophes, commenta un deuxième homme. Qu'est-ce qui les empêche de nous envoyer leurs bombardiers, après ça ? Ils vont nous réduire en miettes, comme les Japs à Pearl Harbor.

D'autres hochèrent la tête. Le premier type n'était pas d'accord.

— Non, la mer. C'est par là qu'ils attaqueront, exactement comme aujourd'hui. Les dockers, les constructeurs navals, même ces putains de pêcheurs – y en a déjà la moitié qui sont fritz ou ritals, et qui c'est, leurs héros, à votre avis ? Ça n'est que le début, vous verrez.

Cain regarda le ciel. La fumée se propageait, une purée de pois noire qui virait à l'est par-dessus le Hudson. Incrédule et mécontent, il fit la grimace. À peine dix minutes qu'il était dans cette fichue ville et sa nouvelle vie semblait, comme la précédente, hantée par la mort et les trahisons.

*

Instructif, comme témoignage, n'est-ce pas ? Je le tiens de quelqu'un d'autre, une personne digne de confiance, et je peux vous assurer qu'il est tout à fait exact. C'est comme si j'avais été là.

Deux mois ont passé depuis cette journée, le 9 février de cette tumultueuse année 1942. J'aimerais pouvoir affirmer que les choses se sont entre-temps améliorées mais, au contraire, cette ville est le théâtre d'événements perturbants. Les sous-marins qui rôdent à l'entrée du port coulent des navires quand ça leur chante. En haut des immeubles, les occupants des beaux appartements – oui, j'en connais encore quelques-uns, dans ma situation actuelle, qui ne s'est pas améliorée non plus – prétendent qu'on voit au loin des flammes briller, la nuit, à distance des côtes. Les relations, plus nombreuses, que j'entretiens dans les petits hôtels et les meublés me jurent que des chalutiers enregistrés au port ravitaillent secrètement ces tueurs de l'ombre. Si cela vous paraît douteux, alors que penser des trente-trois espions allemands qui viennent d'être condamnés à la prison par le tribunal fédéral de Brooklyn ? S'il était aussi facile d'en boucler autant, combien d'autres alors se cachent-ils parmi nous et relaient des informations cruciales, au moyen d'émetteurs à ondes courtes ou de messages à l'encre invisible ?

À Yorkville, notre Kleindeutschland[1] de l'Upper East Side, il règne un silence lugubre dans les rues depuis la déclaration de guerre. Pourtant, l'été dernier encore, ses résidents remplissaient les salles de cinéma qui projetaient des films de propagande nazie. Ils étaient des milliers à défiler dans 86th Street, le Broadway allemand, en arborant chemises brunes et croix gammées, et à entonner le chant de Horst Wessel. Qui oubliera les Italiens d'East Harlem lorsqu'ils ont fêté l'invasion de l'Éthiopie en brandissant des drapeaux tricolores à chaque fenêtre et en scandant le nom de Mussolini ? Le type au chapeau mou, qui a promis un avenir si affreux à M. Cain, est peut-être un alarmiste,

1. Petite Allemagne.

mais il ne se trompait pas : les ressortissants ennemis sont légion aux États-Unis. Les trois quarts des sept millions et demi de personnes qui habitent New York sont des immigrés de première ou de deuxième génération. Moi y compris, dois-je ajouter, ainsi que pratiquement tous mes voisins, presque tous ceux et celles que j'ai connus ou rencontrés depuis que je suis arrivé dans cette ville, à l'âge de onze ans.

En qui pouvons-nous donc avoir confiance ? Quand, inévitablement, la situation s'aggrave, qui faut-il blâmer ? Lorsqu'on est né dans un pays, puis qu'on s'établit dans un second, et que ces deux-là deviennent ennemis mortels, comment affirmer honnêtement que nous jurons fidélité à l'un ou l'autre ? Ces questions-là ne cessent de nous hanter.

Le jour, les New-Yorkais vaquent à leurs activités en masquant leurs appréhensions, car ils se demandent quand les horreurs de la guerre finiront par nous atteindre. Peu après le coucher du soleil, nous éteignons nos lampes pour nous protéger des raids aériens, même dans le quartier des théâtres, à Broadway, où le seul éclairage provient des faibles ampoules disposées sous les marquises. Ce qu'on appelle « occulter » – afin que les silhouettes des navires marchands, au large, ne se détachent pas trop sur les lumières de la cité. J'ai parfois remarqué que les riches ignorent la plupart des restrictions de cet ordre.

Il y a quelques semaines, des soldats ont commencé à camoufler des canons antiaériens dans les parcs et le long des fleuves. L'un d'eux s'est déclenché par accident et un obus de 37 mm, telle une balle perdue, est parti détacher un bloc de pierre au trente-huitième étage de l'Equitable Building, trois kilomètres plus loin dans le quartier de la finance. Wall Street a encaissé le coup et s'est vite remise.

Cela étant, quand les sirènes se mettent à hurler pendant les alertes antiaériennes, la plupart des New-Yorkais, s'ils le font, ne se pressent pas de réagir. Surtout depuis que le printemps est là. Ils s'affairent et rigolent dans les rues jusqu'au signal de fin d'alerte, comme s'ils refusaient de croire que nous ne puissions vivre heureux comme avant. Moi, je pressens un désastre imminent.

Quant à Woodrow Cain, on imagine son ahurissement. En des temps plus cléments, cette ville prend déjà un malin plaisir à accabler les nouveaux arrivants des provinces, ceux surtout qui font le voyage par nécessité. Cain a quitté sa bourgade de Horton, en Caroline du Nord, où il était inspecteur principal dans un petit commissariat de police, pour d'autres attributions ici. Depuis la fin de la semaine dernière, il travaille pour le New York City Police Department, qui l'a affecté comme inspecteur dans le 14e secteur du 3e district. Il travaille dans un vieux bâtiment de West 30th Street qui ressemble à un austère château, avec tourelles et tout le toutim. Âgé de trente-quatre ans, Cain est père d'une jeune fille, Olivia, qu'il a confiée à sa sœur, et qui le rejoindra à la fin de l'année scolaire s'il a trouvé un logement convenable.

À ce qu'on m'a dit, il se serait démis de ses précédentes fonctions dans des circonstances douteuses. Cependant, si l'expérience m'a appris une chose, c'est que tout le monde a un passé, la question étant de savoir comment l'arranger un peu. On prétend que des relations bien placées l'auraient aidé à se faire engager ici. D'un autre côté, la police a dû confier un grand nombre de ses hommes à l'armée, et je suppose que cela a joué en sa faveur. Comme il y a pénurie de personnel, les nouveaux officiers – dont M. Cain – ont fait leurs classes deux fois plus vite que d'habitude, sinon il serait encore en formation.

C'est apparemment le genre d'homme qui, par son comportement, vous pousse à garder vos distances, quoique, si vous faites un effort, il rira facilement avec vous et lâchera peut-être une confidence ou deux. Un cœur tendre sous une carapace, si vous voulez, à moins qu'il ne s'agisse d'un de ces types impassibles dont le cœur reste hors d'atteinte – la première carapace étant doublée d'une seconde, impénétrable. Je dis cela car, au premier abord, j'ai perçu de sombres profondeurs et une tendance à prendre des risques inconsidérés. Quelque chose dans le regard, je crois.

À bien des égards, M. Cain est un tissu de contradictions. Un homme cultivé, détenteur d'un diplôme de lettres d'une université d'État respectée. Peut-être pas ce qu'on attendrait d'un policier, mais la crise de 1929 a poussé quantité de jeunes gens prometteurs à se tourner vers des professions qu'ils auraient dédaignées auparavant. Les livres et leurs lumières ne l'ont pas empêché de tuer un homme de sang-froid, paraît-il. Cain est un Sudiste de toujours qu'on imagine débordant d'affection pour son lieu de naissance, pourtant il en parle sans plaisir à qui l'interroge à ce propos. Il est en bonne santé, mais boite quelquefois. Et des rumeurs circulent quant à ses lointaines origines.

Jusque-là, je ne vous ai rien dit qui provienne de confidences particulières. Mais, si je n'en savais pas un minimum à son sujet, je ne serais pas porté à considérer son cas. Et dans le cadre de mes activités quotidiennes, j'ai eu vent d'éléments troublants qui m'ont fait craindre pour sa sécurité. Voilà pourquoi j'ai tenu à en apprendre davantage sur lui. Je dois admettre aussi que son métier me fascine, du fait notamment qu'il est assez semblable au mien.

Voyez-vous, même si nous en tirons profit de manière fort différente, lui et moi échangeons des secrets. Les victoires de M. Cain, puisqu'il est policier, dépendent des résultats qu'il peut communiquer au public – par l'intermédiaire d'un tribunal, ou sous forme de fuites auprès d'un journal. Alors que je suis, de mon côté, un fervent praticien de la dissimulation et de l'oubli. Dès que je détiens une information confidentielle, je m'applique consciencieusement à l'oublier, l'enterrer – bien qu'il me faille, simultanément, en partager le détail avec mes clients, aussi précisément qu'ils l'exigent. Ma conduite a non seulement pour but de préserver leur vie privée, mais aussi ma tranquillité d'esprit. Il n'est jamais question pour moi de « chercher de nouveaux indices » ni de « recouper des faits ». Eu égard aux secrets des autres, je serais une sorte de paysan qui cache ses jeunes pousses dans la terre, de peur qu'elles ne grandissent trop vite en attirant l'attention des voisins.

Vous pouvez m'appeler par mon nom, qui est aussi ma raison sociale : Danziger. Prononcez-le à quiconque dans un rayon d'un kilomètre autour de Rivington Street, et presque tout le monde vous enverra à ma porte. Comme l'indique ma carte de visite, je vends du renseignement, quoique je sois plus connu comme traducteur et écrivain public. Je rédige toutes sortes de correspondances : lettres d'excuses, sollicitations, candidatures, demandes d'aide auprès de la municipalité, de l'État de New York, même de l'État fédéral, ainsi que des courriers justificatifs aux banques et créanciers. Ma clientèle se trouve essentiellement parmi

13

les immigrés illettrés de la ville, ceux du moins qui parlent allemand, russe, yiddish et italien (ces derniers se démarquent évidemment des autres, mais il s'agit là des conséquences d'un égarement juvénile sur lequel il n'est pas utile de s'attarder).

Ma méthode de travail est simple et directe : les gens se présentent à mon bureau, expriment leurs souhaits et attendent que j'arrange leurs phrases dans une syntaxe correcte, en anglais ou dans leur langue maternelle. Ceux qui ont reçu un courrier dans l'une des quatre langues citées me prient de bien vouloir le leur lire, le leur traduire si nécessaire.

J'exerce au rez-de-chaussée d'un petit immeuble, dans une grande pièce pleine de courants d'air, de casiers et d'étagères affaissées. Un endroit sombre qui sert de bureau de poste et de quartier général à mes clients dans le besoin. Je loge à l'étage, dans une chambrette dotée d'une cuisinière, d'un évier et d'un robinet d'eau froide.

Comme vous le devinez peut-être, mes activités me rapprochent d'un large éventail d'individus. Il y a pléthore d'excentriques dans ma vie. Pléthore. Quel beau mot de votre magnifique langue, cet anglais de mœurs légères qui conserve ce qu'il emprunte. Non pas l'anglais du roi, mais de ses sujets, de ses colons – et c'est une des choses que j'ai toujours appréciées dans votre pays. Votre peuple, avec ses différents profils et origines, a érigé un bazar international aux mille merveilles, une galerie des Glaces dans laquelle je prends plaisir à déambuler des heures à la suite, parfois muni du gros dictionnaire estudiantin en deux volumes qui tient la place d'honneur sur mes étagères.

J'ai pour inavouable secret de ne pas toujours être un locuteur sûr de lui. Oralement, j'ai tendance à être plus lent, plus réfléchi. De temps en temps, je recherche la bonne forme grammaticale ou l'expression précise. Avec pour conséquence de ressembler parfois, quand je parle, à quelque invité guindé, maniéré, buvant une tasse de thé dans le salon de la comtesse.

Sur le papier, c'est une autre histoire. J'ai la fluidité des Pères fondateurs de votre beau pays, à l'aise dans la forêt des locutions et le maquis de presque toutes les influences étrangères. Je me fraie aisément un chemin dans le marais des expressions idiomatiques et argotiques, bien que certaines tournures du Sud et du Midwest m'échappent toujours, je le confesse. Mais les citoyens de ces régions ne sont pas si nombreux aux abords de Rivington Street.

Et donc, ventriloque de la page blanche, il m'arrive de penser en plusieurs langues tandis que je rédige, que je couche proprement sur le papier les formules et les constructions correspondant aux personnalités de mes clients, et aux tâches qu'ils m'assignent.

Mes tarifs sont raisonnables. Cinquante cents pour lire une lettre, idem pour en écrire une, à condition que le propos soit bref et précis. Les bavards déboursent davantage. Dans une journée ordinaire, j'entretiens une dizaine de correspondances. Autant que possible, j'évite les lettres d'amour, d'une facture trop hasardeuse, imprégnées qu'elles sont d'attentes et de peurs intimes. Je ne cède qu'à bon prix et ne tolère aucun reproche ou récrimination en cas d'échec. Ma condition de célibataire endurci, occupant un lit à une place, devrait dissuader quiconque de me commander de telles missives. Pourtant, certains m'en demandent encore, parfois mus par le plus profond désespoir.

Mon bureau est donc un lieu où ces gens prennent connaissance d'importantes nouvelles, les pires comme les meilleures. C'est là aussi que, sous le choc d'une révélation, ils réagissent et balbutient leurs premières réponses. Grâce à mes compétences, ils se réjouissent de leur chance ou maudissent leurs infortunes. Aux moments critiques de leur vie, je leur sers de porte-parole, de secrétaire, d'intermédiaire auprès de ceux qu'ils chérissent ou combattent, à qui ils me chargent de transmettre des informations vitales.

Je ne crains pas de manquer de travail avant longtemps. Malgré les nombreuses écoles et institutions, récemment ouvertes, qui dispensent des cours en anglais, mon petit coin de Manhattan semble contenir des réserves illimitées de clients, jeunes et vieux. De fait, le quartier est un univers grouillant de vie humaine, à un point que je n'aurais jamais imaginé. Grouiller – encore un fort joli mot. Il fait penser aux minuscules organismes qui fourmillent sur une lamelle de microscope, se multiplient, se divisent et dansent le fox-trot vers les bords.

Bien souvent, d'ailleurs, cette effervescence n'écarte pas certains dangers et quelques spécimens disparaissent totalement. Une remarque qui, peut-être, tient au fait que, ces derniers mois, j'ai pris conscience des menaces qui pèsent sur un vaste éventail de mes clients. Si je continue à écrire beaucoup de lettres à destination des États-Unis, j'entretiens de plus en plus de correspondances avec l'étranger – l'Europe principalement et ces pays qui, depuis trois ans, sont plongés dans la guerre. De mois en mois, mes visiteurs me confient des secrets toujours plus sombres, toujours plus tristes, qui pèsent sur leur cœur comme sur le mien. Nombreuses sont les lettres adressées à ces pays déchirés, qui demeurent sans réponse. Des voix naguère pleines de charme et de fantaisie se sont tues, et mon buvard s'imprègne de leurs larmes.

Ce qui justement me conforte dans l'idée de détacher ces choses de mon esprit. Comme je l'ai affirmé plus tôt, je n'amasse rien, ne cultive rien, n'analyse rien. À peine ai-je couché les souhaits ou les avis d'un client sur une page que je commence, pour ainsi dire, à la rouler en boule, afin de l'envoyer dans la corbeille des brumes et de l'oubli, d'où rien ne viendra troubler mes pensées.

Voilà ce que j'ai cru jusqu'à ces derniers jours, lorsqu'un article du *Daily News* m'a démontré que certains de ces secrets, loin de se dissoudre, se maintiennent juste en dessous de la surface. Par analogie avec un sujet aussi moderne que rebutant, ils ressemblent aux sous-marins cachés au large des côtes, qui attendent leur moment pour frapper. En lisant cet article, j'ai eu l'impression qu'un souvenir jeté à la mer venait de lancer une torpille, qui, en explosant, a révélé d'autres désagréments. De quoi éveiller mes craintes, celle surtout que j'éprouve depuis toujours dans mon travail – à savoir que, bientôt, un détail enterré de longue date surgisse des profondeurs, s'expose en pleine lumière et n'en fasse qu'à sa tête, avec une grande capacité de nuire et une force redoublée.

Il y a quelques heures, cette crainte s'est révélée fondée, et de la pire des façons. Comme je l'ai constaté de mes yeux, il s'agit d'une réalité, et d'une réalité épouvantable. Assez pour me pousser à agir ou, tout au moins, en envisager la possibilité. C'est aussi la raison pour laquelle j'ai voulu aussitôt en apprendre davantage à propos de ce M. Cain, car le moment crucial est arrivé où il me faut décider quoi faire, si vraiment nécessaire. Nous sommes aujourd'hui vendredi, et les aiguilles de l'horloge se rapprochent de minuit. Lundi matin, je devrai, soit renoncer à mon projet, soit requérir l'assistance de M. Cain, le nouvel inspecteur du 14e, porteur de mauvais présages.

Si j'hésite, c'est parce que la situation peut se révéler dramatique pour lui aussi. N'est-ce pas souvent le cas lorsqu'on dévoile quelque impénétrable secret ? Je me rappelle le conseil d'un ancien ami, homme sage et convaincant s'il en fut : « Lorsqu'un seul homme sait une chose, c'est un secret. Si un deuxième est au courant, alors onze autres le sont. Et, s'ils sont trois à le partager, alors ils sont cent onze. » Ce qu'il appelait l'arithmétique du danger, paix à son âme.

Mon dilemme est le suivant : si je décide de ne pas agir, M. Cain encourt également de graves périls. De mon poste d'observateur, même distant, j'ai le pressentiment qu'il est déjà soumis à diverses influences dont il n'a sans doute pas conscience. Il est exposé à des difficultés qu'il ne perçoit pas. En requérant son assistance, je serai éventuellement en mesure de le préserver.

Il serait incorrect de ma part de vous donner l'impression que mes motivations sont purement altruistes. Elles ne le sont pas. Un nom est apparu dans cette affaire qui m'amène à considérer que, faute d'intervenir bientôt, je serai moi aussi en position de vulnérabilité. Ma décision est peut-être déjà prise. Dans ce cas, je me rendrai lundi au commissariat de 30th Street pour dire à M. Cain ce que je sais, lui proposer mon aide et prier que tout se passe au mieux.

Souhaitez-moi bonne chance. Souhaitez même bonne chance à tous.

1

L'ordre de mission est arrivé à la fin de sa première journée de travail. Il ne lui restait qu'une demi-heure à tirer. Un corps repêché dans le fleuve, sur les quais au bout de 30th Street. Le capitaine Mulhearn affichait un grand sourire tordu en apportant la feuille au bureau de Woodrow Cain, tel un cadeau pour la crémaillère d'un nouveau voisin mal-aimé.

— Rien que pour toi, le Sudiste. Bienvenue dans le 3e district et bonne soirée en ville.

Vingt minutes plus tard, la cuisse droite raide après une journée assis, Cain boitait dans la nuit sur les pavés mouillés, franchissait prudemment rails et traverses, avant de déboucher sous les sombres arcades du viaduc de 12th Avenue, d'où il aperçut le léger miroitement du fleuve.

Vaguement éclairées par les lumières de Hoboken sur la rive opposée, les silhouettes de deux flics en uniforme se détachaient à quelque distance. Ils discutaient en faisant de grands gestes et ne l'avaient pas encore repéré.

Cain s'arrêta pour écouter.

— Moi, je dis qu'on le pousse.

— Qu'on le pousse ?

— Vers l'océan, avec une perche. Un de ces machins avec un crochet au bout, comme utilisent les matelots.

— Une gaffe ? Mais où est-ce qu'on va dénicher ça ?

— Bon, d'accord. Alors on jette quelque chose de gros dans la flotte. Pour faire des vagues qui l'emportent avec le courant vers le bout de la jetée. Il flottera gentiment jusqu'au 10e, et après ça sera leur problème.

— C'est pas réglo. Et si la marée monte ? Elle le refoulera chez nous et, au lieu d'avoir passé une heure avec lui, on va s'emmerder toute la nuit. Je me gèle assez le cul comme ça.

— Quoi, la marée ? C'est un fleuve, putain ! Les fleuves, ça va d'amont en aval, et le 10e secteur est en aval.

— Mais elle monte par-dessus le fleuve, la marée, couillon. En plus, le corps bute sans arrêt sur le quai, alors il est à nous. C'est dans le *Manuel des procédures*. « Affaires survenant sur les quais, dans les bateaux et sur les voies navigables » : la juridiction compétente englobe la berge ou la digue où le corps est trouvé.

Cain surgit des ténèbres tel un fantôme. Le flic partisan de la gaffe bondit comme si on lui avait pincé les fesses, et l'autre allait empoigner son arme de service.

— Repos, messieurs.

En leur montrant son insigne tout neuf, Cain reconnut celui de droite, un des îlotiers du commissariat.

— Petrowski a raison. Article 7 du *Manuel*. C'était une des questions à l'examen pour le grade d'inspecteur.

— Ils vous l'ont fait passer ? Je croyais que vous étiez placé d'office.

— J'ai eu droit à plein de tests. Alors, qu'est-ce que c'est ?

— Un noyé. Regardez vous-même.

Cain jeta un coup d'œil en bas. Des bouteilles et des ordures formaient un atoll autour du cadavre, couché sur le ventre dans l'eau noire. Le type était gonflé dans son T-shirt et dans son pantalon de travail comme une saucisse grésillant dans une poêle, prête à éclater. Des relents de pourriture, de poisson mort et de diesel s'élevaient vers la berge. Juste sous la surface, quelque chose fendit l'eau – un rat ou une carpe –, attiré par le cadavre. Cain refoula un haut-le-cœur qui lui laissa un goût acide dans la gorge. Il recula et inspira profondément, pendant que Petrowski et l'autre reprenaient leur discussion.

— Tu trouves pas que ça pue ?

— Ça sent jamais la rose, ici.

— Non, comme une odeur de brûlé.

— C'est le *Normandie*.

— Impossible. Ça fait au moins deux mois, non ?

— Mais il est toujours là-bas, couché sur le flanc. Les odeurs de cramé, ça s'incruste, et on est à moins de huit cents mètres. Alors, quand le vent souffle dans le bon sens…

— Tu vois ? Il souffle au sud. Donc, si on le poussait juste un peu…

Cain les coupa.

— Vous avez appelé la morgue, les gars ?

— Il y a un quart d'heure, répondit Petrowski. Ils ont dit qu'ils venaient.

— Alors j'ai besoin que vous surveilliez les environs, les gars.

— À cette heure, y a rien que des clochards et la police du rail.

— Eh bien, empêchez-les d'approcher. Séparez-vous, un de chaque côté.

— Bien, inspecteur.

Ils se mirent en marche dans la même direction. Cain hocha la tête, ébahi par leur insolence. Il compta silencieusement jusqu'à dix, tandis que les deux hommes poursuivaient leur conversation à voix basse.

— « Les gars », tu as entendu ça ? Deux fois qu'il nous le sort. On le croirait sorti de *Li'l Abner*[1]. Qu'est-ce qu'ils ont foutu dedans, les Fritz, pour qu'il brûle aussi vite ?

— Le *Normandie* ? Ils y sont pour rien, les Allemands. C'est un connard de soudeur qui a mis le feu à de la paille avec son chalumeau.

— T'as qu'à croire, ouais.

— C'était dans le journal.

— Je t'ai dit : si…

— Hé ! cria Cain.

Les deux flics se figèrent.

— Vous avez oublié comment on surveille une scène de crime ? Un de chaque côté, et plus vite que ça !

— Oui, inspecteur, dit Petrowski.

— Les nouveaux, ça n'y connaît rien, grommela l'autre. À peine arrivé, faut déjà qu'il se la joue.

— Il a un rabbin.

— Tout s'explique.

— Paraît que c'est son beau-père. Un rupin de mes deux, qui bosse à la Bourse.

La deuxième fois aujourd'hui qu'il entendait un flic parler de son « rabbin[2] ». À l'évidence, ses nouveaux collègues avaient découvert que son beau-père, Harris Euston, associé d'un cabinet d'avocats bien établi à Wall Street, avait appuyé sa candidature. Euston était

1. Bande dessinée très populaire d'Al Capp, mettant en scène des « péquenauds » américains.
2. *Rabbi*, argot de la police américaine : protecteur, mentor ou ange gardien.

un homme de parti, influent, qui savait jouer de ses relations dans les hautes sphères.

Vrai, mais quand même contrariant. Cela expliquait pourquoi tout le commissariat s'était montré si distant. Quelques hochements de tête, un bonjour ou deux, pas davantage. Cain croyait comprendre. Désireux de gravir un échelon supplémentaire et d'atteindre son niveau, la moitié des agents potassaient l'examen d'inspecteur. En salle de repos à l'heure de la pause, ils avaient joué aux questions-réponses, pendant que, seul dans son coin, il déjeunait d'un sandwich au jambon avec une Lucky en guise de dessert. Ils s'étaient comportés comme s'il était invisible. Mulhearn, le capitaine, avait suggéré à toute l'équipe d'aller boire quelques bières, la semaine suivante. La première tournée serait pour lui. Probablement un rite de passage, une occasion à ne pas manquer.

Les phares occultés du fourgon de la morgue longèrent les hauts murs de brique de la savonnerie Stanley et s'arrêtèrent au bout de 30th Street. Deux hommes descendirent du véhicule, munis de filets et de ce qui ressemblait à une immense paire de pinces. Ils se mirent au travail comme si de rien n'était, qu'ils fassent ça tous les jours. On pouvait le supposer.

Pour Cain, c'était une étape décisive – son premier cadavre à New York. Il n'avait eu affaire qu'à un seul autre noyé, des années plus tôt, pareillement ballonné. Un pauvre gars, harponné par un tronc qui dérivait sur la Neuse River. Du moins l'avait-on cru noyé jusqu'à ce qu'on le retourne et qu'on découvre les dégâts causés par un coup de fusil. La peau truffée de plomb, il crachait la lie de la rivière comme un accordéon déchiré. L'identifier avait pris une semaine,

Cain n'avait jamais trouvé le meurtrier, et le cas de ce soir n'augurait pas mieux.

Il ne s'était jamais habitué au sang ni au chagrin, cependant les homicides le passionnaient. Pour lui, le temps ne venait pas à bout des crimes non éclaircis. Ils pesaient sur sa conscience et, comme les dettes, cumulaient les intérêts. Non que Cain fût spécialement religieux, mais, lorsqu'il pensait à l'au-delà, il s'imaginait accueilli par les âmes de ces malheureux, et qui a envie d'aborder l'éternité dans ces circonstances ?

En quelques minutes, les employés de la morgue avaient repêché le corps et l'avaient étendu à côté d'un énorme tas de charbon. Quand ils l'allongèrent sur le dos, il fit le bruit d'un poisson qui claque en échouant à terre. Ses orbites étaient vides. Des relents putrides s'échappèrent de sa bouche ouverte, puis un filet d'eau, grisâtre comme un jus de cuisson avarié, coula sur ses joues.

Cain déglutit, se força à respirer par la bouche et recula d'un pas pour mieux voir.

Une plaie rose barrait le front de l'homme en diagonale, jusqu'à une large entaille sur sa boîte crânienne. Quelqu'un l'avait frappé assez fort pour l'assommer ou le tuer. Cain se demanda si le type avait été vivant au moment de l'immersion. Il se représenta un corps en train de tomber du pont George-Washington, à quelques kilomètres au nord. L'impact aurait certainement achevé le bonhomme. Il était cependant idiot de choisir un tel endroit pour s'en débarrasser – trop voyant. Un professionnel se serait servi d'un bateau, et il aurait fallu lester le corps pour qu'il coule. Le meurtrier avait dû être pressé. Il ou ils avaient peut-être été interrompus, ou alors il s'agissait de débutants. Cela étant, Cain ignorait comment les criminels avaient coutume de s'y prendre à New York.

Il retira d'une poche de son pardessus un vieux bloc sténo corné, le dernier en date d'une collection entamée à Horton, au début de sa carrière. Le NYPD lui en avait donné un, officiel – un « bloc mémo », selon l'expression du capitaine Mulhearn. Cain préférait le sien, sans doute parce qu'il l'utilisait aussi en dehors de ses heures de service. Entre ses notes de travail, il griffonnait la liste des commissions, dessinait des paysages, consignait les dates d'anniversaire à ne pas oublier, composait à l'occasion un mauvais poème. Réunir ces différentes choses sur un même support lui donnait l'impression de mener une existence moins décousue, ce qui paraissait d'autant plus important que presque tout s'était effondré autour de lui. Il se demandait toujours ce qu'il risquait si son bloc devait servir de pièce à conviction, que ses rêvasseries et observations personnelles étaient mises à la disposition d'un juge et d'un jury. C'était une miniature de sa vie, jonchée de flèches, de tirets, de ratures et de coups de gomme. Une vraie pagaille, quasi indéchiffrable.

— Il n'a rien dans les poches arrière ?

Les deux hommes firent signe que non.

— Remettez-le sur le dos.

Ils regardèrent Cain une seconde et s'exécutèrent. Le mort exhala de nouveaux remugles, une odeur de vase froide, de sédiments déposés pendant des siècles dans le lit du Hudson. Cain s'accroupit, glissa une main dans la poche droite, tendue et trempée, à l'avant du pantalon.

— Hé ! lâcha un des deux employés. Vous ne devriez pas faire ça.

Cain dégagea une tablette de chewing-gum, encore emballée, sur laquelle était collé un billet de cinéma à peine lisible. C'était tout. Il se redressa et nota.

— Enlevez-lui sa chemise.

Hésitants, les deux types l'observèrent.

— Allez. Les manches aussi.

Une douzaine de petits ronds noirs ornaient la poitrine du mort – des brûlures de cigarette ? Cain en avait vu de tels, autrefois, sur celle d'un enfant ; il s'arrêta d'écrire en s'en souvenant. Le nom d'une femme – Sabine – était grossièrement tatoué en fines lettres cursives sur l'épaule droite. Cela mis à part, il n'y avait rien qui permette d'identifier cet individu. Quelqu'un à la morgue relèverait ses empreintes digitales, mais, sans un nom pour les accompagner, il serait impossible de les comparer à des milliers d'autres, classées dans les fichiers de la police.

— Aucun papier sur lui, hein ? dit l'un des deux gars.

— En effet, répondit Cain.

— Encore un anonyme, alors.

— Vous en repêchez beaucoup ?

— Le neuvième, cette semaine. On en a peut-être sept cents par an.

— Sept cents !

Cain se campa sur sa bonne jambe pour empêcher l'autre de se raidir.

— Qu'est-ce qu'ils deviennent, ensuite ?

— Un ami ou un parent se présente en général dans un délai de quinze jours, fait valoir ses droits et paie un enterrement décent. Sinon, on les garde trois mois, et ensuite c'est City Island, une île du Bronx.

— Le cimetière des pauvres ?

Le type confirma.

— C'est très grand, et très moche. Ils doivent être plus de cent mille là-dedans. Vous n'avez pas idée de ce que ça pue.

Cain hocha la tête, médusé. Aucune ville de Caroline du Nord, chez lui, ne comptait autant d'habitants. Il sortit un mouchoir de sa poche et se moucha. Les odeurs s'incrustèrent dans ses narines. D'expérience, il savait que son manteau sentirait mauvais, le lendemain. Lui, du moins, le sentirait.

— Si vous n'en avez plus besoin, on le prend. Un rond-de-cuir de la morgue viendra vous faire signer les papiers.

Cain les salua et s'avança vers la berge. Il se racla la gorge et cracha, produisant de légères ondulations à la surface de l'eau. Une autre invisible créature se rapprocha par-dessous pour voir ce dont il s'agissait. Cain sortit une Lucky de son paquet. L'éclat de son allumette se refléta sur le fleuve tandis qu'il aspirait goulûment une première bouffée : un court hommage à son Sud natal. Son père cultivait le même tabac blond. Cain l'avait autrefois aidé à en suspendre les feuilles, une par une, dans les granges qui jouxtaient les champs à l'est de Horton. L'odeur des séchoirs à feu faisait partie intégrante de l'automne, au même titre que les citrouilles de Halloween et le football universitaire.

Muni d'un carnet, un homme surgit de l'obscurité.

— Vous êtes sur l'affaire ?

— Oui.

— Il avait des papiers ?

— Non. Rien dans les poches, à part un emballage de chewing-gum et un ticket périmé.

— Beemans ?

— Hum ?

— Le chewing-gum ?

Cain consulta ses notes.

— Black Jack.

— C'est tout ?

— Blessure à la tête. Des marques sur la poitrine, vous verrez ça. Je pense à des brûlures de cigarette. Un nom de femme tatoué en petites lettres sur l'épaule droite. Sabine.

L'homme pria Cain d'épeler le nom.

— Cause du décès ?

— Je croyais que c'était votre boulot.

Le type sourit en continuant de griffonner.

— Et le ticket ? Pour un match ?

— Un cinéma de 96th Street.

— Celui de Yorkville ?

— Ne sais pas. Peut-être.

— Alors soit il prenait l'eau depuis longtemps, votre gars, soit il ne faisait jamais sa lessive. Ce cinéma ne fonctionne plus depuis décembre. C'était toujours plein d'Allemands, là-dedans. Comme tout le quartier. Ils ont fermé juste après Pearl Harbor.

L'homme prit encore quelques notes, puis posa une nouvelle question.

— Et votre nom ?

— Inspecteur Woodrow Cain. 14e secteur.

— Kane avec un *K*, comme celui du film ?

— Un *C*.

— Comme Caïn et Abel ?

— Aucun rapport. Woodrow avec un *W*, comme Wilson.

L'agent Petrowski les rejoignit.

— Hé, l'autre gars de la morgue est arrivé.

— Ça y est, c'est fait.

— Mais non, ballot ! Vous ne parlez pas à ce chacal, j'espère ?

Petrowski fit la grimace et partit se fondre dans la nuit.

— Qui êtes-vous, alors ?

— Sam Willett, du *Daily News*.

— Merde.

— Pas très réglementaire, ça.

Cain se renfrogna et dévisagea le journaliste d'un œil qui semblait dire : « Soyez pas vache. » Willett soutint son regard avec l'air de répondre : « Pas de chance. »

— Nouveau… Et pas du coin, je suppose ?

— Filez, je vous prie. Avant que je m'énerve.

— Pas de problème. J'ai ce qu'il me faut.

Willett referma son carnet.

— Intéressant, ces brûlures de cigarette. À croire qu'on lui a fait passer un sale quart d'heure. Fort à parier que c'est un Allemand, votre type. Je devrais pouvoir placer un petit article.

Cain jeta sa cigarette vers le fleuve et s'en alla trouver le gratte-papier de la morgue, un grand échalas, blanc comme un cadavre, avec la personnalité assortie. Il leva les yeux par-dessus son bloc-notes et étudia Cain des pieds à la tête.

— Un bon conseil, l'ami. Ne demandez jamais à mes hommes – je répète : jamais – de toucher aux vêtements ou de fouiller les poches.

— Je m'appelle Cain, *l'ami*. C'est moi qui ai inspecté les poches.

— Encore pire.

— Je prends note. Vous êtes chargé de l'autopsie ?

— Je ne suis pas boucher. Ce sera le Dr Bolton.

— Un petit service, peut-être ? En sus du boulot habituel, j'aimerais qu'il tâche d'estimer de quand date le tatouage sur l'épaule droite – une certaine Sabine.

— Je prends note. Mettez-moi ça là par écrit, et signez. Avec vos initiales sous la case, en bas, où je mentionne que vous avez touché au cadavre. *L'ami.*

Cain consigna sa demande et parapha où il fallait. Il libéra Petrowski et son collègue, puis alluma une deuxième cigarette tandis que le fourgon s'éloignait. Le journaliste avait disparu et tout était soudain très calme. Il n'y avait plus que le clapotis du fleuve contre la berge et le ronronnement de la circulation sur le viaduc de 12th Avenue. On entendait, plus bas sur les quais, des coups de marteau, un embryon d'industrie, l'effort de guerre qui cherchait encore ses marques. Cain contemplait un point dans l'obscurité. Si son nom paraissait dans le journal, les autres flics le prendraient pour un guignol, prêt à épater la galerie. Il était trop tard, de toute façon.

Jamais il n'avait traité un meurtre à la légère, toutefois ils n'étaient pas nombreux à Horton – trois ou quatre dans l'année, six au maximum. La raison pour laquelle, sans doute, il ne les oubliait pas. Début février, dans le train qui l'emportait au nord, il s'était servi du même bloc sténo que ce soir. À trois heures du matin, une demi-lune se levait au-dessus du littoral, des arbres émaciés tendaient leurs branches nues vers le ciel et le train bringuebalait dans la nuit. Les cinq autres passagers dans le compartiment s'étaient endormis, dont, par bonheur, une vieille femme indiscrète qui l'avait assailli de questions. « Mais où est votre famille ? Où allez-vous à l'église ? Quel âge a votre fille ? Pourquoi n'est-elle pas avec vous ? Et votre femme, vous dites qu'elle est partie où ? »

Cain avait eu pour seule compagnie éveillée sa propre image sur la vitre. Il s'était mis à écrire sur son bloc et, en un rien de temps, avait noirci une page entière avec la liste complète des victimes sur lesquelles il avait enquêté – quarante noms au total, sans erreur de chronologie, avec le descriptif : âge, race et circonstances du décès.

Au bord du fleuve, il feuilleta quelques pages et retrouva rapidement son premier noyé, numéroté 15 : *Elridge Warren, noir, 53 ans, tué avec un fusil de chasse.* Deux autres affaires, non élucidées elles aussi, portaient respectivement les numéros 19 et 22 : *Jake Tarn, blanc, 37 ans, poignardé ; Janelle Ellerbe, blanche, 24 ans, étranglée.* Cain parcourut le reste de la page. Meurtres à l'arme à feu, au couteau, une noyade dans une baignoire qui, en débordant, avait répandu de l'eau et du sang partout sur le carrelage. Trois par coups et blessures ayant entraîné la mort – le premier à l'aide d'un pied-de-biche, le deuxième avec une pelle, le troisième au moyen d'une pierre détachée d'un mur du cimetière. Un seul empoisonnement – de la mort-aux-rats incorporée dans une tarte aux prunes, le dessert préféré de la victime.

Autant de souvenirs vivaces. Il suffisait de s'attarder sur n'importe lequel de ces noms pour que d'autres visages apparaissent – des mères, des enfants affligés, un père qui sanglotait comme un éléphant, en plein commissariat, au point que les collègues s'étaient tenus à distance.

Cain se rappela que la vieille femme importune s'était réveillée sans qu'il s'en aperçoive.

— Que veulent dire tous ces noms ? avait-elle demandé. Ce sont des amis à vous ?

— Cela concerne mon travail, avait-il lâché, irrité. « Pas vos oignons. »

Qu'avait-il cherché à faire ? Une sorte d'inventaire, peut-être, à la manière d'un commerçant qui parcourt ses étagères avant de céder sa boutique ? Un stock d'invendus qu'il espérait confier aux bons soins de son successeur ? Dans ce cas, que devenait le plus mémorable d'entre eux ?

Rob Vance, blanc, 34 ans, tué par balle.

Il était le dernier de la liste, comme si les autres constituaient un ensemble organisé, un mécanisme menant inexorablement à sa mort. Cain n'avait pas besoin de fermer les yeux pour le revoir à la fin, blême, le torse éclaboussé de rouge, comme si on avait jeté sur lui un ballon plein de sang – les étudiants aimaient ce genre de blague, à l'époque où Rob et lui fréquentaient Chapel Hill. Puis ils s'étaient engagés ensemble dans la police, ils avaient appris un métier qui ne leur plaisait pas spécialement, mais il fallait bien travailler quelque part. En 1930, personne n'embauchait d'étudiants diplômés dans la région. L'image de son ami, gisant au sol, la bouche ouverte par la surprise, et les coups de feu résonnant dans la pièce continuaient de le hanter. Le regard de Rob, avec ses yeux vitreux, n'accusait personne.

L'affaire avait été rapidement conclue. Cain avait assisté à la scène du début jusqu'à la fin. Pourtant des questions attendaient encore une réponse, pour lui comme pour tout le monde à Horton. Aurait-il pu faire davantage pour éviter le pire ? N'était-il pas complice, d'une certaine façon ? Quel rôle avait joué Clovis, sa femme ? À cet égard, tout n'était pas réglé. Et voilà que, le même bloc en main, Cain avait un nouveau cadavre à inscrire au début d'une page vierge.

Il se rapprocha du fleuve. Un peu plus bas se dressaient comme des fantômes les hautes silhouettes des paquebots amarrés au port, propriétés de compagnies maritimes dont il avait entendu parler sans jamais acheter un billet – la Cunard, la Panama, la Munson. C'était le monde de Clovis, du moins celui dans lequel elle avait grandi. Clovis, l'enfant de Manhattan, exilée dans le Sud par un père angoissé, afin qu'elle y poursuive ses études. Harris Euston avait voulu l'éloigner d'une bande de noceurs invétérés – des fanfarons qui la gavaient de whisky, de jeunes prétentieuses à l'influence délétère. Qu'elle se calme en province pendant quelques années, avait-il pensé, pendant que les autres intégraient les grandes universités de la côte Est. Qu'elle oublie les privilèges de l'argent et qu'elle revienne ensuite avec les idées claires.

Il ne s'était pas attendu à ce qu'elle trouve un mari sur place ni à ce qu'elle adopte un nouveau mode de vie – culturellement stérile, selon lui. Clovis n'avait pratiquement plus remis les pieds à New York. Depuis son arrivée, Cain n'avait pu faire un pas sans sentir sa présence. Chaque jour, il passait devant un des endroits dont elle parlait souvent – Macy's, 5th Avenue, Central Park, Carnegie Hall, et à présent ces bateaux qui jadis l'emmenaient en vacances, en Europe ou aux Caraïbes. Chacun symbolisant à sa manière l'exubérance et le glamour, les traits d'un caractère qui avait aussitôt séduit Cain. Rob également, sans doute.

Cain écrasa sa cigarette, en alluma encore une et se détourna de l'eau. Il franchit une série de rails, puis s'arrêta. Des trains – le Lackawanna, l'Érié, le Baltimore and Ohio – finissaient ici leur course des quatre coins du pays. Tous les chemins menaient à Gotham[1], ville de voyageurs, où Cain avait encore l'impression de débarquer. Il se rendit compte d'une chose. Malgré tous ses efforts, les quarante victimes de

---

1. Surnom de New York.

Horton l'avaient suivi. D'habiles passagers clandestins, des compagnons à vie. Telle une ombre, Clovis elle aussi chuchotait son nom derrière lui. On ne laissait pas son passé derrière soi. C'était comme un parasite dans le sang, un trouble congénital. Il fallait seulement espérer que personne n'en reconnaisse les symptômes.

Le moyen de réagir consistait à s'atteler à cette nouvelle affaire, et avec la dernière énergie. Il observa le bout rouge de sa cigarette en se demandant combien de temps on devait l'appliquer sur la peau avant d'obtenir ces affreuses marques noires. Cinq secondes ? Vingt ? Une minute entière ? Une question de plus à poser au Dr Bolton à la morgue.

Cain était sur le point de partir quand un faisceau lumineux le happa de profil. Une grosse voiture roulait droit sur lui en cahotant sur les pavés. Les phares n'étaient même pas occultés. Ne savaient-ils pas que c'était la guerre, ceux-là ?

La voiture s'immobilisa à vingt mètres de lui, le moteur au ralenti, comme si ses occupants n'étaient pas sûrs de leurs intentions. Lentement, Cain glissa un bras sous son manteau, vers l'étui du Colt calibre 32 qu'il portait à l'épaule. La crosse rainurée, en noyer, était froide et rugueuse. Il n'avait aucune envie d'en passer par là. Beaucoup trop tôt. En dégageant l'arme de sa gaine, il sentit le pouvoir mortel qu'elle lui conférait. La sensation remonta le long de son bras comme un courant électrique.

Une portière s'ouvrit. La silhouette imposante d'un homme descendit du véhicule et se plaça devant les phares. Chapeau à bord large, pardessus épais. Le visage restait invisible, mais le reste n'en constituait pas moins une cible facile.

— Inspecteur Cain ?

— Qui le demande ?

— Le quartier général.

— Du 14e ?

— De New York.

En d'autres termes, *le* siège de la police, *la* direction des opérations, basée à Centre Street. Cain avait vu l'endroit sans le visiter. Il avait prêté serment, la semaine précédente, pendant une cérémonie en plein air, debout et en rangs avec plus d'une centaine de nouvelles recrues, dans un parc de la ville battu par les vents.

— Votre présence est requise demain à douze heures trente. Pièce 114-B.

— Par qui ?

— Venez à la pause déjeuner, et gardez ça pour vous. Pas un mot au capitaine Mulhearn ni aux andouilles qui vous servent de collègues.

— Requise *par qui* ?

— Midi et demi pile. Pièce 114-B. On vous attend.

Le moteur vrombit quand le type se détacha des phares et reprit place à l'intérieur. La voiture fit lentement demi-tour. Dans le noir, Cain regarda les feux arrière s'éloigner et un clignotant s'allumer à l'approche de 10th Avenue.

Que pouvait-on bien lui vouloir au quartier général ? Pourquoi lui imposait-on la plus grande discrétion ? Déjà des ennuis ? Ils n'allaient pas le virer, quand même ? L'odeur de vase qui remontait du fleuve lui rappela ce qu'on venait d'y pêcher. En frissonnant, il se mit en route vers le commissariat.

Il marcha sans hâte au début, la jambe raide d'être resté debout trop longtemps. Avec ce vent froid, il avait envie d'un lit chaud, ce qui lui refit penser à sa femme, à des draps de soie dans un hôtel chic, le Plaza ou l'Astor, à une autre vie dans laquelle Clovis l'attendrait s'il n'avait pas été flic et si elle n'avait jamais atterri dans le Sud. L'un comme l'autre avaient leur part de responsabilités, pensa-t-il. Puis l'image s'évanouit et, de pas en pas, il sentit une présence oppressante dans son dos. Quelque chose qui se glissait vers lui depuis le fleuve, qui s'élevait comme une vague. Il se figea et, bravant l'obscurité, se retourna brusquement.

Rien.

Cain se remit en marche. Ses muscles se détendaient et il pressa le pas sans plus regarder en arrière.

Un seul choix : continuer.

2

Le lendemain matin, Cain décida qu'il en avait assez de vivre comme un anachorète. Depuis deux mois qu'il était arrivé, il piochait encore dans sa valise pour s'habiller et n'avait rencontré personne.

Il étudia son appartement, un modeste deux pièces à Chelsea, dans un immeuble neuf, solide, où logeaient des employés du textile, des fourreurs et des bouchers. Le bâtiment était coincé entre plusieurs autres, vieillots, aux cordes à linge anarchiques, aux occupants bruyants, aux vieux escaliers de secours noirs qui zigzaguaient le long des façades jusqu'à la rue. Une des meilleures adresses du quartier, selon son beau-père, qui lui avait bien fait comprendre qu'il le louait pour que sa petite-fille Olivia puisse en profiter quand elle serait là.

Pour soixante dollars par mois, on n'aurait pas trouvé plus propre et plus spacieux à Manhattan. L'immeuble disposait d'un ascenseur, de l'eau chaude et d'un portier. Pourtant Cain s'y comportait comme dans un hôtel de troisième zone. Les tiroirs de la commode restaient désespérément vides. Il avait posé son matelas à même le sol, lequel était aussi nu que les murs. Le frigo ne contenait qu'une bouteille de lait. La minuscule cuisine, dans laquelle on pouvait tout juste manger, était aussi impeccable qu'au jour de son emménagement. Cain préférait s'alimenter dans des snacks ou des restaurants bon marché, dont certains avaient à peine assez de place pour installer un comptoir.

Il s'était un soir offert à dîner devant un distributeur automatique Horn & Hardart. L'endroit paraissait spécialement étudié pour vous confronter à votre solitude. Personne n'était là pour prendre votre commande ou vous servir. Vous aviez seulement besoin de quelques nickels pour ouvrir les minuscules casiers – une barquette de ragoût dans celle-ci, une part de tarte dans celle-là – et les fenêtres vides étaient de nouveau garnies avant que vous ayez avalé votre première bouchée. On entrait et sortait sans dire un mot à quiconque. Peut-être l'Amérique voyait-elle là une formule d'avenir, mais pour Cain cela ne présentait aucun intérêt.

S'il n'y avait eu cette pile de lettres sur la table de la cuisine, on aurait pu croire qu'il avait renoncé à toute forme de relations. Il écrivait chaque jour à Olivia, relisait ses missives dès qu'il rentrait le soir, rédigeait ses réponses bien au-delà de minuit. Elle lui rapportait par le menu ce qui se passait chez sa tante à Raleigh, d'un ton qui paraissait enjoué, mais il se doutait qu'elle n'était pas très heureuse. Sue, la sœur de Cain, manquait assurément de doigté et l'on comprenait vite qu'elle était d'une sévérité peu commune. Olivia n'avait plus cette maman délurée qui, aussitôt après avoir débarrassé la table, préparait des cocktails. Ni ce papa, muni d'une lampe torche, qui l'emmenait voir les chouettes hululer dans les pins des marais. Personne pour lui raconter une histoire au lit après l'extinction des feux à neuf heures.

Même en lisant entre les lignes d'une lettre de cinq pages, il ne lui était plus si facile de suivre les humeurs de sa fille. Elle allait maintenant sur ses treize ans, l'âge de la dissimulation – Cain n'avait pas oublié sa propre jeunesse. Eu égard aux bouleversements qui avaient précédé son départ, il devait se réjouir qu'elle veuille bien lui écrire. Plutôt que l'inciter à se livrer davantage, il préférait lui donner une idée de ce qui l'attendait à New York, s'attardant sur les merveilles de la ville, laissant de côté horreurs et infamies, le bruit et la multitude épuisante des visages dans la rue et le métro. Cain avait eu du mal à s'endormir, les premières nuits, oppressé par la sensation de cette foule autour de lui, qui parlait d'autres langues, s'habillait différemment, ne connaissait ni le calme ni le silence. Il s'était cru cerné par les voix, les cris, les chaises qui raclent le parquet, les portes qui claquent, les fenêtres qui grincent dans leur châssis. Pendant un jour ou deux, il avait eu l'impression de ne plus pouvoir respirer.

À présent qu'il avait de nouveaux collègues, un bureau à lui, une routine quotidienne, un chef à la con contre lequel râler et cette affaire qui venait de tomber, peut-être pouvait-il faire l'effort de s'installer un peu mieux.

De plus, le printemps venait d'arriver, ce qui n'était pas dommage. Le paysage mental de Cain semblait s'être figé en février – l'hiver avec ses trottoirs recouverts de neige fondue et grisâtre, sous les hauts immeubles dégoulinant de crasse, dressés tels des mégalithes sur son chemin. Puis, presque du jour au lendemain, des touffes de verdure avaient jailli des moindres fissures, telle une respiration trop longtemps retenue. Dans les parcs, les branches des arbres ployaient sous leurs fleurs et caressaient le sol. À toute heure, des gamins couraient dans les rues, jouaient à chat ou au base-ball pendant que, derrière les fenêtres ouvertes, la radio annonçait les premiers matchs de la saison – Red Barber s'époumonant sur les Dodgers de Brooklyn, Mel Allen sur les Yankees et les Giants de New York.

Ce matin-là, Cain rangea donc ses vêtements dans la commode avant d'installer le sommier qu'il avait trouvé dans une boutique d'occasion. Il choisit quelques fruits dans la charrette d'un marchand des quatre-saisons, puis acheta trois journaux différents, une miche de pain, une boîte d'œufs, des tranches de lard et une livre de café. Ensuite, pendant que le café filtrait et que le lard grillait dans la poêle, il déplia son plan de la ville pour préparer son périple de la journée : première étape, Yorkville, ce quartier présumé plein d'Allemands.

Il aurait été plus simple d'y aller en voiture. Mais Cain n'était encore qu'un subalterne et, avec les restrictions imposées par la guerre, les véhicules de la police étaient exclusivement réservés aux huiles et aux patrouilles radio. Même Mulhearn n'avait plus l'usage de sa Hudson huit cylindres, et Cain n'était autorisé à utiliser un taxi aux frais du contribuable qu'en cas d'urgence. Il était à pied comme un vulgaire îlotier. Du doigt, il suivit les lignes colorées qui, sur le plan, représentaient les trajets des autobus et des métros. Il marcherait depuis le commissariat jusqu'à la station de 33rd Street pour prendre la Lexington Line jusqu'à 86th Street – le Broadway allemand –, six arrêts plus loin, où il fouinerait jusqu'à ce qu'il soit temps de se rendre à sa convocation.

Il ouvrit une fenêtre en grand. Le matin était frais et gris, mais c'était toujours le printemps. Cain fourra son bloc dans la poche de son manteau et se mit en route.

Après ce que lui avait dit le scribouillard du *Daily News*, il s'attendait à ce que Yorkville ressemble plus à Berlin qu'à Manhattan. La réalité était plus subtile que ça. De prime abord, rien ne distinguait vraiment le quartier du reste de la ville. Il y avait ici aussi un distributeur automatique Horn & Hardart, un Woolworth's[1], et même un magasin de chaussures Thom McAn, comparable à celui où il avait emmené Olivia, dans le centre de Raleigh.

C'est aux bruits qu'il comprit. Les premiers mots qu'il entendit en sortant de la bouche de métro étaient allemands – deux vieux bonshommes qui se disputaient en gesticulant, une cigarette accrochée aux lèvres. Les rares et dernières fois où Cain avait prêté attention à leur langue, Hitler et Goebbels l'employaient pendant les actualités filmées. En Caroline du Nord, un flic aurait pensé tout de suite à boucler les deux vieillards, au moins à leur demander ce qu'ils trafiquaient. Y aurait-il eu une seule famille allemande à Horton, tout le monde aurait épié ses moindres gestes. Il paraissait ici y en avoir des milliers, logées dans les vieux immeubles sales le long du métro aérien de 3rd Avenue.

En remontant 86th Street vers l'est, Cain passa devant une agence de voyages qui portait le nom de *Reisebüro*, avec une inscription en lettres dorées sur la devanture pour attirer l'attention sur ses *Schiffskarten und Reisechecks*[2]. Les brasseries, ou *Brauhausen*, étaient si nombreuses qu'il cessa bientôt de les compter : Platzl, Rudi & Maxl's, Geiger's, Willy's Weindiele, Café Hindenberg, Kaiser's, Martin's Rathskeller, Kreutzer Hall… Il y avait néanmoins parmi elles le Shamrock

1. Chaîne de magasins à prix unique.
2. Billets de bateau et chèques de voyage.

Bar, un pub irlandais, et d'autres établissements, tel le Eatmore Delicatessen Deutschland, qui semblaient embrasser plusieurs cultures. Un bistro dénommé le Lorelei attirait déjà une clientèle enthousiaste à onze heures du matin, et Cain sentit son estomac gargouiller quand parvint à ses narines une odeur de saucisse grillée et de bière amère. Il remarqua aussi quelques détails qui donnaient à penser que tout le quartier n'était sans doute pas pro-allemand. Sur une vitrine était dessiné un plat de choucroute avec un écriteau « Le chou de la liberté ».

Un collègue du commissariat lui avait rapporté que, avant Pearl Harbor, plus d'un commerce ici avait affiché des croix gammées sur sa vitrine, ou un portrait d'Adolf Hitler. Yorkville avait été le berceau d'une organisation nazie, le Bund germano-américain, et, à peine quelques mois plus tôt, une bande de costauds y avaient fait du porte-à-porte dans le but de recueillir de l'argent pour le Reich. Un groupe, notamment, prétendait collecter des dons pour les soldats blessés au pays. Un autre proposait d'échanger des reichsmarks contre des dollars. Ces obscures transactions étaient surtout destinées à injecter de l'argent dans la machine de guerre hitlérienne. Pour impressionner les bienfaiteurs potentiels, les deux groupes s'efforçaient de localiser des parents restés en Allemagne : « Donnez si vous ne voulez pas qu'il arrive des bricoles à votre oncle Hans de Düsseldorf ! » Des gens charmants. Bien sûr, il n'y avait plus aujourd'hui ni svastikas ni voyous en maraude, cependant Cain doutait que les habitants du quartier aient changé leur fusil d'épaule du jour au lendemain.

D'un autre côté, certains Allemands de Yorkville – peut-être même un vaste contingent – étaient venus ici pour échapper à Hitler. Comme certains nouveaux arrivants de Hongrie et de Tchécoslovaquie. Pour ajouter au paradoxe, Cain aperçut plusieurs devantures parcourues d'inscriptions en alphabet hébraïque. Si elles avaient été dégradées par les fripouilles du Bund, les dégâts étaient depuis longtemps réparés. Sans doute les juifs avaient-ils droit pour l'instant à une paix méritée.

Cain longea le funérarium Herrlich et le Vaterland Café and Restaurant et atteignit bientôt les limites du quartier. Il parvint au croisement de 3rd Avenue et de 96th Street, où il trouva le cinéma, un bâtiment de deux étages qui avait connu des jours meilleurs. Comme avait indiqué le journaliste, l'endroit était fermé, la porte d'entrée condamnée par un gros cadenas. Les affiches placardées au-dehors avaient perdu leurs couleurs. Au premier étage, un drap servait de rideau à une double fenêtre. Il semblait n'y avoir personne. Cain agita tout de même le cadenas, frappa à la porte vitrée, badigeonnée à la chaux. Pas de réponse.

Il se rapprocha d'un placard pour étudier l'affiche d'un film de propagande, *Sieg im Westen*, qui célébrait la conquête de la Belgique et des Pays-Bas par l'Allemagne. Quelqu'un avait peint des graffitis antinazis sur la vitre protectrice.

Un tapotement dans son dos le fit sursauter. Se retournant, il découvrit une jeune femme derrière la fenêtre du guichet. Elle venait apparemment de s'y glisser, de l'intérieur du cinéma, pourtant elle était déjà enveloppée d'un nuage de fumée de cigarette. La façon dont elle était vêtue, ou plutôt dévêtue, avait de quoi étonner plus encore. Il devait faire moins de dix degrés par cette matinée fraîche, et elle arborait un déshabillé vaporeux, noir, qui laissait deviner un soutien-gorge en dentelle de même couleur. D'une pâleur saisissante, son visage semblait emprunté à une photo publicitaire en noir et blanc, à l'exception de ses lèvres, parées d'un trait rouge foncé. Des yeux bruns très maquillés, et les cils allongés au rimmel. Soit elle portait une épaisse couche de fond de teint, soit elle avait la peau naturellement exsangue. Ses cheveux coupés au carré, lustrés comme les plumes d'un corbeau, mettaient en valeur un long cou blanc.

Elle tapota de nouveau sur le verre et s'adressa à Cain d'une voix étouffée par la vitre du guichet.

— *Alles geschlossen. Acht Uhr.*

— Comment ?

— Fermé maintenant. Spectacle huit heures.

— Huit heures ? Il y a encore des séances ?

Elle hocha la tête. Entrouvrant son manteau le temps de montrer son insigne, Cain se fit l'impression d'un exhibitionniste – une réaction, peut-être, au spectacle de cette peau dénudée. Bizarrement, la jeune femme n'avait même pas la chair de poule.

Elle fronça les sourcils.

— Alors vous n'êtes pas là pour le spectacle ?

— J'ai quelques questions à poser concernant un client à vous.

Elle réfléchit un instant puis, d'un air las, hocha de nouveau la tête.

— *Um die Ecke.* Faites le tour et passez par l'arrière.

Cain contourna le bâtiment jusqu'à la porte de métal noire dans l'allée, jonchée de bouteilles brisées, où les pavés puaient la bière rance. Il tambourina à la porte, qui grinça sur ses gonds rouillés quand la fille la déverrouilla. Elle repartit dans le couloir sombre, à peine était-il entré. Talons hauts et bas noirs, dont l'un avait filé à la cuisse gauche. Cette fille paraissait réellement insensible au froid. Elle le conduisit derrière

44

ce qui ressemblait à un écran de cinéma et bifurqua au bout à gauche. Ils débouchèrent dans la grande salle poussiéreuse, qui contenait une cinquantaine de rangées – les dernières étant indistinctes dans l'obscurité. Il ne faisait guère plus chaud à l'intérieur. Des pigeons voletaient d'un point à un autre en roucoulant. Les semelles de Cain collaient au sol, en imitant à chaque nouveau pas le bruit d'une page qu'on arrache d'un magazine.

Il tressaillit quand quelque chose détala devant lui.

— Un rat, dit platement la fille. Vous inquiétez pas. C'est pas ce qui manque ici. Même chez les patrons.

— À qui appartient l'endroit, actuellement ?

Elle s'assit sur un siège de la première rangée. Ses bas chuintèrent lorsqu'elle croisa les jambes. Aussi à l'aise qu'au début d'une séance de cinéma, elle recracha une bouffée de sa cigarette avec un mouvement prononcé de la mâchoire.

— Albie Schreiber et Joel Feinman. Deux jeunes juifs.

Cain était trop étonné pour répondre.

— Oui. On ne s'y attend pas. Surtout les bundistes, qui trépignent de rage en apprenant qu'ils paient des juifs.

— Mais il y a encore de l'activité ?

— Pas de *Kino*, de cinéma. Le distributeur des films allemands est *kaput*. Maintenant, spectacle de variétés. Sur scène.

— Avec vous ?

— D'autres filles aussi. Ce qui s'appelle une revue, je crois. Et un piano.

Elle indiqua l'instrument dans un coin de la salle.

— *Ploink ploink*. Une chanteuse, parfois. Et toujours du pop-corn.

Peut-être le noyé s'était-il récemment rendu ici pour assister à cette « revue ». Après tout, un endroit aussi minable pouvait bien attirer quelqu'un qui avait fini ses jours couvert de brûlures de cigarette.

— Comment vous appelez-vous ?

— Angela, répondit-elle, avec un *g* dur, à l'allemande.

Elle produisait de la buée en parlant.

— Dites-moi, il fait chaud ici, quand on vient du dehors ? poursuivit-elle.

— Pas vraiment. En fait, pas du tout.

Il se demanda avec quoi elle se droguait. Des cachets ? Une seringue ?

— Combien d'autres filles, dans votre spectacle ?

— Trois. Parfois quatre.

— Une Sabine, dans le tas, peut-être ?

Angela dévisagea Cain, puis hocha lentement la tête. Un « non » spontané aurait été plus convaincant.

— C'est ça qui vous amène ? Vous cherchez une Sabine ?

— Son nom était tatoué sur l'épaule d'un type qui avait dans la poche un billet de votre cinéma.

— Et lui, son nom ?

Cain haussa les épaules.

— Alors il est mort ?

— Qu'est-ce qui vous fait croire ça ?

— Vous lui fouillez les poches sans connaître son nom…

— Vous ne savez pas qui c'est, ce gars qui en pince pour une Sabine ?

— Beaucoup d'hommes viennent ici. Qui en « pincent » pour des tas de filles, comme vous dites.

Notamment si elles avaient l'habitude de porter des tenues aussi légères qu'Angela. Logeait-elle sur place ? Cain imagina une chambre dissimulée, dotée d'une ampoule nue, d'un lit de camp, d'une serviette sale. Une table sur laquelle était posée une seringue hypodermique, et peut-être quelques restes de nourriture. L'image lui inspira une sorte de pitié lasse. Il sortit son bloc sténo de sa poche.

— Votre nom de famille ?

— Officiellement ou pour vos petites affaires ? Ce n'est pas un bloc de la *Polizei*, ça.

— Vous semblez au courant de bien des choses.

— Et vous, vous manquez d'expérience. À beaucoup de points de vue.

Cain sourit.

— Sans doute. Je suis nouveau.

— Feinman, dit-elle. Mon nom de famille.

Qu'elle épela.

Il leva un sourcil, et elle répondit spontanément.

— Comme mon frère. Cet endroit est à lui.

— Comment avez-vous fait pour rester ouverts, quand les bundistes ont su qui vous étiez ?

— Joel paie un homme, Lutz, qui arrange les *Dokumenten*, les papiers, pour déclarer un autre propriétaire. Lutz choisit un nom au hasard, quelque chose qui fasse bien allemand, bien goy. Gerd Schultz, je crois que c'est.

— Mais si on apprenait la vérité ?

Cigarette à la main, Angela balaya la question.

— Le cul, c'est le cul. Peu importent les origines. C'est mon âme qu'ils méprisent, et on baise pas les âmes. D'ailleurs, voilà ce qui les excite vraiment.

Elle fit claquer sa jarretelle, dont la bande élastique revêtait trois couleurs : rouge, noir et or.

— Les couleurs du Reich. L'Allemagne du *Kaiser*. Ça leur sert de code, maintenant qu'ils peuvent plus brandir leur drapeau avec le bretzel noir.

— Et votre travail ne vous pose pas de problème ? Ça vous plaît d'aguicher les nazis ?

— J'ai pas besoin d'aimer les clients, tant qu'ils paient à l'entrée.

Angela se leva. Elle mesurait presque un mètre quatre-vingts.

— Cette Sabine dont vous parlez ?

— Oui.

Elle étudia Cain en soupirant doucement.

— Vous ne la retrouverez pas.

— On dirait que vous la connaissez.

— On dirait surtout que je connais les gens. C'est… Comment dit-on ? Une aiguille de la meule de foin.

— Dans une meule de foin.

Nouveau geste de la main.

Il nota son nom et son numéro de téléphone au commissariat sur une page blanche qu'il détacha de son carnet.

— Tenez. Au cas où vous auriez des nouvelles de Sabine. Ou d'un autre type qui a disparu et qui avait le béguin pour elle.

— Le béguin ? répéta Angela.

— Qui en pinçait.

Cain regarda ses jambes une seconde de trop. Il ajouta :

— Ou qui louchait dessus.

Elle jeta un coup d'œil à la feuille.

— Cain. Celui qui a tué son frère dans la Bible ?

Il aurait aimé qu'on arrête de le lui rappeler. À Horton, où tout le monde possédait une bible, on avait éprouvé de la gêne à poser la question – surtout à la

48

fin. Angela plia la feuille. Cain eut l'impression qu'elle allait la jeter par terre, au milieu du pop-corn renversé et des chiures de rat. Mais elle la glissa sous l'ourlet de son bas à la jambe droite, à côté de la jarretelle.

— Votre bloc personnel, en plus. Je suis tout émoustillée.

Elle se retourna et remonta l'allée.

— Le spectacle commence à huit heures, si vous êtes intéressé, lui rappela-t-elle en gagnant le fond de la salle, plongé dans le noir.

Intéressé par quoi ? Dans d'autres circonstances, peut-être l'aurait-il été, eu égard à son air alangui et son déshabillé. Pourtant, lorsqu'ils s'étaient assis, pendant que ses yeux s'habituaient à l'obscurité, Cain avait lu dans les siens le vide et le désespoir. Il pensa tristement qu'elle ferait mieux d'enfiler des vêtements propres et présentables, et d'oublier cette vie. Cain aurait plutôt aimé lui offrir un repas chaud et une tasse de café. Sans idée derrière la tête.

Il rempocha son bloc et soupira, relâchant de la buée dans l'air froid. Angela avait sans doute eu raison sur un point. Il n'avait aucune expérience de New York, encore moins d'une petite communauté d'expatriés comme Yorkville, où il vous fallait un guide pour dévoiler l'aspect caché des choses. Et encore : vous perceriez à peine la surface. Au moins, il revenait presque sûr que la Sabine du tatouage n'était pas là-bas, en Allemagne. Ce qui faisait une piste, si maigre fût-elle.

Cain consulta sa montre. Pas de temps à perdre s'il voulait se présenter à l'heure à son rendez-vous. Il ressortit du cinéma, marcha jusqu'à la station de métro de Lexington Avenue, et jeta un dernier coup d'œil à Kleindeutschland avant de descendre l'escalier.

3

Le métro le laissa quelques rues plus bas. Cain fit le reste à pied, une promenade qui servit d'introduction à la géographie locale du pouvoir.

Tout en bas de Centre Street se trouvait l'hôtel de ville, fief de Fiorello LaGuardia, un bâtiment harmonieux qui, avec ses colonnes blanches et son clocher à horloge dominant le square, rappelait les capitoles des États du Sud. Les autres édifices étaient tous plus élevés et plus massifs. Les bureaux de l'arrondissement de Manhattan, pourtant logés dans un immeuble imposant, paraissaient écrasés par le Palais de justice, siège du tribunal fédéral, si haut que Cain ne compta pas les étages jusqu'au dernier – vingt-sept, vingt-huit ? Puis se dressait la Cour suprême de l'État de New York, une forteresse à colonnades bordée par le Centre de justice pénale, grosse bâtisse à plusieurs ailes où le nouveau procureur, Frank Hogan, faisait la pluie et le beau temps.

Enfin, au bout de la rue, Cain repéra à sa droite le quartier général de la police, quatre étages de néoclassique pompeux, avec six colonnes corinthiennes en façade. La Justice sur son trône siégeait au-dessus du fronton, gardée par des lions en pierre de chaque côté de l'édifice. Cela semblait pertinent : Cain avait l'impression d'être un gladiateur sur le point d'entrer dans le Colisée. Il sourit en apercevant, en face, la boutique de l'armurier Frank Lava et son enseigne en forme de revolver géant. Le canon d'un mètre quatre-vingts visait une cible imaginaire entre les lions.

Le hall d'entrée aurait mieux convenu à un hôtel de luxe qu'au siège de la police – sol marbré, plafond doré à ornements floraux. Contrairement au commissariat, grouillant d'activité au point que le plancher vibrait sous vos pas, ici le silence régnait. Les gens devaient arriver tôt et rarement quitter leurs bureaux avant la fin de leur journée.

L'homme en uniforme qui tenait la réception dévisagea Cain d'un œil méfiant.

— Vous avez rendez-vous ?

— Il paraît. Inspecteur Cain.

L'homme consulta son registre et fit une moue dubitative.

— Avec qui ?

— On m'a seulement indiqué l'heure et une pièce. La 114-B. C'est au sous-sol ?

Le type fronça les sourcils et étudia Cain des pieds à la tête.

— Restez où vous êtes.

Il décrocha son téléphone noir en bakélite, composa un numéro et se détourna.

— Il est là… Oui… Bien, monsieur.

Il raccrocha d'un air crispé et lâcha sur un ton austère :

— Il arrive.

— Qui ça ?

L'homme ne dit rien mais, à son expression, on pouvait deviner qu'il s'agissait d'un personnage important. Pendant les trente secondes qui s'écoulèrent, le type ne quitta pas Cain des yeux, comme s'il craignait de le voir s'enfuir en courant. Un bruit de pas rapides retentit bientôt sur le marbre et Cain vit approcher un grand escogriffe en costume noir, qui se planta à vingt mètres de lui et posa ses mains sur ses hanches. Cain attendit un instant, puis supposa qu'il devait prendre la parole.

— Bonjour. Je suis…

— Je sais. Par ici.

Le costume noir pivota sur ses talons et se dirigea vers la rangée d'ascenseurs au fond. Cain se dépêcha de le rattraper et se glissa dans la cabine juste avant que les portes se referment. Il s'attendait à descendre, mais le bouton du premier étage était déjà enfoncé.

— La 114-B est en haut ?

Pas de réponse. Peut-être était-ce un message codé, une salle réservée aux réunions exceptionnelles. L'uniforme à la réception n'avait même pas demandé à Cain de signer sur son registre, preuve qu'on ne tenait pas à garder de traces de son passage. L'ascenseur grinça en s'arrêtant et l'escogriffe en sortit sans un mot. Cain le suivit dans un large couloir jusqu'à une porte en chêne revêtant l'inscription en lettres dorées : Commissaire divisionnaire Lewis J. Valentine. À l'intérieur, une secrétaire assise gardait une seconde porte.

— Entrez tout de suite, ordonna-t-elle à Cain sans le regarder.

Il fit ce qu'on lui demandait. La pièce était plongée dans la pénombre et il lui fallut un instant pour s'y habituer. Au centre, sur un tapis oriental de couleur sombre, se trouvait un énorme bureau en noyer vers lequel il s'avança. Quelques papiers y étaient étalés, à côté d'un dossier qui portait son nom. Il y avait également deux téléphones et, derrière, un gros fauteuil pivotant en cuir, inoccupé. Un grand type corpulent, en costume croisé gris, se tenait de profil au fond, devant une haute fenêtre aux rideaux tirés. Il observait la rue en les écartant et parla sans se retourner.

— Asseyez-vous.

Deux chaises à dossier en échelle étaient placées face au bureau. Cain s'installa, peu à son aise, sur celle de droite, sans quitter des yeux Valentine, qui regardait toujours la rue. Après un silence embarrassant, le commissaire se retourna et fit quelques pas dans la pièce, à la manière d'un flic pendant sa ronde. Il ne lui manquait qu'une matraque pour parachever l'effet. Contournant son bureau, il se dirigea droit sur Cain et se pencha suffisamment pour que leurs deux visages soient au même niveau.

Lewis Valentine avait de petits yeux et une bouche fine qui lui donnaient un air sévère, sinon cruel. Ses grandes oreilles étaient décollées en haut, comme lestées par un poids invisible. Cain eut envie de reculer, mais il était adossé à son siège.

— Avant que vous ouvriez la bouche, je vais vous mettre les points sur les *i*.

Valentine s'exprimait lentement et posément.

— Peu importe ce qu'on vous raconte ou ce que vous pensez, vous n'êtes pas employé chez nous grâce à vos relations. Vous n'êtes pas là parce qu'un politicard a décroché son téléphone. L'époque des rabbins, c'est terminé. Il n'y a plus de place dans ce département pour les fainéants et les parasites. Compris ?

— Compris.

Les rabbins. Ça recommençait. Valentine se redressa, planté comme un piquet.

— Votre beau-père, là. M. Harris-quelque-chose.

— Euston.

— Un avocaillon qui fricote chez les démocrates, un corrupteur de la pire espèce. Ce type n'est rien pour moi ni pour personne ici. Il nous balance des tuyaux inutiles, fait de temps en temps un don aux œuvres de la police, et il nous croit ensuite à sa disposition, comme s'ils avaient tous les droits, lui et ses clients bien nés. Sans doute que, chez le procureur, tous les larbins font ses quatre volontés, alors il s'imagine que ça marche encore comme ça chez nous. Bon Dieu, il vous a même envoyé les questionnaires des examens pour que vous puissiez tricher. Aux deux épreuves.

— Je vous demande pardon ?

Vif comme l'éclair, Valentine se rapprocha de Cain et lui enfonça un doigt dans les côtes.

— Ne faites pas l'innocent ! J'ai vu vos résultats. Vous avez même répondu à côté, parfois, pour donner le change !

Cain aurait aimé protester, mais ce qu'affirmait Valentine était exact – jusqu'au conseil de Euston, qui avait recommandé à Cain de commettre quelques erreurs pour ne pas éveiller les soupçons. Les deux épreuves étant réputées difficiles, son beau-père lui avait envoyé des corrigés avec les bonnes réponses. Ils étaient arrivés à Horton dans une grosse enveloppe kraft, portant l'en-tête du cabinet d'avocats, une semaine seulement avant que Cain quitte la ville. Le lendemain, dans une enveloppe plus grosse encore, il avait reçu son billet de train, son contrat de bail, ainsi qu'un volume de quatre cent soixante-quinze pages, relié de toile bleue, intitulé *Réglementation et Manuel des procédures de la police municipale de New York*. Euston avait ensuite téléphoné pour lui décrire – dominant les parasites sur la ligne – les fonctions qui l'attendaient, à condition qu'il suive ses six semaines d'instruction et qu'il soit reçu aux examens. Il lui avait également conseillé de ne pas perdre le *Manuel*, faute de quoi il devrait débourser un dollar pour le remplacer. Enfin, Euston avait abordé d'autres sujets que Cain, évidemment, ne mentionnerait pas ici.

Valentine retira son doigt, recula d'un pas et resta debout.

— Au moins, vous ne pouviez pas tricher à l'épreuve de tir. Avec une note de quatre-vingt-seize, vous accédez au grade de tireur d'élite. Impressionnant. Sauf que j'ai pris connaissance de vos antécédents avec les armes à feu.

La remarque produisit son effet et Cain vit bien que Valentine n'en perdait rien. Il sentit ses joues s'empourprer pendant qu'ils se toisaient en silence. Le commissaire paraissait le défier de répondre et Cain préféra s'abstenir.

— Tout cela pour vous dire que, si l'on vous garde, c'est parce que je le veux bien. Je peux vous congédier à tout moment.

— Alors faites-le.

— Comment ?

Valentine se raidit.

— Virez-moi. Qu'on en finisse.

Le commissaire se rapprocha une fois encore.

— Si la place ne vous convient pas, c'est exactement ce que je vais faire !

Cain se leva. La colère prenait le dessus. Ils se retrouvèrent face à face, à quelques centimètres l'un de l'autre et, manifestement, Valentine n'en croyait pas ses yeux. Il ne broncha pas, mais Cain décela une vague incertitude dans son regard, qui lui donna l'avantage. Il en profita pour parler le premier.

— Je n'exerce pas mes nouvelles fonctions depuis assez longtemps pour savoir si elles me conviennent. J'ai besoin de ce job, c'est une certitude. Mais, franchement, autre chose m'irait aussi bien. Sans ma jambe blessée, je servirais dans l'armée à l'heure qu'il est, quelque part où je puisse oublier « mes antécédents avec les armes à feu », comme vous dites. Alors épargnez-moi le blabla et expliquez-moi ce que vous attendez de moi, au juste, *monsieur le commissaire*.

Valentine l'observa attentivement. Les deux hommes haletaient. Caïn était assez près de lui pour sentir son après-rasage, une odeur qui évoquait un barbier, muni d'un rasoir tranchant, et la nécessité de ne pas bouger.

— Pour commencer, je vous prie de vous rasseoir.

Quand Caïn hocha la tête, leurs fronts se touchèrent presque. Il reprit place. Cette fois, Valentine garda ses distances.

— Laissez-moi vous apprendre une chose à propos de ce département. Une chose dont, compte tenu de votre ignorance crasse et vos prétentions de privilégié, vous êtes loin de vous douter. La police compte des gens instruits. Depuis quelque temps, du moins. Vos diplômes vous confèrent une position avantageuse, mais n'imaginez pas une seconde que vous soyez plus malin que nos nouvelles recrues. Compris ?

— Oui, commissaire.

— Ces fonctions que vous vous êtes attribuées cavalièrement… Savez-vous combien de candidats se sont inscrits au dernier examen de la police ?

— Non, commissaire.

— Trente mille. Et savez-vous combien de places nous avions à leur proposer ?

— Non, commissaire.

— Mille deux cents. À l'heure actuelle, et malgré la guerre, la demande est telle que les universités de New York – St. John, Fordham, NYU, City College… toutes ! – dispensent des cours de procédure policière. Soyez sûr que la totalité des simples agents en poste dans votre commissariat sont bien conscients du fait que vous avez le grade d'inspecteur, car vous empochez six cents dollars de plus qu'eux à l'année. Tant qu'ils n'auront pas décroché le même examen que vous, ils maintiendront ça au-dessus de votre tête comme un nœud coulant et, à moins que vous ne fassiez réellement vos preuves, je ne vois pas d'inconvénient à ce qu'ils vous le passent autour du cou. Suis-je assez clair ?

— Parfaitement.

— Alors venons-en aux faits et aux raisons exactes de votre recrutement. Les raisons pour lesquelles, *moi*, je vous ai choisi, et non un parasite de Tammany Hall[1]. Pour commencer, les forces armées me prennent quantité d'hommes. Il me manque mille agents sur mon budget, à un moment où l'ordre et la sécurité comptent plus que jamais. Donc quand l'occasion s'est présentée d'engager quelqu'un sans recourir aux filières habituelles, je l'ai saisie. Première chose.

— Bien.

— Mais surtout, j'ai une mission à vous confier. Une mission pour laquelle il me fallait quelqu'un de l'extérieur, sans aucune sorte de lien avec personne ici, quelqu'un qui n'ait jamais trafiqué avec les parasites de l'ancien système. Voilà pourquoi, à partir d'aujourd'hui, vous mettez de côté les intérêts de votre beau-père, compris ?

---

1. Siège à New York de la Tammany Society, organisation proche, à l'époque, du Parti démocrate.

— Oui, commissaire.

— Si jamais il vous demande un service, pour lui ou un de ses copains du parti, vous refusez et vous m'avertissez tout de suite. Le mieux serait de l'éviter tout simplement. Au fait, la prochaine fois qu'un pisse-copie vient se renseigner sur une affaire, vous lui citez l'article 161, que vous auriez dû connaître, même s'il ne figurait pas sur vos « épreuves corrigées ». C'est moi qui l'ai institué. Il interdit aux forces de l'ordre de divulguer des informations à la presse.

Cain rougit. Sam Willett avait sans doute cité son nom dans le *Daily News* du matin. Ce qu'il n'avait pas eu le courage de vérifier.

— Entendu.

— Maintenant, écoutez. La mission que je vous assigne est confidentielle et vous vous en acquitterez en sus de votre service.

Cain hocha la tête. Cela impliquait des heures supplémentaires. Certainement des embûches et des contrariétés. Soit.

— Le maire LaGuardia m'a nommé à la tête de ce département avec pour première responsabilité d'engager des réformes. D'en finir avec l'ancien système. Terminé, les rabbins, les pressions de ces fichus politicards et tout le reste. On ne rétrograde plus personne sur ordre de la section locale du parti – ce qui m'est arrivé deux fois quand je n'ai pas voulu exécuter les ordres ! Quand j'ai pris mes fonctions, la criminelle et le personnel en civil de la brigade des mœurs rassemblaient la plus belle bande de cossards et de tire-au-flanc de tout le département. J'en ai déclassé ou muté plus d'une centaine. J'ai aussi rétabli le DD-64, pour que ces salopards répondent de leurs actes vingt-quatre heures sur vingt-quatre.

Cain savait déjà tout de ce DD-64 – un détestable travail de bureau qui obligeait chaque inspecteur à rendre compte par écrit de ses activités quotidiennes, avec remise obligatoire de ses feuillets à la fin du trimestre. C'était empoisonnant et, pour certains, un exercice de fiction. Ce qu'il ne révélerait pas à Valentine. Cain n'en avait de toute façon pas le temps. Parti sur sa lancée, le commissaire déambulait derrière son bureau en agitant les mains comme un pasteur baptiste en haut de sa chaire.

— Rien que pendant mes six premières années, j'ai renvoyé trois cents policiers, j'ai infligé un blâme à trois mille d'entre eux et j'ai rappelé à l'ordre plus de huit mille autres. Un grand nombre étaient, soit des inspecteurs, soit des flics en civil, qui trempaient dans des affaires de jeux et de mœurs. Mais on n'a jamais fini de réformer. Aujourd'hui, quand je prends l'air dans Manhattan, c'est toujours dans le 14ᵉ que ça pue le plus. Le Tenderloin[1], ou du moins ce qu'il en reste, fait partie du problème, bien sûr. Et je ne parle pas des tripots itinérants. Quand je pense à ce bookmaker, Ericson, qui poursuit tranquillement sa petite affaire, alors que j'ai exigé plusieurs fois qu'on le boucle. M'est avis que, chez vous, on continue de fermer les yeux quand il ne faut pas, pour des gens qui ne le méritent pas.

Valentine cessa de déambuler pour revenir se planter devant Cain, le doigt pointé sur lui.

— Il y a eu des arrestations, évidemment, et les juges engagent des poursuites, comme il se doit. De ce côté-là, les choses sont en ordre. Mais ensuite ? dit-il

1. Ancien quartier chaud de New York, qui se trouverait aujourd'hui dans Chelsea.

en levant les mains. Tout disparaît dans la nature. Les affaires se perdent. On m'informe d'une descente, de gardes à vue, et puis plus rien depuis janvier, soit un mois après Pearl. Rien du tout. Pas de nouvelles du 14ᵉ. Les mœurs, les tripots… inconnus au bataillon. Votre travail sera de découvrir pourquoi.

— Vous voulez que je vous serve d'yeux et d'oreilles ?

— Si cela suffisait, j'engagerais un mouchard, une cohorte entière de mouchards ! Mais vous êtes inspecteur, bon sang ! Constituez un dossier. Réunissez des faits, des preuves irréfutables. Quelque chose qui tienne la route devant une commission de contrôle, même devant un jury, qui référera à Hogan, le nouveau procureur. Non que tout le monde soit exemplaire chez lui. Suivez toutes sortes de pistes, où qu'elles vous mènent. Le problème remonte à janvier, donc vous devriez d'abord consulter la paperasse.

À savoir les procès-verbaux d'arrestation, les quantités de fiches et de registres que les flics étaient obligés de remplir et de tenir à jour, sans oublier les actes d'accusation. Tous ces documents étaient conservés dans une pièce que, pour des raisons inconnues de Cain, on appelait au commissariat la « 95 ». Une poignée d'agents, surnommés les « quinzards », avaient la haute main sur les lieux, qu'ils gardaient verrouillés. Par conséquent, « consulter la paperasse » n'irait pas de soi.

— Je viens d'arriver, objecta Cain. Je ne connais personne. Il y en a peut-être avec qui je créerai des liens, mais cela prendra un certain temps.

— Je n'ai pas dit que ce serait simple. C'est pourquoi je vous donne trois mois.

— *Trois mois ?*

— Et pour ce qui est de vos éventuelles amitiés, je compte sur les dispositions que vous avez démontrées à Horton pour ne pas verser dans le sentimental.

Valentine tapota les papiers posés sur son bureau.

— Si vos antécédents révèlent une chose, c'est que votre instinct de conservation prévaut sur l'attention que vous portez à la sécurité de vos collègues. Ce que je trouve en général détestable, mais d'une nécessité absolue dans la situation présente.

Cain rougit à nouveau, de colère cette fois.

— Vous vous méprenez sur les circonstances de cet accident.

— Votre fiche parle pour vous en des termes autrement plus convaincants.

Furieux, Cain se leva, mais les mots refluèrent dans sa gorge. Que pouvait-il faire, de toute façon ? Se plaindre au quartier général… ?

Valentine conclut.

— Votre contact ici sera le lieutenant Edward Meyer, qui fait partie d'une équipe secrète. Mémorisez ce numéro : Spring 7, 31, 24. N'essayez jamais de me joindre. Meyer seulement. Si j'ai besoin de vous voir, vous le saurez.

— Vous vous trompez, monsieur. Laissez-moi expliquer la…

— Faites votre travail. Et si je me trompe vraiment à votre sujet, mettez de l'argent de côté, parce que, sans résultats de votre part, vous serez sur la paille dans trois mois. Archer !

La porte s'ouvrit et le grand escogriffe qui avait escorté Cain réapparut. Le commissaire referma le dossier sur son bureau et le glissa dans un tiroir. Il ne dit pas au revoir, ne souhaita pas bonne chance, ne regarda pas Cain quand il sortit de la pièce.

Archer conduisit celui-ci aux ascenseurs. Un officier galonné tenta d'emprunter le même qu'eux. Voyant Archer secouer la tête, il recula. Avant d'arriver au rez-de-chaussée, Archer actionna une manette et la cabine s'immobilisa. Il se tourna vers Cain.

— Un bon conseil ?

Il parlait calmement, mais sa voix avait quelque chose de glacé, comme celle d'un homme qui parle à la radio, à trois heures du matin, et dont on devine, au ton qu'il emploie, qu'il est assis tout seul dans un studio désert et mal éclairé.

— D'accord.

— Cela reste entre nous. Compris ?

Cain acquiesça.

— Vous n'êtes pas le premier mariole qui se voit confier une tâche, et vous ne serez pas le dernier. Mais au moins que vous sachiez comment *ne pas* vous y prendre. En septembre, le taulier a fait venir un flicard du 23ᵉ. Bon poulet, blanc comme neige. Mais flemmard, c'est pour ça que Valentine voulait lui botter le cul. Il le renvoie à Brooklyn avec le même ordre de mission que vous.

— Et alors ?

Archer fronça les sourcils.

— Cela n'a rien changé ou presque. Le type s'est dit que, si les copains pigeaient ce qu'il était censé faire, il finirait le nez dans la vase au milieu de l'East River, ou enveloppé dans du papier boucherie, un membre après l'autre. Je vais éclairer votre lanterne, champion. Valentine n'aime pas qu'on salope le travail, mais il déteste encore plus qu'on ne foute rien.

— Le type a été viré ?

— Le 'missaire vous dirait ça. Sans doute même qu'il le croit. Il ne se mêle jamais trop des licenciements.

— C'est plutôt votre rayon ?

Archer sourit.

— Hé, j'ai pensé : « Pourquoi le laisser filer, celui-là ? Il a trop de secrets à balancer. » Alors j'ai glissé un mot à ses copains, à propos de ses dernières activités. Il s'est retiré, à ce qu'on dit. Dans trois arrondissements différents, mais en même temps. Emballé dans du papier boucherie.

Archer sembla se délecter de voir Cain aussi mal à l'aise. Il baissa la manette et l'ascenseur, avec une secousse, termina sa descente. Les portes s'ouvrirent sur le hall marbré, aussi désert que tout à l'heure. Cain sortit de la cabine et se retourna vers Archer, resté à l'intérieur. Les deux hommes étaient face à face.

— Votre nom, c'est bien Archer ?

— Linwood Archer. Vous aurez de mes nouvelles.

— J'ai pour contact un lieutenant Meyer, m'a dit Valentine.

— Officiellement. Je suis en charge des aspects pratiques.

— Des aspects pratiques, répéta Cain, mesurant les implications.

— Vous avez quelque chose à signaler, vous vous adressez à moi. Meyer, je m'en occupe.

— Vous avez quel rang, ici ?

Archer sourit. Les portes se refermèrent.

De retour au commissariat, Cain ouvrit l'annuaire du service et consulta les premières pages.

Pas d'Archer à la lettre *A*.

4

Le lundi suivant, avant même de s'être versé une première tasse de café, Cain réussit à éveiller les soupçons de ses collègues et à se faire retirer sa seule enquête new-yorkaise à ce jour. La situation lui échappa quand le capitaine Mulhearn le surprit, dans la 95, en train de fouiller dans un casier de procès-verbaux d'arrestation, pendant que deux agents comparaient des photos prises lors d'une partie de pêche.

— Vous cherchez quelque chose, *citizen* Cain ?

Les deux agents relevèrent aussitôt la tête, comme s'ils remarquaient soudain la présence de celui-ci.

— Euh, je crois qu'ils ont mal classé des papiers que j'ai rédigés, l'autre jour.

— Ah bon ? s'étonna un des quinzards, dénommé Steele.

— Vous ne les trouverez pas dans les notes de cette nuit et vous le savez bien, coupa Mulhearn. Oh, les deux abrutis, la prochaine fois, vous ferez gaffe au renard quand il entre dans le poulailler.

— Oui, 'pitaine, fit Steele en lui montrant un de ses clichés. Vous avez vu ces morues que Rose a ferrées devant Long Island ? Cinq kilos chacune !

Incrédule, Mulhearn secoua la tête.

— Désolé, marmonna Cain, je ne sais pas encore bien où on range les choses, ici.

Piètre excuse, qui aurait sans doute été plus convaincante s'il n'avait pas rougi comme une écrevisse. Mulhearn le guida vers la porte et, arrivé dans le couloir, le plaqua contre le mur.

— Écoutez, citizen Cain…

Cain détestait déjà ce surnom, que Mulhearn empruntait sans doute à un film pompeux, sorti à l'automne précédent.

— Que vous soyez inspecteur, même avec quelques appuis, ne m'empêchera pas de vous coller au standard téléphonique pendant un mois, si ça me chante. Quoique ça vous plairait peut-être, finalement, de répondre aux appels.

Cain s'efforça de ne pas détourner le regard. Est-ce ainsi que le flic de Brooklyn avait été rétrogradé, avant de se retrouver à la retraite en petits morceaux ?

— Je ne sais pas réellement ce que vous cherchiez là-dedans, Cain, mais comme vous semblez prêt à vous diversifier, on va faire quelques ajustements sur votre emploi du temps. Venez avec moi.

Lorsqu'ils atteignirent le premier étage, Mulhearn saisit Cain par le bras pour lui faire traverser la salle de brigade – la grande pièce, basse de plafond, où travaillaient tous les inspecteurs. Il le traîna jusqu'au mur où étaient accrochés les tableaux de service. Tous les yeux étaient braqués sur eux.

— Voilà, dit-il assez fort pour que tout le monde entende. Votre noyé, là, l'homicide de l'autre soir…

Le silence se fit dans la salle quand Mulhearn posa un doigt sur le tableau noir sous le nom de Cain. Celui-ci ne s'était pas senti aussi humilié depuis le jour, en classe de neuvième, où cette vieille vache de Mlle Vernon l'avait tiré par l'oreille jusqu'à son estrade.

— Pour autant que je sache, vous ne tenez pas la moindre piste. Bon Dieu, vous n'avez même pas identifié ce pauvre type. Je vous retire l'enquête.

Il tendit une brosse à Cain.

— Échec, citizen Cain. Au troisième, vous êtes mat.

— Mais je…

— Si vous la voulez malgré tout, vous me donnez l'identité du gars à la fin de la journée. Sinon, j'envoie l'affaire au Bureau des homicides de l'arrondissement, avant la fermeture, ce soir. Et, jusqu'à nouvel ordre, je ne veux plus lire une ligne là-dessus, ni même un mot, sur vos DD-64, pigé ?

— Bien, capitaine.

Penaud, Cain effaça son nom sur le tableau noir. Allez savoir comment il allait identifier le cadavre pendant les huit heures qu'il lui restait, si on lui interdisait d'enquêter ?

— Et rappelez-vous, demain soir vous venez répéter avec la chorale.

— La chorale ?

— Boire des verres, traduisit quelqu'un derrière eux, suscitant quelques ricanements.

— Chez Caruso. 8th Avenue, juste au-dessus de 44th Street, continua Mulhearn. À la fin du service.

Il se tourna vers la salle.

— Tout le monde sera là ?

— Oui, capitaine ! crièrent ou marmonnèrent les inspecteurs.

Mulhearn baissa la voix, comme pour s'adresser à Cain uniquement, bien que personne ne perdît rien de la suite.

— Qu'on vous retrouve, moi ou qui que ce soit, en train de fouiner dans la 95 sans raison valable, et je vous envoie patrouiller la nuit en voiture en moins de temps qu'il n'en faut pour le dire. Maintenant, au boulot, andouille.

Cain se dirigea vers son bureau. Ses collègues baissaient la tête, feignant d'être occupés. Certains réprimèrent un petit rire, mais ce n'était pas le moment de leur chercher noise. Le mal était fait. Et, demain soir, Cain trinquerait avec toute la bande. Il sautait de joie en y pensant.

Même par une journée normale, l'atmosphère dans cette salle était oppressante. Dix inspecteurs se partageaient l'espace, réparti en deux longues rangées de bureaux gris et cabossés, devant une série de fenêtres au fond. Des nuages de fumée de cigarette planaient dans les hauteurs, si épais qu'on les aurait crus capables de produire de la pluie à tout moment. Mulhearn présidait dans un bureau séparé à un bout, isolé par une cloison de verre. Six des dix inspecteurs formaient la brigade du 14e secteur, sous les ordres d'un lieutenant distinct. Les quatre bureaux les plus proches de Mulhearn étaient occupés par ceux du district : Cain, Wat Foley, Bert Simmons et Yuri Zharkov, avec pour conséquence pratique qu'ils traitaient les affaires plus importantes d'une zone qui regroupait quatre secteurs : les 10e, 18e et 20e, en sus du 14e.

Zharkov, un Russe corpulent au nez busqué, qui parlait six langues, était le seul de l'équipe qui s'était jusque-là efforcé de mettre Cain à son aise. Le vendredi précédent, ils avaient déjeuné ensemble dans le parc, sur un banc. Ils avaient fait connaissance en mangeant des pirojkis – des petits pâtés chauds que le Russe avait achetés dans la rue à un vendeur ambulant. Ça ressemblait à des beignets, sauf que ceux-là étaient farcis à la viande et au chou. Zharkov était jeune homme lorsqu'il était arrivé à New York en 1919. Fuyant d'abord le tsar, puis les bolcheviks, ses parents avaient traversé la moitié de la Russie avant d'embarquer pour les États-Unis. Lorsqu'il portait encore l'uniforme, il était îlotier dans le Lower East Side, un quartier mouvementé, parcourait les quais entre Clinton Street et Delancey Street, et maniait la matraque avec un zèle de bon cosaque.

Les flics du 3e district contrôlaient quatre secteurs adjacents, soit environ un sixième de Manhattan. Un territoire qui s'étendait entre 14th Street et 86th Street, bordé à l'ouest par le Hudson, à l'est par Central Park et, à partir de 59th Street, le sud de 5th Avenue. Il englobait toutes sortes d'endroits intéressants : les abattoirs et le secteur de la confection à Chelsea ; les boîtes luxueuses autour de Times Square ; les gloires passées de Herald Square et de l'Empire State Building, plus au centre ; l'immense complexe commercial du Rockefeller Center, avec ses élégantes tours Art déco qui, depuis peu, dominaient les alentours ; et au nord de Columbus Circle, de jolies zones résidentielles à l'ouest de Central Park, qui gagnaient le bas de Riverside Park. On pouvait presque y ajouter les quelques lieux de plaisir encore ouverts dans le Tenderloin, dont Valentine s'était plaint, bien que le quartier ne fût plus que l'ombre de lui-même. Il en restait quelques vestiges éparpillés autour de Times Square, maintenus en vie grâce à l'argent de la Mafia et les bons soins de Tammany Hall.

Mulhearn commençait la plupart de ses journées, devant la porte de son bureau, à feuilleter une pile de journaux qui sentaient encore l'encre. Il faisait une lecture théâtrale des articles qui frappaient son imagination. Les agents avaient en quelque sorte leur propre Walter Winchell[1], même s'ils levaient parfois les yeux au ciel quand le capitaine ne regardait pas.

— Ah, ça, ça va vous plaire, les gars, annonça Mulhearn pendant que Cain s'asseyait. Il y a une poire, là, qui s'est pris trente jours de taule pour avoir critiqué notre entrée en guerre. Il aurait dit à un marin qu'il se battait pour une bande de sales capitalistes, et que Roosevelt ne valait pas mieux que Hitler.

— Trente jours pour ça ? s'exclama Zharkov, stupéfait.

— Un quidam l'a dénoncé, et le juge lui a collé le maximum. Comme quoi « la liberté d'expression a pour limite le respect de l'intérêt public ».

— Il menaçait les intérêts de quel public ? demanda Wat Foley.

— Son intérêt à lui, je suppose. Selon le juge, s'il avait continué à provoquer le marin, « des violences étaient à craindre ».

— Alors ce pauvre clown se prend de la taule pour éviter qu'on lui casse la figure ? Bon Dieu de…

— Les juges, mon vieux.

Mulhearn replia son *Herald Tribune* et ouvrit le *New York Times*. Cain regardait ses collègues en se demandant qui avait les mains propres, qui avait les mains sales. Mission impossible, assurément. Au mieux, il ferait l'indic quand il pourrait. Au pire… non, penser à autre chose.

— Hé, Simmons, celle-là est pour toi, reprit Mulhearn. Un as de l'aviation a descendu six avions japonais lors de sa dernière mission. Les gars qui ont

1. Commentateur radio, célèbre pour ses médisances.

construit son zinc à l'usine Grumman de Long Island se sont cotisés pour lui acheter – écoute bien – *mille cent cinquante cartouches* de clopes. Merde, tu aurais de quoi tenir au moins un mois avec ça.

— Peut-être deux, dit Simmons, sur le même ton ironique. Je me rationne, depuis un moment…

Sur les nerfs, Cain n'avait pas encore lu les messages qu'on lui avait transmis à son arrivée, juste avant que Mulhearn lui tombe dessus dans la 95.

Il y avait eu un appel de Harris Euston, son beau-père. Le quatrième en trois jours. Cain ne l'avait pas rappelé et, après son entrevue avec Valentine, il n'était vraiment pas d'humeur à le faire. Pourtant il lui devait une fière chandelle. Il regarda son téléphone, jeta un coup d'œil au numéro, puis mit le bout de papier à la poubelle. Moins d'une semaine qu'il était là, et il se sentait déjà redevable à trop de gens.

Perdu dans ses pensées, il ne prêta attention à personne jusqu'à ce qu'il aperçoive soudain Romo, le sergent de permanence, qui se présentait devant lui. Romo paraissait essoufflé, comme s'il avait couru dans l'escalier.

— J'allais vous alpaguer avant que vous montiez. Mais vous aviez Mulhearn sur le dos, donc j'ai préféré attendre.

— Bonne idée. Quoi de neuf ?

— Ce type, là-bas, dit Romo, désignant quelqu'un dans son dos. Il casse les pieds à tout le monde, à l'accueil. Il insiste pour vous voir.

— Moi ?

— Vous et personne d'autre. Ça fait trois heures qu'il est là.

— Trois heures ?

— Il s'est pointé avant le lever du jour. La brigade de nuit n'était pas encore partie. Il ne veut pas dire de quoi il s'agit, et impossible de s'en débarrasser. À son âge, on ne va pas lui taper sur la tête, alors je vous l'ai amené pour régler ça.

— Envoyez-le-moi.

— C'est le type devant chez Mulhearn. Je ferais mieux de le sortir de là avant que le 'pitaine pique une crise.

Cain jeta un coup d'œil vers l'individu en question, qui lui sapa le moral. Déjà qu'il n'était pas très haut. L'homme avait un visage émacié, un bonnet de laine miteux duquel dépassaient d'hirsutes mèches blanches, et une barbe tout aussi blanche de quelques jours. Il venait de poireauter des heures dans le commissariat, pourtant il avait conservé son écharpe et un long manteau taché de boue qui avait dû servir dans les tranchées pendant la Première Guerre mondiale. Cain eut des frissons rien qu'en le regardant, comme si le vieux bonhomme avait ressuscité l'hiver et qu'il le traînait avec lui. Il battait des paupières, ce qui lui donnait un air fragile. Les coutures de ses vêtements semblaient le conserver entier ; déboutonnez le manteau, et c'est un tas d'os qui s'effondrait.

— Seigneur ! Vous êtes sûr qu'il est vivant ?

— C'que je vous ai dit. On ne pouvait pas vraiment le faire sortir de force. S'il est fêlé, appelez-nous en bas, je vous envoie Maloney.

Maloney. Cain ne souhaitait à personne de tomber entre ses mains. Un gros gardien de la paix, avec son franc-parler, des croûtes sur les poings et une tête rouge comme du corned-beef.

— Je m'en occupe.

Romo montra gentiment au bonhomme le bureau de Cain. Le gars s'élança vers celui-ci avec une agilité étonnante, comme s'il rajeunissait d'un an à chaque pas. Lorsqu'il l'eut en face de lui, Cain se demanda si ce n'était pas un acteur en train de travailler un nouveau rôle. Il lui indiqua une chaise.

— Asseyez-vous.

En retirant son bonnet, l'homme répandit une odeur mixte de chou bouilli et de laine mouillée. De près, ses yeux étaient d'un bleu sans nuages, et toute fragilité s'était évanouie. Si ses frusques rappelaient décembre, ses iris parlaient de la mi-juin, d'un matin au début de l'été quand les abeilles bourdonnent et qu'on a l'impression d'une journée qui ne se terminera jamais. Il paraissait alerte, intelligent, et mieux encore : lucide. Quelles que fussent les raisons de sa présence, il ne pouvait s'agir d'un cinglé.

— Soyez remercié, inspecteur Cain, de condescendre à me recevoir. Je ne suis là que pour remplir mon devoir de citoyen. Plus précisément, je pense être en mesure de vous assister dans le cadre actuel de vos enquêtes.

Cain, qui commençait tout juste à s'habituer aux accents locaux, ne connaissait pas celui-ci. Ce discours-là semblait naître quelque part en Russie, traverser l'Allemagne, faire un petit crochet à Rome avant d'atterrir à Brooklyn dans la bouche du serveur d'un delicatessen.

— Dites-moi d'abord votre nom.

— Ah. Oui.

L'homme sortit d'une poche de son manteau une carte de visite qui n'indiquait presque rien, sinon le nom DANZIGER – majuscules noires en relief sur un fond blanc – et le mot « Informations » en dessous. C'était tout. Ni adresse ni numéro de téléphone.

Cain la retourna. Rien derrière non plus.

— J'ai besoin d'un nom entier. Et de votre résidence principale.

Le visiteur fit la moue, comme s'il ne s'attendait pas à cela.

— Maximilian Danziger.

— On vous appelle Max ?

— On m'appelle Danziger.

— Évidemment. Et votre adresse ?

— Rivington Street. Au 174.

Le Lower East Side. Le type avait trotté un moment, surtout pour arriver aussi tôt.

— Vous habitez dans le 7e secteur, pour nous. Qu'est-ce qui vous amène ?

Danziger se pencha vers Cain. Ses yeux bleus étincelaient tandis qu'il tournait et retournait son bonnet entre ses mains.

— Je suis venu vous proposer mon aide. C'est à propos de ce cadavre que vous avez trouvé le 6 avril sur les quais, côté Hudson. Votre première journée de service, si je ne me trompe ?

Il n'y avait ni suffisance, ni ironie, ni satisfaction dans le ton. Simplement la même détermination qu'auparavant. Cain jeta un nouveau coup d'œil à la carte.

— Quel est votre métier, monsieur Danziger ? Êtes-vous une sorte de privé ?

— De privé ?

Danziger fronça les sourcils, puis il comprit.

— Ah oui, détective privé. Comme on dit au cinéma. Ce film avec W. C. Fields, *The Bank Dick*[1].

Il sourit malicieusement.

---

1. *Mines de rien.*

— Non. Je ne suis pas un privé. Mais j'ai un nom à vous communiquer, le nom de l'homme que vous avez repêché dans le fleuve. J'ai aussi quelques idées sur le mobile du crime. Des pistes, dans la langue des privés.

Cain évita de s'emballer trop vite. Ce gars-là était peut-être fêlé, après tout. Mais, pour l'instant, il représentait sa seule chance de récupérer l'affaire que Mulhearn menaçait de lui retirer à la fin de la journée.

— Et il s'appelle ?

— Werner Hansch.

Danziger épela.

Cain ouvrit son bloc et, tombant sur la lettre pour Olivia qu'il avait commencée la veille, recouvrit celle-ci d'une autre page – sous le regard attentif de son visiteur, qui n'en perdit rien, comme il put le remarquer.

— Qu'est-ce qui vous fait croire qu'il s'agit de ce monsieur ?

Danziger se remit à tripoter son bonnet. Il reprit la parole, lentement, posément, composant sa phrase comme on traverse un gué, une pierre après l'autre.

— Certains détails… divulgués… dans l'article du journal.

— À savoir ?

— Le nom de Sabine tatoué sur le corps.

— Vous l'avez vu torse nu, le gars ?

Le vieil homme fit signe que non.

— Il m'en a parlé une fois. De cette fille. Elle travaillait dans le cinéma dont le nom figure sur le ticket.

Cain constata qu'Angela Feinman lui avait menti. Sans doute pour protéger ladite Sabine.

— Et il achetait des chewing-gums Black Jack, comme celui que vous avez trouvé dans sa poche. Il lui est arrivé d'en coller un ou deux sur le mur de brique à côté de ma porte.

— Intéressant. Mais cela ne constitue pas des preuves formelles.

— J'en ai d'autres, plus… formelles, comme vous dites. Que je ne suis pas encore disposé à révéler.

— Et pourquoi, si ce n'est pas indiscret ?

— Je ne suis pas sûr de pouvoir vous confier ces informations-là.

Cain posa son bloc.

— Monsieur Danziger, je suis inspecteur de police.

— Justement.

Le commentaire aurait amusé Valentine, qui se méfiait tant du 14ᵉ secteur. Cain décida de passer outre pour l'instant.

— Si vos informations présentent un intérêt pour une enquête sur un homicide, votre devoir est d'en faire part. Enfin, nous verrons cela plus tard. Ce M. Hansch, le receviez-vous souvent ?

— Dans le cadre de mes affaires, oui. C'était un de mes clients.

— En quoi consistent-elles exactement, ces affaires ? Ce terme d'« informations » ne me renseigne pas beaucoup.

— Il suffit à ma clientèle. Je rédige des lettres pour ceux qui ne savent pas écrire. Considérez cela comme mon activité principale. La demande ne manque pas dans le quartier où je réside.

— M. Hansch est donc illettré ?

— Illettré, oui, et il parle… Pardon, il *parlait* mal l'anglais. Sa langue maternelle était l'allemand. Il a recouru à mes services il y a quelques semaines, et j'ai conservé ses lettres. Toute sa correspondance depuis lors.

Cain saisit de nouveau son bloc, le stylo prêt dans l'autre main.

— Vous avez des lettres de M. Hansch ? Son courrier personnel ?

— En effet.

Ferré comme un poisson, il se pencha vers le vieil homme.

— Je les lirais avec un vif intérêt. À condition, naturellement, qu'il s'agisse bien de son cadavre.

Cain s'étonna de sa propre syntaxe. Le formalisme de Danziger déteignait-il sur ses interlocuteurs ?

— Bien sûr. Cependant, je ne les ai pas apportées. J'ai pensé qu'il serait d'abord nécessaire d'identifier le corps. C'est pourquoi je les ai entreposées dans un endroit sûr, à l'extérieur de chez moi.

— Vous pourriez peut-être m'y emmener.

— Peut-être.

— Entre-temps, seriez-vous disposé à m'accompagner à la morgue ?

— C'est ce que j'escomptais faire. Je ne serais pas venu, autrement.

— Vous m'en voyez ravi, monsieur.

Danziger tendit le bras et posa une main osseuse sur la manche de Cain. Puis, d'un air très soucieux, il lui demanda :

— Dites-moi d'abord une chose, je vous prie. Votre fille a-t-elle prévu de vous rejoindre bientôt ?

D'habitude impassible devant les témoins et les suspects, Cain en resta bouche bée. Une ou deux secondes s'écoulèrent avant qu'il réponde.

— Comment savez-vous que j'ai une fille ?

— Olivia, n'est-ce pas ? Le nom que lui a choisi sa mère. En référence à Shakespeare, je suppose ?

Sidéré, Cain hocha la tête. Le vieil homme avait-il entrevu la lettre dans le bloc sténo ? Et quand bien même, qui lui aurait appris à qui elle devait son nom ? Impressionnant, mais... sans doute y avait-il une astuce ? Les diseuses de bonne aventure vous dérobaient votre portefeuille et s'inspiraient de son contenu pour reconstituer votre vie. Ou pire encore, peut-être Cain était-il victime d'une plaisanterie, d'une mauvaise farce mise en scène par ses nouveaux collègues. Il les observa rapidement, s'attendant à les voir sourire et cligner de l'œil. Mais aucun ne lui prêtait la moindre attention, ni à lui ni à Danziger.

— Dans le mille, admit-il. *La Nuit des rois.*

— Oh, j'ai quelque instruction. Cela ne me serait pas venu à l'idée, autrement. J'essaie sans doute de vous impressionner...

— Vous avez réussi.

— Ne voyez là aucune menace ou indiscrétion de ma part. Je pose la question parce qu'il vaudrait mieux que votre fille arrive le plus tard possible, de préférence quand nous en aurons fini avec ce qui nous préoccupe.

— Et pourquoi ?

— C'est une chose, pour vous et moi, de risquer corps et âme, mais c'en est une autre de mêler une enfant à cette affaire. Nous devons nous entourer de précautions et agir vite, monsieur Cain.

— « Nous », monsieur Danziger ?

— Certainement. J'ai arrangé mon emploi du temps de façon à pouvoir vous assister dans votre enquête. À condition que nous parvenions à un accord, naturellement. Comme vous le disiez, je fais mon devoir de citoyen, mais il faut tenir compte des dangers que nous encourons probablement.

— Vous êtes bien sûr de vous. Qu'est-ce qui vous fait croire que nous allions au-devant du danger ? Hormis le fait qu'un homme est mort, bien entendu.

— Comme je vous l'ai déjà dit, il y a d'autres éléments à considérer. Mais il faut d'abord vérifier que cet homme est réellement Herr Hansch.

— Et que vous pouvez me faire confiance.

— Cela aussi.

Cain se demandait s'il fallait sourire ou faire la gueule. Ébahi, il contemplait Danziger telle une apparition tombée du nuage de fumée qui recouvrait le plafond. Il secoua la tête comme pour s'éclaircir les idées. Dans un sens, il espérait que le corps n'était pas celui de Hansch. Mieux valait une affaire non élucidée que se compromettre avec cette espèce de vieux mystique qui semblait en savoir trop. Il jeta un nouveau coup d'œil à la carte de visite. « Informations ». Ben voyons. Il toussa brièvement et se leva.

— Dans ce cas, dit-il, allons le voir, ce corps.

5

Cain n'était encore jamais allé à la morgue de New York. Il expliqua à Danziger qu'il leur faudrait marcher et prendre le bus.

— Ce serait mieux en voiture, mais…

— Les restrictions ?

Hochement de tête.

— Ne me dérange pas. Je n'ai pas l'habitude du luxe. La dernière fois que je suis monté dans un taxi, c'était en 1928.

Quatorze ans plus tôt. Pour fêter une bonne occasion, ou bien Danziger était-il en fonds à l'époque. Peut-être avait-il souffert de la Grande Dépression ? De quoi attiser la curiosité de Cain, cependant le vieil homme n'avait pas l'air du genre à s'ouvrir facilement. Il se souciait d'abord de vous faire parler.

En matière de morgues, Cain n'avait que deux exigences : que le sol soit régulièrement lessivé, et les chambres froides, très froides. En Caroline du Nord, ce n'était pas toujours le cas, et son nez s'en souvenait. Au moins, cette fois, il ne serait pas embarrassé par des parents accablés. Danziger ne semblait aucunement affligé par ce décès. Cain se demanda s'il attachait aussi peu d'importance à ses autres clients.

L'entrée de l'Institut médico-légal, selon l'appellation officielle, se trouvait dans 29th Street, tout près de 1st Avenue. C'était l'un des épais bâtiments de brique de l'hôpital Bellevue, surtout connu pour les dingues et les ivrognes qu'il logeait. Les morts résidaient dans une annexe du côté sud, qui ressemblait à beaucoup d'appartements new-yorkais, exigus et surchargés. Bref, un entassement de cadavres dans une série d'étages bas de plafond. L'endroit était étonnamment bruyant : l'eau bouillonnait dans les tuyaux, les planchers craquaient et les murs carrelés réverbéraient les pas des employés pendant leurs allées et venues.

Les deux hommes s'adressèrent au préposé à l'accueil. On venait juste de parquer un brancard dans un coin, sur lequel était allongé un garçon, au front marqué d'un bleu livide. Il devait avoir l'âge d'Olivia. Ses vêtements étaient déchirés et ses joues encore vaguement roses, comme s'il venait de mener une partie de base-ball dans la rue. Cain avait la gorge nouée en déclinant ses nom et profession.

— Ah, vous venez pour un des anonymes ?

Le préposé ouvrit un grand registre relié de toile.

— Ça date de lundi soir, dit Cain. On l'a repêché dans le Hudson. Vous devriez avoir mon nom là-dedans.

— Je l'ai. Deuxième étage. Murphy va vous accompagner.

Le type indiqua un collègue voûté en blouse blanche, qui venait d'apparaître à côté du brancard.

— J'ai le compte rendu du Dr Bolton aussi, si vous voulez le voir.

Cain signa dans une case et prit possession d'un exemplaire du compte rendu, dont l'employé martela les pages avec son tampon en caoutchouc.

— Apparemment, l'autopsie n'a été faite que samedi, remarqua Cain.

L'homme haussa les épaules.

— On a du boulot. Et votre gars n'est pas exactement un Vanderbilt. C'est qui, votre copain ? demanda-t-il avec un geste vers Danziger.

— Cela pourrait être un parent du mort. Je souhaite pouvoir l'identifier.

— Il faut qu'il signe, lui aussi.

Une fois les formalités terminées, le collègue les conduisit sans un mot à l'ascenseur. Au deuxième étage, ils longèrent plusieurs chambres froides jusqu'au bout du couloir, où Murphy en ouvrit une, qui répandit une odeur acide, mêlée à celle du fleuve. Il sortit une civière sur roulettes dans le couloir. Cain reconnut le corps qui, maintenant nu, avait la poitrine suturée de haut en bas. Il avait la bouche entrouverte, les lèvres bleuâtres, et l'éclairage vif soulignait l'éclat vitreux de ses yeux.

— C'est lui, affirma calmement Danziger. Werner Hansch.

— Vous êtes sûr ?

— Certain.

Cain se tourna vers Murphy, qui dit enfin quelques mots :

— Tout le monde a ce qu'il voulait ?

Il saisit les hampes de la civière, prêt à la ranger dans la chambre froide, et sursauta quand Danziger posa une main sur sa manche.

— Je souhaiterais l'étudier un instant de plus, si vous me permettez.

— Oh, il n'est pas pressé.

Danziger se pencha au-dessus du cadavre et l'observa avec une attention toute chirurgicale.

— Les marques noires sont des brûlures de cigarette, si vous vous posez la question, offrit Cain. C'est confirmé par l'autopsie.

— Excepté celle-ci, remarqua le vieil homme, le doigt tendu vers la poitrine de Hansch. Voilà ce que je cherchais. Vous voyez ?

Danziger montrait un demi-cercle noir, que Cain prit tout d'abord pour une brûlure de plus. Se penchant à son tour, il découvrit près du sein droit un *L* minuscule à l'encre noire.

— Un autre tatouage ?

— L'emblème des Silver Shirts. Une organisation fasciste. Des nazis, si vous préférez.

— Comme le Bund ?

— Moins connue. Hansch faisait partie d'un groupe d'ouvriers allemands qui sont partis à l'Ouest en arrivant aux États-Unis. En quête de travail, d'aventure. Ils devaient connaître les histoires de Karl May. Grâce au cinéma, sans doute, puisqu'ils ne savaient pas lire. Peut-être s'imaginaient-ils en costume de cow-boy. Hansch était pauvre, sans instruction, mais travailler dur ne lui faisait pas peur. Les Silver Shirts ont embauché ces gars pour construire une sorte de camp dans les collines, en Californie. Puis, quand la guerre a été déclarée, les autorités les ont forcés à plier bagage. Hansch et quelques autres ont vagabondé un moment, avant de retourner à l'Est, à Yorkville, où je ne doute pas que les bundistes les ont accueillis à bras ouverts.

— Comment savez-vous tout cela ?

— À votre avis ?

— Ses lettres ?

— Plus certaines choses qu'il m'a confiées, d'autres encore dont j'avais connaissance, et je sais faire des déductions. Dans mon quartier, les habitants parlent beaucoup de ces affaires – les Silver Shirts, le Bund, même America First et Lindbergh qui leur sert de héros. Quand vous êtes juif, il est toujours bon d'avoir une idée des gens susceptibles de venir vous chercher, vous et votre famille…

— Alors pourquoi Hansch s'est-il adressé à vous, s'il savait…

— … que je suis juif ?

— Oui.

— Je me suis posé la même question.

— Alors ?

— D'abord, permettez-moi de rappeler que je suis relativement connu d'une population qui parle différentes langues, autour et même au-delà de Rivington Street. J'ai la réputation de quelqu'un de précis, d'une totale discrétion, deux traits de caractère auxquels je ne déroge jamais. Je suis tenu par le secret comme le prêtre à confesse. Premier point. Ensuite, nous ne sommes plus si nombreux à exercer ce métier. À Yorkville, il n'y a plus guère que moi, de sorte qu'il n'est pas rare que je bénéficie de… Comment dit-on ?

Danziger leva la tête, comme si le mot exact planait au-dessus de lui.

— De recommandations ?

— Voilà. Cela étant, je pense que Herr Hansch est venu chez moi pour la raison surtout qu'il avait besoin de quelqu'un, juif ou pas juif, qui ne fréquentait pas les mêmes cercles que lui. Quelqu'un qui ne risquait pas de côtoyer ses employeurs ou ses collègues. Il pensait à sa sécurité.

— Ça lui a réussi…

Murphy, qui avait pris appui entre les hampes de la civière, toussa brusquement.

— Si on traîne comme ça, la marchandise va commencer à puer.

Cain se tourna vers Danziger.

— Terminé ?

— En ce qui concerne celui-ci, oui. Mais il y a un autre corps dont il faut s'occuper avant de partir.

— *Un autre ?*

— Et c'est grâce à celui-là que j'étais quasi sûr que le premier était Hansch. Donc, si vous n'y voyez pas d'inconvénient… demanda-t-il à Murphy.

— Que si, refusa ce dernier. Ça ne marche pas comme ça, ici. Si vous avez une autre visite, vous redescendez à l'accueil faire la queue. Je ne vais pas vous ouvrir toutes les portes pour vos beaux yeux, comme si c'était le maire ou je ne sais qui.

— Expliquez-moi tout de même, dit Cain, de nouveau ébahi. Un deuxième corps ? Et depuis quand le savez-vous ?

— Hier soir. J'avais rendez-vous à l'extérieur avec un autre client, et je suis tombé sur sa dépouille en rentrant.

— Vous êtes témoin ?

— Je n'ai vu que le résultat. La police était déjà présente sur les lieux. Vous trouverez sans doute un rapport dans le commissariat du quartier, si vous voulez vérifier. Quoique mon nom n'y figurera pas. Mais le corps… Enfin, s'il est ici, autant vérifier une chose avant de partir.

— Il va me falloir des détails supplémentaires.

— Certainement. Au moment opportun.

Danziger jeta un coup d'œil rapide à Murphy et murmura à l'oreille de Cain :

— Deux hommes sont morts, monsieur. Les nouvelles vont vite et prennent souvent des chemins inattendus. Je ne tiens pas à ce que nous devenions, vous ou moi, une troisième victime à cause d'une éventuelle indiscrétion.

« Curieusement formulé, mais on n'est jamais trop prudent », pensa Cain.

— Bien, on redescend. C'est vous le chef, maintenant.

Il s'attendait à ce que le préposé accueille mal leur nouvelle requête. Mais l'homme rouvrit simplement son registre en poussant un profond soupir, comme si, chaque jour, ses visiteurs en redemandaient.

— On joue le couplé gagnant, c'est ça ? Vous avez un nom pour celui-là, ou c'est encore un inconnu ?

— Klaus Schaller, répondit Danziger. Il a dû arriver hier soir ou tôt ce matin.

— Bingo ! À deux heures, cette nuit. Il est au deuxième, lui aussi, un peu plus loin que le précédent. Murphy ?

Ce dernier fit une moue et reprit l'ascenseur avec les deux hommes. En chemin, Cain observa attentivement Danziger, essayant de cerner ce drôle de vieux bonhomme – quoique peut-être pas si vieux, allez savoir ? Était-il un oracle, un complice, un psychopathe qui prenait son pied en butant de pauvres diables, pour ensuite aller voir leurs corps en compagnie d'un flic ? Ou simplement, comme il le soutenait, un type qui ouvrait le courrier des voisins et leur rédigeait des réponses. Quoique, à la vitesse où il perdait ses clients, il allait se retrouver sur la paille en un rien de temps.

Murphy dégagea une autre civière d'une nouvelle chambre froide. Pas d'odeur de vase, cette fois. La victime avait le torse troué par une arme à feu, et elle aussi portait près du sein droit un minuscule tatouage en forme de *L*.

— Encore les Silver Shirts ? demanda Cain.

— Il semblerait.

— Vous le saviez déjà ?

— Je n'avais aucune certitude, pour aucun des deux. Certaines choses qu'ils m'ont dites m'ont conduit sur cette piste. Et ils étaient amis. Du moins se connaissaient-ils. Des compagnons de voyage, quoi, puisqu'ils étaient partis ensemble à l'Ouest.

De nouveau, Danziger baissa la voix.

— Le reste, j'y viendrai plus tard.

Non que Murphy eût l'air spécialement intéressé. Cain hocha la tête. L'employé de la morgue glissa le corps dans son logement obscur et referma la porte. Elle fit le même bruit que le frigidaire de Cain lorsqu'il rangeait son lait.

Cain attendit de redescendre dans la rue pour relancer Danziger.

— Et alors ?

— Pas ici.

— Très bien. On rentre au commissariat, donc.

— Pas là non plus. Les murs ont des oreilles, chez vous. De plus, comme je vous l'ai appris, je n'ai pas avec moi les lettres de Herr Hansch. Mais je veux bien vous les montrer à présent.

— Je suis reçu à l'examen ?

— Résultats satisfaisants, dans l'ensemble.

Cain rit.

— Quel honneur ! Et moi, je peux compter sur *vous* ?

— Qu'avez-vous besoin de savoir de plus ? Je mène une existence simple, j'ai de petits moyens et rien à tirer de cette situation. Guère que mon honneur à sauver. Ce sont mes origines qui vous posent problème ?

— Vos origines ?

— De *Mischling*. Le terme qu'emploierait Herr Hitler. Je suis d'ascendance juive et prussienne. Je tiens mes yeux bleus de mon père, citoyen de Dantzig, en Prusse-Occidentale. D'où mon patronyme également. La famille de ma mère était juive, Russes blancs d'un côté, Bessarabiens de l'autre. Ils ont fui les pogroms, le long des routes en char à bœufs, avant de traverser l'Atlantique sur des bateaux qui prenaient l'eau et pullulaient de vermine. Tout ça ne s'est pas fait en un jour. J'avais onze ans quand je suis arrivé sur ces rives. Mes deux parents sont morts trois ans plus tard. J'en ai aujourd'hui cinquante-deux.

Cain était stupéfait. Il lui en aurait donné bien plus de soixante. Pourtant, à mieux le regarder, Danziger ne faisait pas si âgé. C'était un être polymorphe – vieux un instant, et d'une jeunesse déconcertante le suivant. Ses nippes, sa peau pâle, ses cheveux argentés lui donnaient un air antique. Mais dès qu'il parlait, qu'il se mettait en mouvement ou qu'il plissait les yeux en activant ses neurones, les années disparaissaient. Cain imaginait aisément un jeune homme mû par de grandes ambitions, avec une bonne tignasse noire et une beauté à son bras. Quelque chose semblait l'avoir vieilli prématurément, en même temps qu'une autre le gardait jeune, hors d'atteinte avec ses secrets. Cain se doutait qu'il vivait seul et se demandait si c'était par choix.

Il n'avait guère l'habitude des gens de cette espèce atypique. À Horton, vous étiez pour l'ensemble blanc ou noir, baptiste ou pas, riche, pauvre ou modeste. À condition de remonter suffisamment dans le temps, on trouvait chez les Blancs des luthériens allemands d'un côté, et des Irlandais-Écossais de l'autre. Personne ne prêtait beaucoup d'attention à cela. On souhaitait surtout savoir quelle église vous fréquentiez et si vous possédiez des terres. Pendant toutes les années qu'il avait passées là-bas, Cain n'avait rencontré qu'un juif, M. Goodman, qui tenait une épicerie. Les seuls New-Yorkais qu'il eût connus récemment étaient son épouse, puis son beau-père, un épiscopalien guindé qui se flattait d'être un « vrai Knickerbocker[1] », quoi que cela impliquât. Mais on pouvait raisonnablement affirmer que Harris Euston, autant que possible, ne frayait pas avec des individus du type de Maximilian Danziger.

— Comprenez-vous, ce que nous faisons n'est pas vraiment conforme à la procédure habituelle. Rien ne m'empêcherait de vous boucler tout de suite, si je le décidais, eu égard à ce que vous m'avez déjà révélé. Vous êtes un témoin de fait dans deux affaires criminelles.

— Je vous propose de nous revoir demain soir, répondit calmement Danziger, insensible à la menace. Je devrais être capable, d'ici là, de réunir d'autres informations. Disons chez Caruso, un bar de 8th Avenue, juste au-dessus de 44th Street. Vous devez participer à une sorte de rituel arrosé, non ?

— Ah, ça aussi, vous êtes au courant !

— Vos collègues en parlaient avec entrain, au commissariat. Je pourrais me joindre à vous au bout d'un moment.

— Le temps que vous arriviez, je serai peut-être trop soûl pour me soucier de vos investigations.

— Vous ne donnez pas l'impression d'un buveur invétéré. Et puis, ces réunions de policiers, ces rites de…

Il chercha le mot juste.

---

1. Descendant des premiers colons hollandais de New York ; par extension, un natif ou résidant de New York ou de l'État de New York.

— … d'initiation. Compte tenu de ce que j'en sais, vous bondirez peut-être sur la première excuse pour fausser compagnie à ces messieurs.

— C'est affreux à ce point ? Bon, alors d'accord. Chez Caruso.

Cain ne put retenir un sourire. Danziger dirigeait à présent les opérations, et pourtant cela ne le dérangeait pas. Avec un peu de chance, il en apprendrait davantage de cet homme – un vieux singe d'un des plus vieux quartiers de la ville – que de n'importe qui d'autre. Cette caboche était probablement un puits de science.

— Dites-moi une chose. La dernière fois que vous êtes monté dans un taxi, en 1928, c'était à quelle occasion ?

— Un enterrement.

— Oh, fit Cain, interloqué. Quelqu'un de votre famille ?

— Mon employeur.

— Quelqu'un d'important, alors ?

— Certes.

Cain attendit la suite, mais il n'y en eut pas. Danziger le salua d'un signe de tête et tourna les talons. Cain le regarda gagner le prochain carrefour et se fondre dans une foule qui baragouinait trois langues en même temps. Quand le feu passa au rouge, tout le monde traversa la rue. Puis un autobus approcha lentement, qui fit paravent. Le temps qu'il s'éloigne, il n'y avait plus personne.

Quand Cain monta dans le métro, les événements de l'heure écoulée ressemblaient déjà aux péripéties d'un rêve, difficiles à croire. Une chose, cependant, restait ancrée dans le réel. Il avait maintenant un nom pour le noyé du Hudson, lié probablement à ce second homicide dont il venait de prendre connaissance. Que cela plaise ou pas à ce connard de Mulhearn, l'affaire reviendrait sous son nom sur le tableau noir de la salle de brigade.

Cain sourit de nouveau, déjà impatient de retrouver le lendemain son drôle de vieux bonhomme.

6

DANZIGER

En ces temps reculés où je me déplaçais en taxi et dînais au restaurant, un de mes estimés associés m'a un jour invité à assister à un combat de boxe au Madison Square Garden. Le seul des deux pugilistes dont je me rappelle le nom était Kid Lewis, le champion des poids welters. Mon associé avait pensé piquer ma curiosité, du fait que Lewis était un juif, originaire de l'East End, les faubourgs populaires de Londres. Il a perdu au dixième round.

Si j'ai depuis ce jour un faible pour le « noble art », dont je suis assidûment l'actualité dans le journal, j'étais à l'époque davantage intéressé par le comportement des spectateurs. C'était une foule féroce de messieurs prospères, surexcités, aux yeux brillants, qui crachaient et criaient. La plupart portaient un canotier et mâchonnaient un cigare. Je n'avais encore jamais été le témoin d'une telle manifestation d'hystérie collective, et n'en ai plus vu de semblable à ce jour, bien que les meetings de Herr Hitler à Nuremberg, tels que les montrent les actualités filmées, s'en rapprochent diablement.

J'y repense à cause du spectacle qui m'a été donné chez Caruso, il y a quelques heures, lors de mon second rendez-vous avec M. Cain. Le ring était ici devant le comptoir, les violences y avaient forme verbale, et une foule pareillement électrisée, bien que plus restreinte, réclamait la curée. Personne ne portait de canotier, cependant un grand nombre des présents arborait la casquette commune du département de la police de New York.

Les premiers coups, pour ainsi dire, furent échangés au début de la troisième tournée, avant celle qu'allait payer M. Cain. Maloney, un type épais en uniforme – « roux comme un porc irlandais le jour de la Saint-Patrick », aurait commenté une de mes anciennes propriétaires – a engagé les hostilités. Il avait de la mousse plein la moustache et l'ironie pétillait dans ses yeux.

— Alors, votre bonne femme, paraît-il qu'elle est restée là-bas ? Rapport à votre ex-collègue, s'pas ? Il savait pas la garder dans sa culotte, celui-là.

Un certain Petrowski a renchéri, rapidement suivi par deux autres flics, Kleinschmidt et Dolan.

— Vous vous êtes occupé de lui, j'ai appris. Combien de pruneaux vous lui avez collés dans le buffet ?

— Pas le buffet, non. La cafetière. Et c'est une racaille qui l'a fait à sa place, pas vrai, Cain ?

— Eh bien, s'ils s'y prennent comme ça, les poulets, chez les planteurs de tabac... Ça vaut bien la pègre !

Caché derrière un journal ouvert, je les écoutais depuis une table du fond. J'étais arrivé plus tôt que prévu afin de poursuivre mon évaluation de M. Cain. Ce n'était plus vraiment une question de confiance. Il me paraissait franc, aussi sincère qu'un policier peut l'être. Il me restait cependant à apprécier sa résistance, son courage, et j'étais encore troublé par les rumeurs qui m'étaient parvenues, concernant sa capacité à garder son sang-froid dans une situation critique – du type de celle à laquelle ses collègues faisaient allusion. S'il n'avait pas été à la hauteur à ce moment-là, il ne le serait pas davantage aujourd'hui, dans ce bar, et j'aurais su qu'il n'était pas assez solide pour le travail qui nous attendait. Dans ce cas, j'aurais été obligé de mettre un terme à notre collaboration. Fidèle à ma parole, je lui aurais montré les lettres de Hansch, puis j'aurais tiré ma révérence. Je l'étudiais donc avec attention.

Comme étourdi par cette première série de coups, il hochait lentement la tête. Il a ouvert la bouche pour répondre, mais les autres ont parlé plus vite et plus fort, frappant toujours aux endroits sensibles. Son épouse ; son ex-collègue ; la racaille ; la fusillade.

En outre, des renforts affluaient, en provenance de 54th Street, le commissariat du 18e secteur : flics en uniforme, en civil, et quelques paperassiers. Se plaçant en demi-cercle autour de Cain, ils l'ont acculé au comptoir. Leur air gourmand révélait qu'on leur avait dit de s'attendre à une bonne bagarre, quelque chose d'exaltant. Pendant que M. Cain posait une série de pièces pour payer sa tournée, de nouveaux uppercuts s'apprêtaient à pleuvoir. Il jouait Joe Louis contre ce colosse de Schmeling. Non qu'on pût le prendre pour un poids lourd, devant cette cohorte d'Irlandais, d'Italiens, de Polonais, d'Allemands aux faces de pierre et aux mâchoires carrées, de gros hommes avec de grosses voix, certains d'entre eux à peine débarqués d'un Vieux Monde que je n'ai certes pas oublié, et pourtant déjà new-yorkais jusqu'au bout des ongles.

Déjà instable, M. Cain se retourna pour prendre en pleine figure un direct du droit – figuratif, bien entendu – de Dolan.

— Alors, ce type que vous connaissiez, il s'envoyait votre femme ?

— Quel type ? fit Maloney. Son collègue ou le gars qu'il a refroidi ?

— Je croyais qu'il les avait flingués tous les deux ?

— Peut-être que les deux la ramonaient, alors ?

Un coup droit, qui suscita un joyeux rugissement des spectateurs. M. Cain vacilla sur son tabouret et, l'espace d'un instant, j'ai craint qu'il s'écroule dans la sciure de bois et finisse piétiné comme les épluchures de cacahuète. Mais, retrouvant l'équilibre, il a remis pied à terre, décidé à combattre debout. Se raidissant, il a fait la grimace, puis il a saisi un instant sa cuisse et il a empoigné le comptoir pour se redresser. Attention, ai-je pensé. S'ils t'envoient au tapis, tu ne te relèveras pas.

— Alors on boite, comme ça ? Sérieusement ? demanda Kleinschmidt.

— Ou un bon moyen d'échapper à l'armée ?

Encore Maloney, qui enchaînait du poing gauche. Les autres flics se rapprochaient, affichant des sourires tordus, visages mobiles, l'œil rivé sur chaque coup. La porte continuait de s'ouvrir et de se refermer, signalant de nouvelles arrivées. L'endroit devenait particulièrement bruyant.

— Les jeunes gars comme lui, tout ce qu'il y a de plus apte, je les mets dans l'infanterie, moi, quand ils resquillent pas.

— Mais il a un gosse. Les loups solitaires avec charge de famille, c'est dur à incorporer.

— C'est une fille, non ?

— Ouais, et elle est pas là, non plus.

— S'appelle Olivia, a précisé Maloney d'un air lascif.

Il était maintenant tout près de M. Cain, presque nez à nez avec lui.

— Olivia, comme « Oh, là, là… ». Vu ça dans son dossier. Elle tient de sa mère, citizen Cain ? Un peu dévergondée, la gamine ? Les gars vont pas tarder à lui tourner autour, pas vrai ?

M. Cain a empoigné le col de Maloney avec une rapidité surprenante et l'a tordu avec les deux mains, comme on briserait un os, sans que personne n'ait le temps de réagir. Il a littéralement soulevé l'Irlandais, ce dont je n'aurais pas cru capable un homme aussi svelte. Un premier bouton s'est détaché du col de la chemise, puis un deuxième, tandis que Maloney passait du rose au cramoisi. Une chope de bière s'est cassée quelque part et tout le monde s'est mis à crier. Maloney a recraché une gorgée d'ale sur son menton et son uniforme, comme s'il commençait à étouffer. C'était maintenant M. Cain qui menait le jeu et il n'allait plus lui laisser la parole.

— Elle a douze ans, espèce de trou du cul ! Tu laisses ma fille tranquille, pauvre Irlandais de mes fesses !

— Doucement, mon gars, doucement !

Yuri Zharkov a fendu la foule pour saisir M. Cain par-derrière, et le protéger sans doute de sa propre témérité. D'autres se sont joints à lui pour séparer les deux adversaires. M. Cain a résisté un instant avant de lâcher Maloney. Les agents qui maintenaient M. Cain faisaient preuve de quelque retenue, à l'image de M. Zharkov. En revanche, ceux qui immobilisaient

Maloney se montraient plus rudes, une première indication, sans doute, que les choses étaient allées trop loin.

— Qui vous a montré mon dossier ? a crié M. Cain. Qui vous a raconté ces conneries ?

Le menton luisant de bière, Maloney a ricané, tandis que d'autres hommes se sont détournés en hochant la tête. Sans doute la référence au dossier de M. Cain, dépassant les limites de l'acceptable, révélait-elle une faute professionnelle, susceptible de leur causer des ennuis à tous. Maloney a lâché une dernière salve.

— Vous le saviez, les gars, qu'il fouine dans les coins, celui-là ? Il traîne dans la 95, comme un rat cherche un bout de fromage. Un vrai rond-de-cuir, notre citizen Cain. Jamais on ne le voit dans les rues. Toujours planqué derrière son bureau, le nez sur ses papiers.

Quelques ronchonnements ont répondu, dépourvus d'intensité ou de ferveur. Comprenant qu'il était en perte de vitesse, Maloney a levé les deux mains pour signifier une trêve. M. Cain n'a plus opposé de résistance et les agents qui le retenaient l'ont lâché. Ils semblaient plus de son côté que remontés contre lui. Zharkov – le seul flic qui eût, pour l'instant, remarqué ma présence – m'a fait un clin d'œil appuyé. Un signe qui m'a rappelé la façon dont il me disait bonjour en passant, des années auparavant, au cours de ses rondes. Nous nous sommes toujours assez bien compris, lui et moi, particulièrement dans des situations difficiles comme celle-ci.

Mais M. Cain monopolisait mon attention. J'admirais sa résistance nerveuse et physique face à l'agression, et je n'ai pu qu'approuver sa prochaine initiative. Il s'est tourné vers le barman en indiquant les pompes à bière. Puis il a rassemblé sur le comptoir un dollar et quelques autres pièces en annonçant à l'intention de tous, d'une voix claire et assurée :

— Ma tournée, messieurs.

Le barman a de nouveau rempli les chopes de liquide mousseux, pendant que les policiers se rapprochaient de M. Cain, ravis par son geste généreux. J'ai remarqué qu'il avait aperçu son image dans le miroir incliné qui, au plafond, dominait le comptoir, et je me suis demandé si, à cet instant, il se voyait comme nous le voyions tous : une grande asperge au visage émacié, manquant d'un petit peu d'expérience, et qui, au terme d'un long hiver, avait gardé du soleil sur les joues, vestige d'heures passées dans les champs et les routes poussiéreuses de son Sud natal. Sa coupe de cheveux trahissait le péquenaud fraîchement débarqué de la cambrousse. Dans cette salle peuplée d'individus aux origines lointaines, il était le seul véritable étranger.

Mais il apprenait vite et ne paraissait plus ni effrayé ni débordé. Ils l'avaient mis au pied du mur, n'y étaient pas allés de main morte et, non, ils n'avaient pas réussi à l'assommer. Ce que je venais de constater me plaisait. Il restait ces questions gênantes à propos de son passé – qu'était-il vraiment arrivé ? –, mais, jouant quitte ou double, j'étais décidé à affronter avec lui la tâche qui nous incombait.

7

Une main sur son épaule, Zharkov entraîna Cain avec
lui. Cain pensait qu'il lui ferait la leçon – il n'arrivait pas à croire qu'il ait été assez bête pour traiter
Maloney d'« Irlandais de mes fesses ». Ce bon vieux
gros Cosaque le rassura.

— On a de la compagnie au fond du bar, lui
murmura celui-ci à l'oreille.

Cain reconnut d'abord le bonnet de laine de petit
lutin. Puis le pardessus miteux. Enfin, le visage énigmatique de Danziger, qui apparut au-dessus de son journal.

— Vous vous connaissez ?

— Depuis longtemps, répondit Zharkov. Depuis
l'époque où je patrouillais à pinces dans le 7e.

Cain procéda à un rapide calcul.

— Il s'est donc renseigné sur moi. Et vous avez
éclairé sa lanterne.

— Danziger est un homme très rigoureux.

Zharkov sourit en se retournant vers le bar, où le
groupe de flics lampait goulûment la tournée offerte
par Cain.

Lequel faisait durer sa deuxième bière. Il s'approcha
de la table.

— Je ne m'étais pas trompé, dit Danziger en indiquant la chope à moitié pleine. Vous n'êtes pas un buveur invétéré. Que vous soyez sobre ou pas, on ne vous désarçonne pas si facilement.

— Il s'en est fallu de peu.

— J'ai vu, en effet. Le dénommé Maloney est sérieusement casse-pieds.

— Passez-moi l'expression, mais c'est un vieux con amer. Ce qui arrive, je suppose, quand on se fait déquiller.

— Déquiller ?

— Rétrograder. Paraît qu'on lui a remis l'uniforme, l'année dernière, alors qu'il bossait en civil depuis un temps. À bientôt quarante ans, il refait le bitume. Quand êtes-vous arrivé ?

— Il y a un moment, répondit Danziger.

— Qu'avez-vous entendu ?

— Suffisamment d'âneries.

Cain s'assit sur une chaise, le dos tourné au comptoir. Il s'efforçait encore de se calmer, et se demandait ce qu'il aurait besoin d'expliquer. Beaucoup de choses avaient été dites – des accusations violentes, pour la plupart infondées. Ces événements étaient déjà pénibles et la calomnie les avait rendus pires encore. Le plus gênant dans tout ça était que Maloney avait sans doute eu accès au dossier personnel de Cain, celui-là même qui s'était trouvé sur le bureau du commissaire Valentine. Danziger tendit le bras pour tapoter l'épaule de l'inspecteur.

— On a tous des épisodes dans notre vie qu'on préférerait oublier.

— Dans notre *vie* ? Il y a six mois de ça. Et qu'en savez-vous, d'ailleurs ?

Cain donna libre cours à sa colère.

— Foirer, ça doit se résumer pour vous à une faute d'orthographe dans une de vos bafouilles à destination du *Vaterland*. En ce qui me concerne, il y a eu des morts – deux, et je ne parle pas de mon mariage.

Avec une vitesse et une dextérité étonnantes, Danziger saisit le col de Cain, de la même façon que celui-ci avait mis le grappin sur Maloney. Le vieil homme avait la main osseuse, ses doigts tordus sentaient l'oignon et l'encre avait sali ses ongles, cependant il avait une force remarquable. Le regard brûlant, il répondit à voix basse.

— Vous ignorez *tout* de mon existence. Cette sorte de commentaire vous couvre de ridicule, compris ?

Décontenancé, Cain ne put qu'acquiescer. Quand Danziger le lâcha, il fronça les sourcils et baissa la tête, comme s'il regrettait sa tirade.

— Veuillez m'excuser, monsieur Cain. Je réagis de manière excessive. Mais, à l'avenir, évitez de présumer de quoi que ce soit à mon sujet. Je n'ai aucune envie de travailler avec un imbécile.

— Moi non plus.

Le vieil homme observa Cain un instant encore, puis hocha la tête.

— Soit. Eh bien, allons-y, si vous voulez.

— Où ça ?

— Là où j'ai mis à l'abri les lettres de M. Hansch. Dans 3rd Avenue, juste en dessous de 85th Street.

— À Yorkville, donc ? À deux pas de l'endroit où Klaus Schaller a été tué. J'ai lu le compte rendu aujourd'hui.

— Un tout petit peu plus loin. Je vous y emmène aussi, si vous le désirez. Après quoi...

Danziger ouvrit grand les bras, tel un imprésario annonçant le numéro attendu.

— ... nous irons voir un homme qui, je l'espère, nous expliquera quel rapport il y a entre ces deux meurtres. Peut-être même nous donnera-t-il les noms des prochaines victimes.

— Des *prochaines* ?

— Dans ce genre d'affaires, il y en a toujours d'autres, non ? Je connais personnellement au moins deux cibles potentielles.

Danziger se leva avec quelque difficulté.

— Allons-y avant qu'ils reviennent vous chercher noise.

Cain précéda le vieil homme dans la salle bondée et ouvrit la porte juste au moment où on lui décochait une dernière flèche.

— Roule pas dans le caniveau, le bouseux, ou Valentine va t'ajouter à sa liste des ivrognes NYPD !

— Comme si cette andouille de commissaire refusait jamais un verre ! cria un autre flic.

Rire général.

La porte claqua derrière les deux hommes, étouffant les voix et le cliquetis des verres, remplacés par les coups de klaxon, le chuintement des pneus sur la chaussée mouillée, les multitudes martelant les trottoirs. Une averse était tombée pendant que Cain se faisait malmener, et l'air d'avril était vivifiant. Il aurait juré reconnaître l'odeur des jonquilles – provenant d'une jardinière, peut-être, ou portée par la brise depuis Central Park. Peut-être encore n'était-ce que la nostalgie.

Partout des soldats et marins de tous pays, en permission ou en transit entre un train et un navire, parcouraient les rues, la plupart en direction de Times Square, en quête de derniers plaisirs avant le chaos. Trois Angliches, bras dessus bras dessous et empestant la bière, titubèrent devant Cain et Danziger en chantant *The White Cliffs of Dover*.

Un peu plus loin dans 8th Avenue, une foule sortait d'un cinéma où l'on jouait un film avec Jimmy Durante, un amuseur sans autre réel talent que son gros pif et sa voix âpre. Mais tout le monde avait l'air réjoui. Cain regretta qu'Olivia ne l'ait pas encore rejoint. Il l'aurait emmenée au cinoche. Les films qui passaient à Manhattan mettaient des siècles pour arriver à Horton, si tant est qu'ils aillent jusque-là. Cain pressa le pas, s'efforçant d'assouplir sa jambe raide.

— Je crois comprendre pourquoi vous boitez, maintenant, dit Danziger. Vous avez pris une balle pendant le service, c'est ça ?

— Vous ne connaissez qu'un bout de l'histoire, avec des tas de conneries autour.

— Sûrement. Peut-être qu'un jour, vous voudrez bien me raconter le reste.

— Peut-être même qu'un jour je saurai *tout*.

— Vraiment ? Cela n'est pas encore clair pour vous ? Suite à un traumatisme, sans doute ?

Cain étudia Danziger quelques secondes, puis regarda droit devant lui.

— Je ne vous connais pas assez.

— Certes. C'est maintenant moi qui use de présomptions. Pardonnez-moi.

Ils croisèrent deux marins hollandais, dont la langue ressemblait d'assez près à l'allemand.

— Alors vous avez lu le procès-verbal du meurtre de Schaller, se rappela Danziger. Quelqu'un a-t-il été arrêté ?

— Non. On ne tient pas la moindre piste. Les types du 19e secteur n'ont guère apprécié que je me renseigne chez eux, alors je l'ai bouclée. Mulhearn y aurait vu un nouveau prétexte pour me retirer l'affaire. Mieux vaut rester discret, au bloc.

Cain repensa à Angela Feinman et à la discrétion dont elle faisait preuve – recluse dans une piaule au fond d'un cinéma désaffecté, enfermée la journée et sur scène le soir. Ou peut-être était-ce simplement une droguée, et aurait-elle vécu ainsi n'importe où.

Il laissa le soin à Danziger de choisir l'itinéraire le plus rapide. Le vieil homme le mena en autobus dans l'East Side, de l'autre côté de la ville, puis ils montèrent un escalier couvert pour prendre le métro aérien. La rame s'engouffra dans la nuit et Cain étudia furtivement les fenêtres supérieures des immeubles : un homme en sous-vêtements lisait le journal ; une femme repassait son linge d'un air las ; des gamins en short couraient d'une pièce à l'autre dans un appartement ; une jeune fille était lovée sur son lit avec un chat ; un boucher aux épaules voûtées dénouait son tablier plein de sang.

« Ne prends jamais le métro. » Clovis le lui avait conseillé chaque fois qu'elle repensait à sa vie à Manhattan. Fille d'une classe privilégiée, elle s'était toujours déplacée en taxi ou dans des limousines privées. Cain n'avait pas ces moyens-là. Mais il s'était curieusement attaché au métro, malgré la foule, les odeurs et autres désagréments. Les vieilles rames bringuebalantes brossaient chaque jour un tableau nouveau de la condition humaine, offraient un spectacle différent de trajet en trajet. Clovis ne savait pas ce qu'elle ratait.

Les deux hommes sortirent à la station de 84th Street et marchèrent une centaine de mètres vers le nord, sous le treillis d'acier des rails aériens. On avait l'impression de s'enfoncer dans un tunnel, où se réverbéraient les bruits du voisinage.

— On y est presque, annonça Danziger. Vous ne serez pas accueilli à bras ouverts. Ne dites rien tant que je ne vous y invite pas.

Cain passa une main sous son manteau, vers l'étui de son revolver à l'épaule. Danziger fit la moue.

— Vous n'êtes pas le bienvenu, mais il n'y a pas de danger. Il vaudrait mieux que vos mains restent visibles. Je ne mentionnerai même pas que vous êtes de la police.

— Qui suis-je censé être, alors ?

— Un tiers concerné par l'affaire. Pas besoin de donner votre nom, cela ne servirait à rien.

Ils arrivèrent devant une porte coincée entre le Berlin Bar, à la devanture ornée de lettres gothiques dorées et à la clientèle bruyante, et une épicerie dotée d'une enseigne en trois langues : anglais, allemand et hébreu. L'employé était en train de recouvrir de toile ses casiers en bois, pleins de fruits et légumes, et le patron repliait la banne. La porte n'était pas verrouillée et les deux hommes s'engagèrent dans un étroit escalier jusqu'au deuxième étage. Cain suivit Danziger jusqu'à une nouvelle porte, au fond du couloir, dépourvue de nom ou de numéro. La seule indication se limitait à un petit boîtier de bronze, pas plus gros qu'un paquet de chewing-gums, vissé sur le linteau de droite et légèrement incliné vers celui-ci. Cain suivit du doigt les lettres hébraïques, ciselées dans le bronze terni. Des marques dans le bois révélaient qu'on avait récemment tenté d'arracher l'objet à l'aide d'un outil.

— Qu'est-ce que c'est ?

— Une mezouzah, répondit Danziger. Elle contient un minuscule rouleau de parchemin, sur lequel est reproduit un verset de la Torah. Quand vous faites partie de la diaspora, la loi juive vous impose d'en apposer une à votre porte, dès que vous emménagez quelque part.

— Vous en avez une, aussi ?

Danziger fit signe que non.

— J'ai arrêté de respecter la loi juive il y a un bon moment, quand j'ai tourné le dos à la mienne, de diaspora.

Il grimaça comme s'il regrettait ce qu'il venait de dire, puis frappa doucement.

— L'homme que nous allons voir s'appelle Mordicai Lederer. Un érudit, un monsieur très instruit, qui a ma confiance. C'est tout ce que vous avez besoin de savoir à son sujet.

La poignée remua et la porte s'ouvrit sur un individu barbu, vêtu d'une chemise blanche et d'un pantalon noir usé. Il paraissait avoir quelques années de moins que Danziger, qui lui serra fermement la main. L'homme fronça les sourcils en remarquant Cain. Il s'ensuivit un échange – en yiddish, supposa le policier. Lederer haussa la voix en secouant la tête, mais Danziger insista. Finalement le premier poussa un soupir et, d'un air contrarié, les invita à entrer.

— Si, par hasard, vous apercevez sa femme, ou une femme, quelle qu'elle soit, ne dites rien. Ne la regardez même pas.

— Il est du genre jaloux ?

— Religieux. Et vous n'êtes pas de confession juive.

— Pourquoi ici ? Cette maison ?

— J'avais les lettres sur moi quand je suis parti à mon rendez-vous avec Schaller. Quand j'ai vu ce qui venait de se passer, j'ai décidé de m'en débarrasser aussi vite que possible. Mais j'ai pensé qu'il serait hasardeux de les jeter, donc je les ai apportées ici.

C'était l'endroit le plus proche où je savais qu'elles seraient en sécurité.

L'appartement exigu manquait d'air. Il y flottait une odeur de poulet en train de mijoter. Un poste de radio gueulait derrière une porte fermée : Cain crut reconnaître une langue slave. Lederer les conduisit dans l'unique autre pièce, une chambre carrée, sans fenêtres, aux quatre murs couverts d'étagères de livres. Au sol, un tapis usé de couleurs vives représentait de minuscules animaux maigres. Une petite table et une chaise rembourrée étaient calées dans un coin. Lederer ressortit et ferma la porte derrière lui sans un mot. La chambre sentait le vieux papier desséché, l'encre, la colle et le cuir des reliures.

— Son bureau, déclara Danziger en observant l'étagère du fond. Même sa femme n'a pas le droit d'y entrer, alors estimez-vous heureux.

— Ils n'ont qu'une deuxième pièce ?

— Avec une cuisine commune, oui. Ce qui en dit long sur l'importance que Mordicai accorde au savoir.

Quelques titres étaient imprimés en hébreu, d'autres dans une langue ignorée de Cain. Il n'aperçut pas d'ouvrage en anglais. *A priori*, il douta qu'un seul de ces livres ait moins de cinquante ans.

— La plupart sont écrits en yiddish ou en hébreu, commenta Danziger.

— Ce n'est pas la même chose ?

— Elles ont un alphabet commun, c'est tout. Le reste des livres est en tchèque. Lederer est né à Prague. Comme il ne parle pas anglais, nous pouvons nous exprimer sans crainte d'être compris.

— Et les autres occupants ?

— Son épouse ne s'intéressera pas à nous. Sa mère est très curieuse, mais illettrée, malgré ce que vous voyez, expliqua le vieil homme avec un geste vers les étagères. Elle a grandi chez des gens cultivés, mais pour qui les études étaient réservées aux hommes.

— Vous lui écrivez des lettres ?

— Je lui en lis aussi. Du moins, je lui en lisais. Il n'a de réponse de personne depuis maintenant plus d'un an. Ses relations à Prague gardent le silence. C'est comme ça pour toute l'Europe de l'Est depuis un moment. Des bougies qui vacillent dans le noir…

Dans ce cadre, les propos de Danziger prenaient une dimension grave et inquiétante.

Il s'approcha d'une étagère et se dressa sur la pointe des pieds pour en retirer un volume relié de cuir rouge, au dos orné de lettres dorées. Il le posa sur la petite table et l'ouvrit au niveau des pages centrales, révélant une mince liasse de papier pelure, soigneusement pliée, qui comportait quatre feuilles. Cain reconnut des doubles carbone dactylographiés en allemand.

— Je les conserve pour mes clients, au cas où ils auraient besoin de revenir sur ce qu'ils ont envoyé, s'il faut résoudre un problème juridique, répondre à un créditeur ou à l'administration. J'ai rédigé trois lettres pour Herr Hansch. Je vous les lis intégralement ou je me limite à l'essentiel ?

— Les gros titres pour l'instant, et le reste plus tard ?

— Entendu. La première date du 21 janvier. Hansch revenait juste de Californie avec trois amis. Comme je l'ai appris ensuite, l'un d'eux était Schaller. D'après les marques que nous avons vues sur les corps, je crois pouvoir avancer que tous les quatre faisaient partie des Silver Shirts et que les bundistes d'ici se sont fait une joie de les accueillir. Hansch voulait écrire à sa femme en Allemagne. Nous avons discuté un moment des nouvelles à lui transmettre et de la façon de les présenter. Pour des raisons évidentes, je pense qu'il était embarrassé devant moi, c'est pourquoi je l'ai assuré que la politique ne m'intéressait pas et que je n'avais rien à dire de ses opinions. Un mensonge, bien sûr, mais mettre les clients à l'aise fait partie de mon métier. Le prix est le même, de toute manière. Cela étant, je n'ai pas eu l'impression qu'il était tout à fait franc dans sa première lettre. Il ne racontait pas grand-chose, sinon qu'il était en bonne santé à New York au terme d'un long voyage, qu'il avait des amis et espérait trouver du travail bientôt. Rien qui nous serve beaucoup dans nos recherches.

— OK.

Danziger reposa la première feuille de papier carbone.

— Celle-ci date du 28 janvier, une semaine plus tard. Elle fait deux pages. Comme vous le constaterez, il devient plus loquace. Je vous lis le paragraphe le plus pertinent, en traduisant au fur et à mesure : « Il y a du neuf, question travail. Je vais bientôt gagner une importante somme d'argent grâce à un nouvel emploi. Il s'agit d'un travail manuel, rémunéré bien au-dessus du salaire normal, que je dois à un heureux concours de circonstances qui m'a permis de faire valoir mes compétences et mon sérieux auprès de personnes bien placées. Ce sera une bénédiction tant pour nous que pour la patrie. Avec un peu de chance, j'aurai peut-être bientôt les moyens de rentrer. »

— Des « personnes bien placées », releva Cain. Intéressant.

— Ce que j'ai pensé. Et je me suis aussitôt sorti ça de l'esprit. Il n'est pas toujours bon d'en savoir trop à propos de ces gens-là.

« Drôle d'idée », se dit Cain, qui fit signe à Danziger de poursuivre.

— Quatre jours plus tard, il écrivait à des cousins en Suisse, à qui il envoyait de l'argent, avec la méthode à suivre pour le faire parvenir à sa femme. Il avait trop peur que les autorités ouvrent son courrier s'il était adressé en Allemagne.

— Combien leur a-t-il envoyé ?

— Trois cents dollars en billets de vingt.

— Oh ! Cela représente cinq mois de loyer.

— Quinze, dans mon quartier. Et pour Hansch, allez savoir ? Il promettait dans cette lettre de bientôt en expédier encore.

— Disait-il où il habitait ?

— Pas d'adresse, non. Mais d'après mes recoupements, il logeait dans un hôtel bon marché, sans doute pas loin d'ici.

— Comment un type dans son genre se débrouille-t-il pour réunir trois cents dollars ? En faisant le sale boulot des bundistes ? De la propagande ? De l'espionnage ?

Danziger fronça les sourcils.

— Sous couvert d'une occupation légitime, dans ce cas. Un job syndiqué, par exemple, puisque, dans sa lettre précédente, il faisait référence à un salaire au-dessus de la normale.

— Dans une usine, éventuellement. Quelque chose en rapport avec l'effort de guerre. Peut-être l'aura-t-on engagé pour recueillir des informations, ou pour des opérations de sabotage.

— Ce qui ouvre bien des champs, en bien des lieux. Ateliers d'aviation, fabriques de munitions et l'ensemble des activités portuaires. Mais, je me répète, j'ai l'impression qu'il y a un syndicat, là-derrière. Je me souviens d'une relation dont il m'a parlé, un homme qui l'a aidé à chercher du travail.

— Il vous a donné son nom ?

— Le prénom seulement. Un certain Lutz, à Yorkville.

Cain avait déjà entendu ce nom quelque part, mais ne s'en souvint qu'en écoutant la suite.

— Si c'est celui de Yorkville auquel je pense – un homme très influent, « bien placé » en effet –, alors nous devrions trouver plus facilement quelle sorte d'emploi a tenu Herr Hansch.

— Vous le connaissez donc ?

— S'il vous plaît. Continuons de procéder par ordre. Il a écrit une quatrième lettre.

— D'accord.

— Le temps a passé avant qu'il revienne, presque deux mois plus tard. J'en avais conclu que je ne le reverrais plus. Mais il a frappé à ma porte, tard un soir, le dernier jour de mars. C'était un mardi. J'étais en chemise de nuit, j'avais mouillé le charbon pour la nuit. Il faisait très froid à l'intérieur, mais il a exigé d'entrer. Il voulait écrire à sa femme immédiatement. Il était tellement agité, furieux, qu'il a eu besoin d'un moment pour exprimer ses idées de manière cohérente. En fait, il n'avait pas grand-chose à dire, mais son message était assez inquiétant.

— Comment cela ?

— Je vais vous le lire.

Danziger saisit la dernière copie carbone, qu'il leva à la lumière.

— « Le sort se retourne contre moi. D'autres vont profiter de la place qu'on m'avait promise, ou advienne que pourra. »

— Advienne que pourra ?

— Oui.

— Curieuse expression.

— Mon avis aussi. Je lui ai suggéré d'être plus clair. C'était trop vague, sa femme allait s'inquiéter, mais il n'a pas voulu. J'ai insisté et il s'est fâché. Il m'a accusé d'être au service d'« un de ces gens », selon ses propres termes.

— Un de ces gens ?

Danziger confirma.

— La lettre se termine ainsi : « Les difficultés inhérentes à ma situation actuelle me rendent indésirable aux yeux de mon employeur, c'est pourquoi j'ai décidé de déménager bientôt. Ne t'affole pas si, pendant quelque temps, tu ne reçois plus de nouvelles. »

Le vieil homme reposa la feuille.

— Une semaine plus tard, je tombais sur l'article du *Daily News* et sur votre nom. J'ai pensé tout de suite à vous contacter, mais tout cela était encore trop incertain. Peut-être s'agissait-il d'un autre ouvrier allemand et d'une autre Sabine.

— Vous m'avez dit plus tôt que vous étiez au courant, pour le tatouage.

— Il l'avait évoqué une fois, au cours d'une conversation, avant sa deuxième lettre. Il s'en vantait, comme quoi il fréquentait une fille ici dont sa femme ne saurait jamais rien. Je suppose qu'il cherchait à se donner de l'importance. Comme s'il se souciait le moins du monde de l'opinion d'un juif... C'est mon instruction, en fait, qui l'impressionnait. « L'homme de lettres », il m'appelait.

— Qu'est-ce qui vous a convaincu, finalement, que c'est son corps que nous avons repêché ?

— Deux jours plus tard, jeudi dernier, Klaus Schaller m'a rendu visite. Il réclamait les copies de toutes les lettres de Werner Hansch. J'ai refusé, bien sûr. Je lui ai dit qu'elles étaient la propriété de Herr Hansch, que cela constituait un droit inviolable selon les lois fédérales des États-Unis.

— Même les copies ?

— Non. Mais cela, il l'ignorait. Alors il a essayé de me soudoyer. D'abord cinq dollars, puis dix, sans mentionner une fois ce qui était arrivé à Hansch. Je lui ai répondu qu'il n'en était pas question, à moins qu'il produise un genre d'autorisation. Ce qui a paru le réjouir, et il a affirmé qu'il me porterait les papiers adéquats le lendemain. Que ceux-ci lui seraient fournis par une relation commune à eux deux, le dénommé Lutz.

Cain se rappela alors où il avait entendu ce nom. Angela Feinman. Un certain Lutz avait obtenu le titre de propriété de son frère.

— Je l'ai prié de revenir quand il les aurait, mais il a insisté pour que nous nous donnions rendez-vous ailleurs. Il prétendait qu'il serait dangereux pour lui de se présenter une deuxième fois chez moi. Il m'a offert le double de la somme si j'acceptais de le rencontrer à Yorkville. Vingt dollars. Nous avons convenu de nous retrouver dans un appartement vide, à deux rues d'ici, l'adresse que vous avez lue dans le compte rendu. C'est un immeuble du même genre que celui de Mordicai. Quand je suis arrivé à l'heure prévue, muni de ces lettres, tout était sens dessus dessous. Des enfants et des policiers allaient et venaient. Les voisins cancanaient à qui mieux mieux sur leur palier. J'aurais dû partir, tout simplement, mais j'avais besoin de savoir. Alors j'ai joué des coudes jusqu'à une porte ouverte à l'étage. J'ai aperçu trois agents à l'intérieur, et une sorte de médecin, agenouillé devant un corps étendu par terre, la gueule ouverte. Herr Schaller : je l'ai reconnu à ses yeux. Il y avait pas mal de sang autour de lui. À l'évidence, il était déjà mort. Voilà tout. C'était vendredi soir. Le lundi suivant, à six heures précises, je suis entré au commissariat du 14e secteur pour vous y attendre.

— Et vous croyez que la mort de ces deux hommes est liée au contenu de ces lettres ?

— Oui.

— Pourquoi pensez-vous maintenant qu'il y en aura d'autres ?

— Herr Hansch m'avait appris que ses trois amis et lui avaient trouvé du travail ensemble. Si lui-même et l'un d'eux sont déjà morts, alors…

Raisonnement logique. Cain acquiesça.

— Vous a-t-il indiqué leurs noms ?

— Les prénoms seulement. Dieter et Gerhard.

— Des prénoms assez communs, je suppose, en Allemagne.

— S'ils devaient figurer sur les registres d'un syndicat, avec ceux de Hansch et de Schaller, parmi les inscriptions de ces derniers mois, eh bien…

— Bonne idée. Dites-m'en plus au sujet de Lutz. La fille du cinéma de 96th Street m'a parlé, elle aussi, d'un Lutz. Un homme qui aurait arrangé l'acte de propriété de son frère afin de le faire passer pour un goy.

Danziger prit un air entendu.

— Il est sûrement capable de rendre ce type de service. Son nom entier est Lutz Lorenz. Il a des relations très utiles.

— Vous le connaissez ?

— Par ouï-dire, surtout. J'ai connu son père, qui avait plus ou moins les mêmes dispositions, et qui est aujourd'hui décédé. Beaucoup d'immigrés font appel à des individus de cette sorte. Et quand, pour votre métier, vous cherchez des tuyaux pour vos clients, que vous avez besoin de savoir qui a de l'influence dans un domaine particulier, forcément, vous tombez sur ces gens, un jour ou l'autre.

— Vous l'avez rencontré ?

Danziger réfléchit, puis hocha la tête.

— Oui, il y a longtemps.

— Il se souviendrait de vous ?

— C'était encore un jeune garçon. Mais, eh bien…

— Quoi ?

— Mon sentiment est que Lutz Lorenz m'a envoyé Werner Hansch. Donc il se rappelle certainement mon nom.

— Ce qui implique que vous courez certains dangers, s'il n'est pas le seul au courant.

— J'y ai pensé. Mais les individus de son acabit agissent avec discrétion. Il y a peu de chances qu'il ait consigné par écrit ses arrangements avec Hansch et Schaller.

— Tant mieux pour vous. En revanche, cela ne nous avancera pas dans nos affaires. À moins qu'il soit d'humeur bavarde quand nous mettrons la main sur lui.

— Nous sommes bien d'accord. Si nous allions lui rendre une petite visite ?

— Je vous suis.

Les deux hommes revinrent dans l'entrée, où Lederer, les bras croisés, les attendait avec impatience. Il semblait toujours contrarié que Danziger ait introduit un inconnu chez lui. Il se hâta de les faire sortir, sans même leur dire au revoir.

8

Ils marchèrent au sud jusqu'à 74th Street, sous les arcades sombres du métro aérien, dont les rames claquaient sur les voies au-dessus de leur tête. Malgré les trottoirs bondés, ils ne perdirent pas de temps.

Lutz Lorenz était le propriétaire de l'Agence germano-américaine du travail, tous corps de métiers, qui, comme l'expliqua Danziger, faisait de lui un homme influent, grâce aux emplois bien payés qu'il était en mesure d'attribuer. Son activité le liait également aux puissants syndicats de la ville, eux-mêmes dépendants des racketteurs et des grands barons du crime – un réseau qui s'étendait bien au-delà de la prétendue Mafia pour regrouper les gangs irlandais, juifs, slaves et ceux, rivaux, de Chinatown. Dans leurs rouages subsistaient quelques vestiges de la machine politique de Tammany, jadis omnipotente.

— Il a donc le bras long, dit Cain. Impressionnant. Mais son bureau sera-t-il ouvert à cette heure ?

— Il réside à l'étage avec sa famille.

Cain s'était attendu à une modeste boutique. Au contraire : devant lui se dressait un immeuble de cinq étages, le plus récent du pâté de maisons. Apparemment, l'affaire de Lorenz était la plus prospère des environs.

On avait peint à la feuille d'or le nom de l'agence sur la vitrine, en anglais et en allemand. Cependant la porte était cadenassée. Une affiche en rouge et blanc portait l'inscription FERMÉ JUSQU'À NOUVEL ORDRE, sans autre explication.

— Inquiétant, jeta Danziger.

Il recula de quelques pas pour scruter les étages.

— Pas de lumière dans les appartements.

— Tout ça est à lui ?

— Il loge avec femme et enfants au deuxième et au troisième. Sa mère occupe le quatrième.

— Comment le savez-vous ?

— Comme je vous ai dit, j'apprends ces choses dans l'intérêt de mes clients. Il y a un second endroit à inspecter. Venez vite !

Danziger redescendait déjà la rue.

— Son assistant habite un peu plus bas.

Ils atteignirent un autre bâtiment neuf, où le vieil homme appuya sur une sonnette électrique, sur le linteau d'une porte vitrée anonyme. Une lumière s'alluma deux étages plus haut, puis des pas résonnèrent dans l'escalier. Un homme aux cheveux en bataille, vêtu d'un peignoir de soie, jeta un coup d'œil à travers la vitre. Il hocha la tête en reconnaissant Danziger, sélectionna une clé sur un anneau qui en comportait une douzaine au moins, et ouvrit.

— Reinhard ! Où est passé Herr Lorenz ?

— Pas ici, répondit Reinhard en étudiant la rue des deux côtés.

Il fit signe aux deux visiteurs d'entrer. Ils passèrent dans le couloir, uniquement éclairé par le réverbère au-dehors.

— Ils sont venus le chercher, poursuivit l'homme.

Ses mots résonnèrent dans la cage d'escalier vide.

— Qui, Reinhard ? Quand ?

— Cinq hommes, hier soir. Il m'a téléphoné quand ils sont arrivés. Je n'ai assisté qu'à la fin. Mais ils étaient cinq.

Cain sortit son bloc sténo. Reinhard le remarqua et posa une question en allemand à Danziger. Il s'ensuivit un échange houleux, à voix basse cependant, auquel Cain ne comprit rien.

— Ça a été très rapide, reprit Reinhard en anglais, sur un ton moins vif.

— Comment ça, rapide ? demanda Cain. Ils l'ont tué ?

— Non, non. Emmené. Ils les ont tous emmenés.

— Tous ?

— Lorenz et sa famille. Ils avaient deux voitures. Deux grosses Ford garées devant. Ils ont mis sa femme, ses enfants et même sa mère dans la première, qui est repartie d'abord. Puis ils l'ont fait monter, lui, dans la seconde, qui a pris la direction du fleuve, dans l'autre sens.

— Mais pourquoi toute la famille ? demanda Danziger.

— Ces hommes, coupa Cain, étaient-ils armés ?

— Bien sûr ! Pas leur chef, qui donnait des ordres. Mais les autres, oui. Ça faisait très professionnel.

— Professionnel ?

— Minutieux. Organisé. Pas de cris, pas de coups de feu.

— Savez-vous qui c'était ?

Signe négatif de Reinhard.

— Lorenz le savait, je pense. Il m'a vu juste avant qu'ils l'embarquent, et il a simplement hoché la tête. Sans se plaindre ni me demander d'appeler quelqu'un, ou quoi que ce soit. Cela devait lui suffire que j'assiste à la scène.

— Vous avez relevé les immatriculations ?

Reinhard poussa un long soupir et baissa les yeux.

— Je me suis rendu compte plus tard que j'aurais dû. Mais il m'avait sorti du lit, j'étais à moitié endormi. Je... Oui, j'ai commis une erreur. Parce que, depuis, je n'ai pas eu de nouvelles, de lui ou de son avocat, et je n'ai pas pu entrer dans la maison. Ils ont mis un cadenas sur la porte, avec une affiche, et m'ont dit de m'écarter.

— Ce n'était pas des policiers ?

— Non, non. Je m'en serais aperçu. Je ne crois pas non plus que c'était des *associés* à lui, des gens d'un syndicat ou d'une de ces cliques.

Reinhard jeta un coup d'œil à Danziger, qui fit la moue, comme s'il comprenait exactement ce que Reinhard désignait par « cliques ».

— S'il s'était agi de ces gens-là, vous vous doutez bien qu'ils s'y seraient pris... d'une autre manière.

En usant de violences, interpréta Cain.

— Décrivez-moi le chef, demanda Danziger. Celui qui donnait des ordres. Quelqu'un a-t-il dit son nom ?

— Non. Mais il était gros. Pas exactement gros, non. Plutôt...

— Trapu ? suggéra Cain.

— Oui, trapu. Et il avait des yeux...

Reinhard s'interrompit et continua en allemand.

— Les paupières bouffies, expliqua Danziger à Cain.

— Et une moustache, ajouta Reinhard. *Kleine*. Petite.

— Comme Herr Hitler ? souffla Danziger.

Reinhard parut choqué.

— Non, non ! Pas comme Hitler.

— Fine, supposa Cain.

118

— Oui, fine. Et c'était un *Jude*. Un juif, j'en suis sûr. Rien à voir avec Herr Hitler.

— Un juif trapu avec des paupières bouffies et une moustache fine, nota Cain dans son bloc. Le chef de l'expédition.

Perdu dans ses pensées, Danziger gardait le silence.

— Quelqu'un que vous connaissez ? lui demanda Cain.

Danziger répondit par la négative.

— Bon. Nous voilà dans une impasse. En ce qui concerne Lorenz, du moins.

— Oui, répéta le vieil homme d'une voix morne. Une impasse, comme vous dites.

Reinhard les reconduisit à la porte, qu'il verrouilla derrière eux. Ils prirent le métro jusqu'au centre-ville. Épuisé, Cain s'affala sur un banc en bois sur le quai. Il sentait encore sur lui des odeurs de bière, de sueur et de sciure. Danziger se tut pendant presque tout le trajet. Il paraissait soucieux.

— À quoi pensez-vous ? risqua Cain.

— À Lutz Lorenz. S'il avait été tué ou kidnappé par des voyous, ce serait fort inquiétant. Mais là ? Cela ne ressemble pas aux scénarios habituels.

— Et quels sont-ils, les scénarios habituels ?

Danziger haussa les épaules. Il semblait regretter ses paroles.

— Vous avez l'air de vous y connaître en matière d'enlèvements.

Autre haussement d'épaules.

— Je sais ce que je lis dans les journaux.

— C'est ça, oui. Les journaux… Quelque chose vous tracasse.

— En effet. Discret ou pas, Lutz aura peut-être parlé, surtout s'ils ont menacé sa famille. Et, s'il s'est

119

étendu sur certains liens récents, alors… Vous voyez le problème ?

— Je peux essayer de vous placer sous protection, si vous le désirez. Essayer, hein ? Je ne garantis rien.

Visiblement alarmé, Danziger secoua vigoureusement la tête.

— Laissez-moi me protéger tout seul.

— Mais…

— S'il vous plaît ! Certaines personnes de mon quartier me seront bien plus utiles que vos collègues. Si je fais appel à la police, elles ne voudront plus avoir affaire à moi.

— Pourtant vous collaborez avec moi, qui suis policier.

— Vous êtes un jeunot, encore étranger à tout ça.

— Tout ça quoi ?

— Demandez à Yuri Zharkov. Ou plutôt ne lui demandez *rien*. J'en ai trop dit et pas assez. Il est au courant de certaines choses que, de toute façon, il ne vous répétera jamais. J'avancerai seulement que, la plupart du temps, la police ne sait pas garder un secret. Vous excepté, bien sûr. Laissez-moi faire de mon côté. De plus, ce sont les deux compères de Hansch et Schaller qui encourent le plus de dangers. Dieter et Gerhard.

— Les syndicats. Je vais relever les adhésions récentes dans les registres locaux. On finira peut-être par les retrouver. Vous êtes sûr que ça va aller ?

— Ne vous inquiétez pas pour moi. J'ai réchappé à bien des choses et j'ai l'intention de continuer. Entre-temps, je vais, moi aussi, me renseigner auprès d'anciens contacts. Des gens parfois précieux.

— Encore de vagues connaissances ?

Danziger resta insensible à la plaisanterie. De nouveau perdu dans ses pensées, il se contenta de hocher la tête. À cet instant, dans la lumière crue du métro, il ressemblait de nouveau au vieil homme brisé qu'avait découvert Cain dans la salle de brigade au commissariat.

9

À contrecœur, le capitaine Mulhearn réinscrivit le nom de Cain sur le tableau de service, sous l'affaire Hansch. Puis il déposa un épais classeur sur son bureau.

— Pour vous racheter. Vous avez jusqu'au week-end pour me régler ça.

— Me racheter ?

— Les gars du 19ᵉ racontent que vous marchez sur leurs plates-bandes. Comme quoi vous aviez le nez sur un de leurs PV, l'autre jour.

Mulhearn voulait parler de l'affaire Schaller. Cain se tut. S'il la ramenait en expliquant que les deux cas étaient liés, Mulhearn était capable de transférer la sienne dans le 19ᵉ secteur, ou au Bureau des homicides de l'arrondissement, juste pour le contrarier. Cain ouvrit le dossier en soupirant.

Avant qu'il ait pu lire une page, Simmons, penché sur son épaule, lui demanda sa participation mensuelle aux frais de café. Cain préleva dans sa poche ce qui lui restait de monnaie après sa tournée chez Caruso.

— Un nickel, c'est ça ?

— On a le droit d'être plus généreux.

Simmons avait à peine disparu que Dolan lui succéda.

— Hé, Cain. J'ai vu votre score à l'épreuve de tir. La classe !

— Vous avez lu mon dossier avec Maloney ?

— Hein ? fit Dolan, apparemment vexé. Non, rien du tout. Mais des bruits courent, et on a une équipe de tireurs, ici. On fait un concours chaque semaine avec les gars des autres secteurs et…

— M'intéresse pas.

— Et le bowling ? Vous…

— Non.

— Mais vous jouez bien à quelque chose ?

— Ouais, au basket.

Dolan réfléchit.

— Zeke, aux liaisons radio, c'est son truc.

Pendant quelques secondes, Cain contempla avec plaisir l'idée de revenir dans un gymnase. Il se vit suer, bondir, tandis que les dribbles se réverbéraient dans la salle, que l'air brûlait dans ses poumons. En quête d'une passe pour un tir de plain-pied, il allait sprinter jusqu'au bout du terrain mais, une fois encore, il se rappela qu'il ne pouvait plus courir depuis l'accident. En se baissant pour serrer sa cuisse raide, il se demanda si sa jeunesse l'avait abandonné pour de bon.

Lorsqu'il reposa les yeux sur le classeur, il ne lui fallut qu'une seconde ou deux pour comprendre que cette affaire-là était ce que ses nouveaux collègues appelaient un « sac de merde ». Elle concernait un escroc, Albert Kannerman, qui avait usurpé l'identité de presque tout le monde, depuis le frère de Bing Crosby jusqu'au petit-fils du président Taft. Ces derniers temps, inspiré par l'effort de guerre, il endossait l'habit militaire. Se faisant passer pour un aviateur blessé, il détroussait des infirmières tombées en adoration devant lui, ou, déguisé en officier de marine, il vendait des

tickets bidon pour de prétendus spectacles de l'USO[1].
Trois inspecteurs d'autres districts s'étaient déjà mis sur
sa piste. Ils l'auraient localisé en différents endroits,
entre le centre de New York et Staten Island, sans
trouver à ce jour d'adresse valable.

— Merde.

Cain referma le classeur. Puis, craignant que Mulhearn
lui ait quand même retiré l'affaire Hansch, il alla
vérifier au tableau de service. Son nom était toujours
dans la bonne case.

À côté du tableau, étaient affichés une série d'avis de
recherche qui, depuis son arrivée, intriguaient vivement
Cain. Les criminels de New York semblaient sortir d'un
moule particulier. À Horton, les crimes violents étaient
généralement d'ordre affectif et l'œuvre d'individus
isolés. Les soi-disant professionnels fréquentaient parfois
les mêmes personnes que lui. La plupart des photos
prises par la police représentaient des Blancs rustauds
et des Noirs pauvres qui, tous, paraissaient acculés et
sous-alimentés. Si désespérés qu'ils semblaient prêts à
se tirer une balle dans la tête avant de se faire coffrer.
Ils vivaient pour beaucoup dans de minables baraques
où la vermine rampait sous les combles.

Ici, les types, tirés à quatre épingles, avaient l'air
de vous défier de venir les arrêter. Dans l'offre du
moment figurait un homme soupçonné de meurtre,
Emanuel Weiss, qui portait un costume voyant et une
cravate en soie au nœud élaboré. Il affichait un sourire
narquois, comme s'il se retenait de rire, et se cachait
derrière trois pseudonymes – Mendy, Hoffman et Kline.
Ses associés connus avaient des noms tout aussi pitto-

1. United Service Organization : Association de soutien aux
membres de l'armée américaine.

resques : Louis « Lepke » Buchalter, Abe « Kid Twist » Reles, Clarence « The Jazz » Cohen, et un tueur à gages dont Cain se rappelait vaguement avoir vu le nom dans les journaux de Horton : Albert Anastasia.

Son voisin au mur était un certain Michael Romano, vingt-huit ans, recherché pour vol, qui arborait un sourire charmeur et le genre de coiffure élégante qu'on voyait dans les magazines. Fringant, beau garçon, bien qu'il eût un petit pansement sur le menton. Selon la description offerte, il était « toujours bien sapé et consommait des stupéfiants ». Ses noms d'emprunt s'étalaient sur deux lignes : Joe Bruno, Scooter Joe, Mickey Mouse, Pickles, Pick.

Cain ne connaissait qu'une autre corporation aussi friande de surnoms : le NYPD. Que cela lui plaise ou non, ses collègues l'appelaient déjà « citizen ». Mulhearn était la Mule ; Zharkov, le Cosaque ; et Maloney, le Tapeur. Les flics comme les malfaiteurs avaient leurs codes d'honneur, leurs règles et obligations. Vu de cette façon, il ne trouvait guère étonnant que certains policiers passent de l'autre côté de la barrière, comme Valentine le suspectait.

— Il est mignon, avec son pansement, non ?

Derrière lui, Yuri Zharkov, une bouteille d'Orange Crush dans une main, indiquait de l'autre le portrait de Romano.

— Il ne s'est pas coupé en se rasant, je vous l'assure.

— Belles nippes, quand même.

— Un mafioso, comme la plupart de ceux qui ont plus de deux surnoms. Il joue aux courses. On tombera sur lui, un de ces jours à l'Aqueduct[1], sans avoir besoin de le chercher ailleurs.

---

1. Hippodrome du Queens.

— Alors les racketteurs sont toujours une nuisance, dix ans ou presque après la fin de la prohibition ?

Zharkov agita sa main gauche, d'un geste qui voulait dire « pas tant que ça ».

— Dewey, l'ancien procureur, a coffré la plupart des caïds. Waxey Gordon, Lucky Luciano… à l'ombre. Une bonne partie des autres se sont entretués pour récupérer leur turf. Des miettes. Dutch Schultz s'est fait descendre dans un restaurant du New Jersey. Le dernier bootlegger était Owen Madden, on l'a éjecté de New York. Quand il a essayé de revenir pour le match Baer-Nathan, Valentine l'a renvoyé à coups de pied au cul. Ces mecs, c'est comme les derniers Comanches. Des gros lards alcooliques qui vivent dans les réserves.

Cain fit un signe vers le portrait de Weiss, un des acolytes d'Anastasia.

— Même lui ?

— Mendy ? Il y a des mois qu'il est de nouveau derrière les barreaux. Mulhearn ne veut pas retirer sa photo. Il est fumasse qu'on n'ait pas parlé de nous quand il s'est fait pincer. Simmons avait eu le tuyau pour son adresse, mais c'est une autre équipe qui l'a alpagué, alors les journaux n'ont rien dit sur nous.

— Qui reste-t-il, alors ?

— Eh bien, son chef, Anastasia, le grand patron de Murder Incorporated[1].

— L'assassinat élevé au rang d'entreprise ?

— C'est exactement ça. Ou ce que c'était. Difficile de savoir s'ils sont encore actifs. Mais il est quelque part à Brooklyn, ce qui, officiellement, ne nous regarde pas. Maintenant, ici, à Manhattan ? dit Zharkov en se

_____

1. Organisation mafieuse, chargée des assassinats internes à la pègre.

frottant le menton. Socks Lanza, toujours une plaie, celui-là, mais c'est le 1er secteur qui s'en occupe.

— Socks ?

— Ça ne devait pas figurer à l'examen, hein ? Joseph « Socks[1] » Lanza. Il règne sur le marché aux poissons de Fulton. À cause de lui, le moindre carrelet coûte une fortune dans les restaurants, même s'ils se servent sur les quais. Socks ponctionne les bateaux, les camions, il prend sa part sur la découpe, le filetage…

— Pourquoi on ne l'arrête pas ?

— Ah, il est inculpé pour racket, par le procureur de New York ! Mais on ne met pas fin à ce genre d'activité en coinçant un seul type.

— Pourquoi ?

Zharkov hocha la tête comme si Cain avait posé la question la plus bête du monde.

— Il ne faut pas croire les conneries que Valentine raconte aux journaux. Cela n'est pas si simple. Ce qui reste de la pègre, c'est comme les champignons entre les orteils. Plus vous grattez, plus ça démange. Le mieux, parfois, c'est de ne pas y toucher, et ça enfle un peu moins.

Jusqu'à ce qu'ils expédient des gens à la morgue, tels deux Allemands supprimés à cause de leurs liens avec un intermédiaire du type Lutz Lorenz.

— Et dans un quartier comme Yorkville ? demanda Cain.

— Que voulez-vous dire ?

— Qui surveille les rackets, là-bas ?

— Faudrait demander aux gars du 19e. Dans cette ville, de toute façon, il y a des poissons assez gros pour ne pas se limiter à un territoire. Des types qui agissent partout où ça leur chante.

1. Chaussettes.

— Au moins, ils seront faciles à repérer.

— Pourquoi ça ?

— Des gros lards aux pieds enflés, il n'y en a peut-être pas tant que ça.

Zharkov sourit et leva sa bouteille, comme pour trinquer.

Cain passa les deux heures suivantes à éplucher le dossier, complexe et décousu, d'Albert Kannerman. Le type opérait si vite qu'on n'avait pas encore recueilli le témoignage de ses trois dernières victimes. La question était surtout de savoir où il se cachait, ce qui ne serait pas une mince affaire dans une ville de sept millions et demi d'habitants, d'autant plus qu'il brouillait les pistes et changeait à loisir d'accent et de déguisement. Il savait tromper son monde comme pas deux.

Le téléphone sonna. Cain étudia l'appareil, pensant à Harris Euston, et, finalement, décrocha.

— Danziger. Où va-t-on ensuite ? Je reste à votre service, monsieur Cain.

— Le problème, c'est plutôt quand. Je suis un peu coincé. Il faut que je me rachète, paraît-il, et ce genre de pénalité peut m'occuper des journées.

— Alors je vais poursuivre sans vous.

— Hum. Pas une bonne idée, ça.

— Discrètement, bien sûr. En quoi consiste votre pénalité ?

— À épingler un escroc.

— Qui s'appelle ?

— Je ferais sans doute mieux de ne pas le dire.

— Pourquoi ? Et si je me renseignais pour vous ?

— Merci beaucoup, mais…

— Comme vous voudrez.

Danziger raccrocha sans laisser le temps à Cain de le saluer. Vexé, ce dernier regarda un instant le combiné avant de le reposer sur son socle. S'il allait interroger les victimes de Kannerman, sans doute arriverait-il à consacrer quand même une heure ou deux à l'affaire Hansch ? Mieux encore, à faire une visite surprise à Danziger, le voir dans son terrier. Cain avait envie de savoir où vivait le vieux bonhomme, d'avoir un aperçu de sa clientèle. Après tout, ce métier d'écrivain public n'était peut-être qu'une couverture.

Il y avait aussi la mission que lui avait confiée Valentine, et qui le taraudait. Ses recherches étaient au point mort, du fait qu'on lui barrait l'accès à la pièce 95. Cain devrait trouver un moyen de s'y introduire en douce ou se tenir à carreau jusqu'à ce que Mulhearn ne lui colle plus aux semelles. Toutefois ses travaux d'approche, bien qu'interrompus, ne s'étaient pas révélés inutiles. Au moment où il se demandait comment se repérer dans cette masse de dossiers et de classeurs, il avait aperçu l'index affiché derrière la porte. La prochaine fois, il commencerait par consulter celui-ci. Il ne faudrait d'ailleurs pas trop traîner. Linwood Archer n'avait pas l'air spécialement patient.

La plus récente victime de Kannerman habitait à quelques rues, ce qui expliquait sans doute pourquoi l'affaire avait finalement rebondi jusqu'au 3ᵉ district. S'il voulait des résultats avant samedi, Cain avait intérêt à se remuer. Comptant sur un temps plus clément, il quitta le commissariat sans boutonner son pardessus, pour être accueilli sur le trottoir par un ciel gris et des bourrasques. Un de ces coups de froid, typiques de la mi-avril, qui vous rappellent l'inconstance du printemps.

Il s'enveloppait dans son manteau lorsqu'il croisa un jeune couple qui arrivait vers lui depuis 6ᵗʰ Avenue. Deux jeunes gens, en âge de suivre des études, qui discutaient gaiement d'une pièce qu'ils avaient vue la veille à Broadway. Manifestement amoureux. Cela se sentait au son de leurs voix, leurs yeux brillants, leurs gestes animés. Ils lui firent penser à Clovis, qui évoquait toujours avec nostalgie ses soirées à Broadway lorsqu'elle était jeune fille. En sortant du théâtre, elle se plantait devant l'entrée des artistes dans l'espoir d'apercevoir les vedettes avant qu'elles filent souper chez Sardi.

Ils en avaient parlé le soir d'automne où ils s'étaient rencontrés, au début de la première année de fac de Cain. Clovis et trois de ses amies de Sweet Briar College[1] étaient venues passer le week-end sur le campus de Chapel Hill, où elles étaient hébergées par une camarade. Le samedi, elles étaient allées à une fête dans une fraternité de Cameron Avenue, où Rob et Cain, apprenant que les filles y seraient nombreuses, s'étaient également rendus. En 1928, la gent féminine était une denrée rare sur le campus.

Cain avait remarqué Clovis, à peine passé la porte. Elle se tenait avec ses amies près du grand bol de punch composé à partir d'alcool de contrebande. Il était difficile d'apprécier ce qui suscitait le plus d'intérêt – le rhum prohibé ou les quatre filles de Sweet Briar. Cain avait compris immédiatement que, contrairement aux trois autres, elle donnerait du fil à retordre aux galants. Sûre d'elle, raffinée, elle ne manifestait aucun empressement à faire un choix dans la meute affamée des messieurs.

Il avait croisé son regard au moment où elle sortait son paquet de Lucky de son sac – Clovis était la seule femme dans la pièce à avoir apporté ses cigarettes.

1. Université pour femmes en Virginie.

Elle en avait coincé une entre ses lèvres, ce qui avait suffisamment désarmé les autres hommes pour que Cain leur coupe l'herbe sous le pied en lui proposant du feu.

— Un gentleman sudiste !

— Vous avez dû saisir que je n'étais pas le seul, ici.

Déjà les amies s'écartaient lentement, sans cesser de bien les observer, comme on assiste à un spectacle. Tout à l'ivresse du moment, Cain avait senti ses joues s'empourprer et noté, pour son plus grand plaisir, que Clovis rougissait aussi.

— Eh bien, je suis de New York, avait-elle dit en souriant. Où tout va toujours plus vite, etc., etc. C'est du moins ce qu'on me répète, chaque fois que je rencontre quelqu'un de chez vous. Clovis Euston.

— Woodrow Cain.

Elle lui avait tendu la main d'un geste presque royal, et il l'avait serrée avec une élégance quasi princière. Cain ne prêtait plus attention à qui que ce soit d'autre dans la pièce.

— Je suppose qu'on vous a déjà fait la cour de toutes les manières possibles.

— Ce n'est pas ce que vous essayez de faire ?

— J'arrête tout de suite si cela vous déplaît.

— Si on allait plutôt se promener dehors ? Les roses sentaient très bon quand nous sommes arrivées.

— Ce sont des camélias. Ils s'épanouissent tard dans le Sud.

— Raison de plus pour me faire visiter le coin. Et quelque chose me dit que vous avez besoin de vous épanouir, vous aussi.

Elle n'avait pas tort. Clovis lui avait offert son bras et Cain l'avait pris. Certes, ils en faisaient trop, mais le courant passait. La foule parut s'ouvrir pour les laisser sortir. Dehors, la nuit était douce, ce qui n'était pas rare à Chapel Hill pour un début octobre et, oui, les camélias exhalaient leur parfum le long de la pelouse. L'air était pénétré de langueurs et d'heureuses promesses, avait pensé Cain.

Ce soir-là, Clovis lui avait révélé les grands desseins de son père, qui l'avait envoyée en Virginie pour l'isoler des garçons et filles qui l'entraînaient sur la mauvaise pente. Nuits blanches et mauvais résultats. Il avait téléphoné à une vieille relation, qui avait réservé à la jeune femme une place à Sweet Briar, une oasis de savoir où elle pourrait développer ses capacités intellectuelles dans le calme et la sobriété.

— Et ça marche ? avait demandé Cain.

— Je suis troisième de ma classe, avait-elle répondu en souriant, devinant qu'il serait impressionné. Je me passe fort bien de la bande de crétins que je fréquentais et, naturellement, personne n'a parlé à papa de nos virées hebdomadaires à Charlottesville et à Chapel Hill.

— Ce n'est pas exactement Manhattan, quand même, avait dit Cain sur un ton entendu, pour qu'elle pense qu'il avait visité New York. La ville ne vous manque pas ?

— Parfois, si. Le bruit, l'agitation. Je me réveillais toujours les yeux grands ouverts, prête à me remettre dans le bain, quelle que soit la dose d'alcool que j'avais ingurgitée la veille. Ici, je prends le temps de dormir, de profiter. Et regardons autour de nous. Ce n'est pas une punition ! Presque tout le monde a notre âge et... enfin, je peux affirmer sans trop me vanter que je n'ai pas à souffrir de la concurrence féminine.

Ils avaient ri, car c'était vrai. Clovis avait planté ses yeux dans ceux de Cain.

— Et puis, à certains moments, comme maintenant, je me sens parfaitement chez moi.

Main dans la main, ils avaient cheminé dans les parties ombragées du campus verdoyant. Déjà, Cain avait senti qu'elle avait l'intention de prolonger son séjour au-delà de ce que souhaitait son père. Et cela n'était pas seulement de la rébellion.

— Je pense que cet endroit me fait du bien, avait-elle dit. Il correspond à mes besoins. À Manhattan, je suis comme les moteurs de ces voitures de course qui s'emballent et qui chauffent.

Le Sud lui plaisait sincèrement, notamment pour la douceur de son climat, les plaisirs simples qu'il offrait, l'abord facile de ses habitants, la verdure et les forêts qu'un parc en ville ne pourrait jamais remplacer.

— Comment lutter contre tous ces camélias ? avait-elle dit. Et contre vos yeux ?

Ils s'étaient embrassés pour la première fois.

Clovis et Cain avaient veillé jusqu'à trois heures du matin. Quand il l'avait déposée devant la porte de sa camarade de classe, le père de celle-ci, scandalisé, était apparu sur le perron en chemise de nuit et s'était plaint des gamins mal élevés de la Caroline du Nord.

Aussi souvent que possible, les week-ends suivants, Cain avait emprunté la voiture de Rob, une Chevrolet bruyante de 1926, pour se rendre le vendredi soir à Sweet Briar. Le trajet faisait plus de deux cents kilomètres et les routes étaient pleines d'ornières. Pendant les vacances, Clovis refusait de rentrer à New York, préférant séjourner chez son amie de Chapel Hill, et les deux amoureux étaient devenus presque inséparables.

Avec le recul, il se rendit compte qu'elle avait tôt montré quelques signes avant-coureurs auxquels il avait refusé de prendre garde. Clovis était une jeune femme qui jamais ne se contenterait vraiment des courtes journées du Sud et des nuits calmes d'une petite ville. Encore moins avec un mari souvent retenu par son travail, et plus enclin à s'occuper de sa fille que d'elle. Inévitablement, l'impatience, l'anxiété pousseraient Clovis à chercher des compensations ailleurs. Des signes auxquels Cain avait accordé peu d'attention, car il avait Clovis et c'était l'essentiel.

En mars, ils étaient fiancés. Harris Euston avait passé une bonne partie du printemps et de l'été à leur mettre des bâtons dans les roues, jusqu'à ce que Clovis scelle son engagement, pour ainsi dire, en lui annonçant en septembre qu'elle était enceinte.

Un mois plus tard, la Bourse s'effondrait. Le mois suivant, Clovis et Cain étaient mariés.

Cain avait vécu sa dernière année de fac tiraillé entre deux extrêmes – d'un côté, les brumes roses du bonheur conjugal ; de l'autre, un profond désarroi, du fait que les emplois sur lesquels il avait compté disparaissaient l'un après l'autre à cause d'une débâcle financière qui promettait de durer. Olivia était née en mai, quelques semaines avant qu'il obtienne son diplôme. Dans d'autres circonstances, il aurait craint pour ses études. Mais, en tant qu'étudiant boursier, il s'estimait plutôt verni. Nombre de ses camarades avaient dû quitter la fac, leurs parents ayant tout perdu pendant le krach.

L'odeur des camélias – voilà qui réveillerait ses sens endormis, transi comme il l'était par cette froide journée à New York. Mieux encore, celle du chèvrefeuille. Comme pour accompagner ses pensées, une rafale de vent projeta vers lui une pluie de pétales blancs depuis un terrain vague de 30th Street. Avec ce temps, on aurait dit des flocons de neige.

Sa rêverie se termina brutalement sur un cri de Maloney.

— Oh, citizen Cain, on se réveille !

Levant les yeux, il reconnut l'agent, à moins de deux mètres, qui l'observait d'un air mauvais. Les mains sur les hanches, il lui barrait la voie.

— Alors, on rêve de la petite Olivia qui se paluche le soir ?

Cain se rua sur lui, mais se figea brusquement comme un chien au bout de sa chaîne. Deux bras puissants le retenaient par le torse et le serraient si fort qu'il avait peine à respirer. Maloney n'avait pas bougé et se marrait en hochant la tête.

— Connard d'Irlandais ! lâcha Cain, le souffle court.

Maloney ne riait plus. Il s'avança et, vif comme l'éclair, passa une main sous le manteau de Cain pour détacher son Colt et son holster. Puis, agressif, il le tâta de la tête aux pieds – bras, poitrine, jambes, chevilles – en s'énervant visiblement.

— Où il est ? gueula-t-il. Le petit frère !

— Le quoi ?

— Ton autre calibre, andouille. T'en as pas ?

— Non.

Maloney poussa un ricanement sceptique.

— Voyez-moi ça. Ça prétend faire des études et c'est ignorant comme une oie. Ton petit frère ! Celui que tu dégaines quand ça barde. Tu descends une racaille et tu le jettes. Quand le labo contrôle ton arme de service, elle est nickel, t'as rien à te reprocher. Inutile d'appeler l'inspection des services pour savoir qui a tiré. Un type de ton acabit, j'aurais pensé que tu le savais depuis longtemps. Évidemment, t'en auras pas besoin aujourd'hui.

Maloney gagna le bord du trottoir et ouvrit la portière arrière d'une longue Lincoln Zephyr noire à quatre portes et pneus à flanc blanc. L'homme qui maintenait Cain lui baissa la tête avant de le pousser sur la banquette. Quand Cain tenta de se dégager, la portière lui claqua au nez. Un deuxième type dans la voiture le saisit par-derrière pour lui menotter les poignets.

Maloney monta à l'avant, du côté passager, et se retourna.

— Tu fermes ta gueule ou tu en prends une, dit-il à Cain en donnant deux coups de matraque sur la banquette à côté de lui.

— Que voulez-vous ? On peut régler ça dans la rue.

— Crois-moi, je ne demanderais pas mieux que de te faire avaler ta langue et te renvoyer par colis postal dans ton trou de merde. Mais on t'emmène quelque part, alors boucle-la si tu ne veux pas qu'on te foute des échardes dans le cul.

Nouveau coup de matraque, plus violent, sur le cuir.

Le conducteur démarra. Cain reconnut Steele, un des agents de la 95. Il avait maintenant un deuxième nom pour sa liste noire. Dehors, sur le trottoir, quelques badauds tendirent le cou pour comprendre à quoi rimait cette agitation. Aucun ne parut spécialement inquiet. Ils devaient se dire que la police new-yorkaise venait encore de pincer un voyou. Cain tenta d'actionner la poignée de la portière avec son coude, mais elle était verrouillée. Le flic à côté de lui lâcha un petit rire. Ils étaient donc quatre, si l'on comptait celui qui l'avait empoigné dans la rue. Quatre pourris, déjà, pour commencer...

— Inutile de relever les noms, connard, jeta Steele.

Celui-ci, dans le rétroviseur, venait de lorgner Cain, brûlant de colère, et devinait qu'il chercherait à se venger.

— On te rend service, imbécile.

— Deux mois qu'il est là, ajouta Maloney, et même pas capable de garder son arme sur lui.

Il brandit le Colt d'un geste moqueur.

— T'inquiète pas, Cain, là où on va, tu pourras t'en passer.

— Où m'emmenez-vous ?

— La ferme, tu verras bien. Presse sur le champignon, toi.

Cain essayait de se contrôler. Malheureusement, la fureur cédait à la peur. Ils n'auraient aucun mal à le supprimer, et sans doute Mulhearn était-il dans le coup. Le capitaine avait prévu qu'il se mettrait sur la piste de Kannerman à l'heure du déjeuner, et l'adresse de la dernière victime le renseignait sur la direction qu'il prendrait. Dès que possible, Cain les balancerait tous à Valentine, mais, pour cela, encore faudrait-il qu'il revienne entier.

— À quoi vous jouez ? demanda-t-il, tentant de se dominer.

— J'ai dit : la ferme !

Maloney balaya l'air derrière son siège avec sa matraque. Cain recula à temps pour ne pas la recevoir en plein front.

— Ça serait mal élevé de te livrer amoché, alors silence !

Cela impliquait-il qu'ils allaient l'épargner ? Dans ce cas, quelqu'un attendait ailleurs pour faire le sale boulot. Cain imagina un long voyage vers des lieux excentrés, un tunnel sous le Hudson, peut-être un pont vers le Queens et les terrains en friche près du nouvel aéroport. Ou encore les marais roseliers du New Jersey, où tout était si calme qu'on entendait le vent souffler. Mais, avec les menottes aux poignets, que pouvait-il faire ?

À sa grande surprise, Steele s'enfonça dans Midtown, bifurqua au nord dans Park Avenue où déambulaient de nombreux types en costume et des jolies filles en train de faire du shopping. Banquiers et secrétaires, riches ménagères promenant leurs chiens toilettés au bout d'une laisse incrustée de brillants. Grand Central Station se dressait en ligne de mire. Posant un bras sur le dossier de son siège, Maloney se retourna vers Cain.

— Paraît qu'on t'a vu sortir du quartier général, l'autre jour. C'était pour quoi ?

Linwood Archer avait-il parlé ? Cain offrit la première explication qui lui passa par la tête.

— De la paperasserie.

— Quel genre ?

— Des formulaires, la compta… On sort tellement vite de l'école de police qu'ils n'ont pas le temps de nous enregistrer. J'aimerais quand même être payé, un de ces jours.

— Quarante jours de formation, tiens, grommela Maloney. Pas étonnant que tu saches rien foutre.

Peut-être gobait-il l'histoire. Peut-être n'étaient-ils au courant de rien. Ou encore tout cela n'avait-il aucune importance puisqu'ils allaient éliminer Cain, qui s'était mêlé de ce qui ne le regardait pas. Ou juste pour l'exemple. Il s'étonna de rester aussi placide. Une pointe de douleur en pensant à Olivia, mais sans plus. Il avait peur, bien sûr, cependant moins qu'il n'aurait imaginé. Était-ce l'effet des six derniers mois, qui l'auraient totalement hébété ? Pas vraiment. La colère se réveilla. Il ne se laisserait pas faire, il se battrait, même maladroitement. Un ou deux coups de boule, puis s'enfuir comme un lâche. Il serra les poings dans son dos. Les menottes s'enfoncèrent dans sa peau tandis qu'il observait, par la fenêtre, toutes ces vies en mouvement, ces gens dehors qui avaient encore un avenir.

Personne ne dit plus rien jusqu'à ce que la Lincoln tourne dans 37th Street, où elle s'arrêta devant un bâtiment de brique rouge, doté d'une marquise verte et d'un hall marbré. Le portier de garde arborait un uniforme digne d'un pacha.

— Terminus, fit Maloney. Retire-lui les bracelets, Mabry.

Mabry. Encore un nom à ajouter.

— Maintenant, descends.

Cain se sentit le cœur plus léger. Il étudia les lieux. Un drapeau au-dessus de la porte portait l'inscription Union League Club. Cain n'en avait jamais entendu parler.

— Ici ?

Il commença à croire qu'il survivrait jusqu'au soir.

— J'ai dit, descends ! Tu montes l'escalier jusqu'au premier. Tu verras un larbin avec un gros bouquin. Tu es attendu. Oh, et avant de partir...

Maloney lui jeta une cravate sur les genoux.

— Mets ça, espèce de débraillé. On dirait que tu laves les vitres avec la tienne.

10

Soudain, le printemps était presque revenu. Comme une faveur. Une renaissance. Tandis que la Zephyr repartait, Cain goûta profondément l'innocente brise fraîche qui l'enveloppa sur le trottoir. Il noua la cravate offerte en sifflotant la musique d'une publicité qu'il avait entendue le matin même à la radio. Le portier lui fit un sourire approbateur et hocha la tête quand il entra dans le hall de l'Union League Club, où des colonnes de bois verni soutenaient un majestueux escalier en marbre, dont les deux volées symétriques se rejoignaient au palier à l'étage.

Le style ancien et les rampes en fer forgé donnaient aux lieux l'apparence d'un décor pour une comédie musicale de Busby Berkeley. Il ne manquait que deux rangées de danseuses pour lever la jambe et faire un numéro de claquettes, le haut-de-forme à la main, en descendant vers Cain. Si on avait voulu l'impressionner, on ne s'y serait pas pris autrement.

L'espace d'un instant, il pensa à s'enfuir – pourquoi faire ce que Maloney lui ordonnait, maintenant, surtout, que ce dernier avait disparu ? Mais la curiosité l'emporta et il monta à l'étage où, de fait, un homme en smoking tenait un grand registre devant une salle de restaurant.

— Votre nom, monsieur ?

— Woodrow Cain.

L'homme fronça les sourcils en glissant un doigt sur la page ouverte.

— Oui, dit-il, comme s'il avait peine à le croire. M. Euston vous attend.

Le beau-père. Cain aurait dû s'en douter.

Le maître d'hôtel apparut et escorta Cain jusqu'à une table en coin où Harris Euston était en train de lire le *Wall Street Journal*. La pièce lambrissée de bois sombre, au plafond orné de moulures et au plancher recouvert de tapis, était empreinte de respectabilité. Aux murs, des portraits de vieux messieurs austères vous dévisageaient sévèrement. Sur les nappes impeccablement repassées, quatre pièces d'argenterie, dont la plupart ne serviraient pas, paraient chaque assiette. Difficile de trouver plus guindé, collet monté, c'est pourquoi Euston paraissait tout à fait à sa place. Il replia son journal et se leva pour accueillir son hôte.

Jusque-là, Cain n'avait rencontré son beau-père qu'en compagnie de sa femme, et en de rares occasions. Euston était veuf et prude. Il fumait de fins cigares et portait les vêtements d'une autre époque. Des chemises amidonnées à col amovible, des costumes noirs démodés et, parfois, un foulard plutôt qu'une cravate. Il était mince – si l'on excluait son ventre rebondi qui faisait penser à un accessoire de mode acheté dans une boutique de luxe pour faire envie.

Cain ne connaissait que les grands traits de son existence à New York. Euston possédait un appartement spacieux plus haut dans Park Avenue, qu'il habitait seul. Son épouse était décédée quinze ans plus tôt, et il fréquentait encore aujourd'hui l'église où elle avait eu ses habitudes – St. Thomas Episcopal, au milieu de

5th Avenue. Il s'asseyait toujours sur le même banc, devant à droite. Au fil des ans, il s'était montré assez prodigue pour qu'on lui attribue une plaque en cuivre, à son nom, sous un vitrail. Cain ne l'avait jamais trop apprécié et, curieusement, il avait pressenti que Clovis ne l'aimait guère, elle non plus. Pourtant, elle s'était souvent adressée à lui en cas de besoin et Euston avait accédé à ses demandes, rapidement et, généralement, sans regarder à la dépense.

Il n'avait guère de considération pour la profession de son gendre. Pour les gens de son milieu, le métier de flic était réservé aux Irlandais ou aux Italiens, et le fait que Cain soit diplômé de l'université rendait son emploi plus ridicule encore à ses yeux. De plus, il éprouvait un certain mépris pour le Sud. Lors de son unique visite à Horton – où il était arrivé au volant d'une Packard vert métallisé, avec pneus à flanc blanc –, il avait considéré avec dédain les personnalités et les coutumes locales.

C'était l'un des associés de Willett & Reed, qui avait pour principale clientèle des banques d'affaires et de grosses sociétés. Une boîte dont Cain croyait volontiers que, grâce à quelques coups de fil bien placés, elle était capable de faire beaucoup plus que la plupart des cabinets juridiques avec de longues procédures. Le nom était synonyme d'argent et d'influence, et elle avait ses lettres de noblesse. Pourtant il apparut soudain que, d'une façon au moins, elle présentait une ressemblance frappante avec la petite boutique de Danziger, dont celui-ci était le seul employé : Willett & Reed plaçait la discrétion au-dessus de tout, d'autant plus qu'elle avait affaire à des clients douteux.

Euston consulta sa montre de gousset et serra la main de Cain, plus par respect des convenances que par égard pour lui.

— Woodrow. Vous êtes à l'heure. Que buvez-vous ?

Un serveur était prêt à prendre la commande.

— Je suis en service.

— Apportez-lui un double scotch. Non, du bourbon, plutôt. Et, pour moi, la même chose, dit-il en levant un verre ciselé dans lequel il ne restait plus que les glaçons.

Le serveur se retira et ils s'assirent.

— J'ai cherché un moyen de faire en sorte que mon gendre de flic réponde à mes appels.

— Et vous avez choisi l'enlèvement. Il faut croire que vous êtes copain avec cet assommoir de Maloney.

— J'ai beaucoup d'amis dans le 3ᵉ district, plus particulièrement dans le 14ᵉ secteur. Des amitiés pas toujours bon marché, je dois dire. Comment se fait-il qu'on vous ait embauché avec vos piètres résultats à l'examen ? s'amusa Euston.

Cain préféra se taire. Il aurait aimé que Valentine soit là. Voir ces deux prétentieux s'affronter dans un cadre aussi raffiné n'aurait pas manqué de piquant. Deux ego boursouflés, gonflés comme les ballons du défilé annuel de Macy's ; Félix le Chat et Mickey Mouse ballottant entre les verres de cristal et la porcelaine. Cain aurait siroté son bourbon avec d'autant plus de plaisir. Cela étant, c'était presque un soulagement d'engager les hostilités au grand jour. Depuis combien de temps son beau-père rongeait-il son frein ? Sans doute depuis le mariage de sa fille. Sa fille qui n'avait pas eu un comportement exemplaire à Horton, l'automne dernier. Loin de là. Quelques mois plus tôt, Euston avait paru mortifié par les événements. Plus aujourd'hui, apparemment.

On apporta les menus avec les verres. Cain pensa à laisser le sien posé sur la table, puis il changea d'avis et en but la moitié d'un coup, en frissonnant tandis que le liquide ambré lui brûlait la gorge. Il en avait besoin. Cette promenade en voiture lui avait mis les nerfs à vif.

— J'aurais cru tout de même mériter une visite de courtoisie, mais je crains que la courtoisie ne soit pas votre fort.

— Vous connaissez les provinciaux. On a déjà du mal à lacer nos chaussures et à nous essuyer la bouche avec une serviette. Qu'avons-nous au programme, monsieur ? Maintenant que je sais quels flics sont à votre botte.

— Je voulais surtout savoir où vous en étiez. Je tiens à assumer *quelques* obligations, à présent que vous vivez dans cette ville. Bien que, à la vérité, je me soucie surtout de la santé d'Olivia. Elle ne va pas tarder à vous rejoindre et je voulais vous demander ce que vous avez prévu. Qui s'occupera d'elle pendant que vous travaillez ?

— J'arrangerai quelque chose.

Euston fit la grimace.

— Exactement le genre de réponse imprécise que j'attendais. C'est pourquoi j'ai pris la liberté d'engager une gouvernante, avec des horaires flexibles comme les vôtres. Elle est prête à commencer d'un jour à l'autre. Une Irlandaise. Elles sont très douées pour ça. À Chelsea, c'était de loin préférable à une Noire. Je paierai son salaire, bien sûr, inutile de protester. Vous pouvez même me dire merci, si cela vous effleure l'esprit.

— J'essaie encore de trouver une façon de vous remercier pour le voyage en première classe qui m'a mené ici. Le grand luxe, monsieur.

— Elle s'appelle Eileen. Papiste évidemment, mais cela doit être inhérent à ses origines. Elle ne boit pas, donc ne vous inquiétez pas pour vos bouteilles de whisky. Et elle a de l'autorité, ce qui ne fera pas de mal à Olivia. Quel âge a-t-elle ? Treize ans dans quelques mois ?

Cain hocha la tête, dégrisé à cette idée.

— J'ai vu des enfants parfaitement bien élevés se transformer en animaux sauvages une fois arrivés à New York, poursuivit Euston.

« Comme votre fille ? » Cain tourna sa langue dans sa bouche. En la matière, les préoccupations de son beau-père étaient aussi les siennes et il ne disposait sûrement pas des mêmes moyens.

— Quelles nouvelles avez-vous ? s'enquit Euston.

— Elle s'en sort aussi bien qu'on pouvait l'espérer. Je vous informerai si elle me demande des vôtres.

— Cet endroit que je vous ai choisi... Le quartier de la confection. Je m'interroge, finalement. Pour le bien d'Olivia, évidemment.

— Le bâtiment est propre.

— Pas le bâtiment, les voisins.

Euston jeta un coup d'œil autour de lui et baissa la voix.

— Un peu trop juif pour ma petite-fille, si vous voulez mon avis.

— Ou peut-être seulement pour vous ?

Euston lâcha un rire dédaigneux.

— Moi ? Je ne ferais pas de vieux os dans cette profession, même dans ce club, si j'entretenais cette sorte d'ambiguïté. Il y a pourtant des endroits dans cette ville qui dépassent l'entendement. Marchez dans Hester Street, un matin, et on verra s'ils tiendront le coup, vos beaux idéaux. Ces hommes avec leurs papillotes, ces femmes emmaillotées des pieds à la tête, ces enseignes couvertes de gribouillis sémites... Vous n'ignorez pas, je suppose, que les trotskistes et les léninistes de cette ville sont pratiquement tous juifs ? Il n'y a qu'à lire les noms sur les prospectus. Goldman, Steinberg, Cohen...

— Greenberg.

— Bien sûr.

— Je veux dire Hank Greenberg. Cinquante-huit *homers*[1] avec les Tigers, l'année dernière.

— Personne ne prétend que ce sont tous des bons à rien. C'est une question de proportion. À New York, ils ont réussi à se tailler une place prépondérante dans la presse, les banques d'affaires et tout ce que vous voudrez. Mais la tendance va s'inverser. Notre ville a connu son heure de gloire, cela ne va plus durer. Il y avait un article là-dessus dans *The New Republic*. Pas que je sois très friand de cette sorte de magazine, mais ils voient juste, cette fois. L'âge d'or, c'est terminé ici. Saviez-vous que New York concentre un cinquième des chômeurs de ce pays ?

— Non. Je doute que nous ayons les mêmes lectures.

— Bien sûr, on peut compter sur les chantiers navals pour stimuler l'économie. En temps de guerre, tout le monde profite. C'est d'ailleurs la raison pour laquelle on se bat. Mais le gros de la production provient aujourd'hui d'endroits comme Bridgeport, Hartford, Detroit. Voilà une ville d'avenir pour vous, Woodrow : Detroit.

Euston se pencha et continua à voix basse.

— Alors les juifs garderont sans doute leurs positions ici mais, d'une façon générale, ils perdront forcément de leur pouvoir et de leur influence. Et plus personne ne spéculera comme ils l'ont fait, après ce qui a eu lieu en 1929.

1. *Home run* : coup de circuit (base-ball).

— Vous devriez peut-être vous établir à Detroit.

— Pourquoi pas ? Vous seriez content, hein ?

Le serveur revint. Euston passa commande pour lui et son hôte. Ris de veau, canard rôti, légumes de printemps et pommes de terre rouges, côte de bœuf dans son jus. Le tout fut servi promptement, dans un cliquetis insistant de faïence et d'argenterie. À l'évidence, Cain n'avait pas aussi bien mangé depuis son arrivée à New York. La bonne chère eut pour effet d'apaiser sa colère et il décida de se montrer plus poli, au moins par égard pour Olivia. Il imagina Clovis assise à sa droite, en train de serrer sa main sous la table pour l'empêcher de se quereller avec son père.

— Quelles sont les répercussions de la guerre sur vos activités ? demanda-t-il. Vous n'en tirez sans doute pas grand-chose.

— Détrompez-vous. La Chase Bank s'inquiète pour ses intérêts à l'étranger. Ce n'est pas rien.

La Chase. Pas n'importe quel client non plus. Cain était impressionné. Euston l'avait probablement mentionnée dans ce but.

— Il y a aussi General Motors et quelques autres industriels. Vous n'avez pas idée des poursuites dirigées contre eux.

— En ce moment ?

— Et comment ! Pensez à leurs adversaires. Croyez-vous que les syndicats ont signé une trêve pour la seule raison qu'on est censés se serrer les coudes ? Pas plus que les criminels, je suppose. À propos de quoi, j'ai lu dans le journal que vous êtes déjà chargé d'une enquête sur un meurtre.

— Je ne vous comptais pas parmi les lecteurs du *Daily News*.

— Quand votre gendre est cité dans la presse, la nouvelle se répand.

— Ce n'était pas mon intention, je vous le garantis.

— Une affaire intéressante, quand même.

— Pas vraiment.

— C'est que vous n'avancez pas, alors ?

— L'affaire n'est pas classée, si c'était la question.

— À première vue, il y a des Allemands dans l'histoire.

— Il est préférable que je ne m'étende pas. S'il devait y avoir un procès... En tant qu'avocat, vous me comprenez.

— Naturellement. D'un autre côté, et dans nos professions, il y a ce bon principe selon lequel on recueille des informations lorsqu'on partage celles qu'on a. La réciprocité, quoi. Mon cabinet ou, plus précisément, nos clients ont des contacts dans toute la ville. Ils savent souvent plus de choses qu'un inspecteur nouvellement nommé.

— Même dans un quartier populaire comme Yorkville ?

— Yorkville est moins pauvre que vous le présumez. Beaucoup d'Américains d'origine allemande s'en sortent très bien, et ces gens-là, justement, sont parfois une mine de renseignements.

— J'ai eu l'impression d'une enclave nazie.

— Voyez ? Un nouveau venu sans expérience a tendance à tirer des conclusions hâtives.

— Comme pour Hester Street, tout à l'heure ?

— J'ai appris que vous aviez enfin identifié la victime. Hansch, n'est-ce pas ?

— Une confidence de Mulhearn ?

— J'ai pas mal d'amis dans le 14e, comme je vous l'ai précisé.

— Bien payés, vous l'avez précisé aussi. Lequel de vos clients règle l'addition ? La Chase ? GM ?

— La même instance qui règle la vôtre. Considérez-moi comme un bienfaiteur, Woodrow. Comme un de ces philanthropes qui ont accès aux meilleures places du Philharmonic.

— Je ne vais pas oublier de sitôt votre rôle dans mon existence. Et au cas où vos contacts se révéleraient utiles, je vous soumets un nom. Lutz Lorenz, une sorte de touche-à-tout qui tient un petit bureau de placement dans ce coin-là. Ça ne vous dit rien ?

Euston fronça les sourcils.

— Il ne me semble pas, non. Qu'a-t-il à voir avec tout ça ?

— Désolé. Ce bon principe de réciprocité. Vous en voulez plus ? Aidez-moi d'abord. Vous ne direz pas que je n'ai pas demandé.

Le serveur réapparut à la gauche de Euston.

— Téléphone pour vous, monsieur. On me signale que c'est urgent. Dois-je vous apporter l'appareil ?

— Non, je vais répondre au salon.

Euston fit une moue, posa sa serviette de table et se leva. Puis, à Cain :

— Cela ne devrait pas être long.

En silence, Cain le regarda traverser la salle. Peut-être était-ce un de ses puissants clients. Ou Mulhearn, qui souhaitait vérifier que Maloney avait bien livré son colis, comme prévu.

La situation avait cela d'ironique que, dans d'autres circonstances, Cain aurait pu déjeuner avec Euston pratiquement comme avec un collègue. Il était policier depuis deux ans à Horton, Olivia commençait à marcher et il se démenait avec Clovis pour rassembler de quoi régler un premier acompte sur leur petite maison, quand

149

Euston était descendu leur rendre visite. Ce dernier lui avait proposé un poste chez Willett & Reed. Pas une place d'avocat, naturellement, bien qu'il eût vaguement mentionné que le cabinet, en supplément, lui paierait des études de droit.

Cain avait refusé tout net au début d'une longue et pénible soirée. Ce fut la seule fois où Clovis avait pris le parti de son père, cependant Cain n'avait pas changé d'avis. Trop fier, ou peut-être n'avait-il simplement aucune envie de s'installer à New York. À sa décharge, Clovis n'était jamais revenue sur le sujet.

Cain n'avait pas remis sa décision en question, mais aujourd'hui, en regardant autour de lui, il s'interrogea. S'il avait accepté, il serait encore marié, il profiterait d'un emploi bien rémunéré, leur fille d'un foyer stable, et elle n'aurait pas subi les épreuves des derniers mois. Ou peut-être tout se serait-il conclu par une autre sorte de désastre – les mauvais penchants de Clovis exacerbés par la vie new-yorkaise, Cain tombant dans la dépression ou se réfugiant dans la boisson pour combattre son insatisfaction et le mal du pays. Une chose, en revanche, ne faisait aucun doute : Rob Vance serait vivant. Une pensée que Cain noya dans une nouvelle gorgée de bourbon.

Quoi qu'il en soit, il se trouvait maintenant à Manhattan et son beau-père s'efforçait toujours de régenter son existence. Le canard avait soudain un goût amer quand Euston, apparemment déconcerté, revint s'asseoir à table.

— Mauvaises nouvelles ?

— Rien que vous ayez besoin de savoir.

— Parole d'évangile.

Euston ne releva pas le trait d'esprit et se mit à picorer dans son assiette.

— Alors, comment ça se passe pour vous, Woodrow ? Je veux dire, sur le plan personnel. Subvenez-vous comme il convient à vos besoins ?

« Mes besoins ? » pensa Cain. La question réveilla malgré lui un souvenir de Clovis, un moment de leur lune de miel en Floride. Elle se tenait nue devant des persiennes qui projetaient des bandes de lumière sur son corps. Tous deux souffraient de coups de soleil. Se rapprochant l'un de l'autre, ils s'étaient d'abord effleurés puis, la passion prenant le dessus, s'étaient recouchés sans plus se soucier de leurs brûlures.

Euston observait Cain et semblait lire dans ses pensées. Cain piqua un haricot vert avec sa fourchette et répondit :

— La plupart, oui. Et j'ai, moi aussi, une question pour vous.

Du fait, notamment, qu'Olivia voudra savoir.

— Je vous en prie.

— Où est sa mère ?

Euston se renfrogna. Il s'essuya la bouche avec sa serviette comme si on l'avait frappé à la mâchoire.

— Cela n'est pas votre affaire.

— Je le répète, Olivia voudra savoir. Elle posera la question, croyez-moi.

Euston regarda Cain dans le blanc des yeux.

— Quelque part où l'on s'occupe bien d'elle.

— Un endroit où on la sèvre ?

— Vous ne l'avez jamais réellement comprise, n'est-ce pas ? Je ne pense pas qu'elle aurait eu autant soif, autrement.

— Une soif dont j'ai été victime, si vous vous souvenez. Vous vous rappellerez peut-être aussi qu'à la fin elle était sujette aux fringales. Un certain genre, du moins.

— Ce que vous auriez pu prévenir si vous lui aviez accordé l'attention nécessaire, au lieu d'en laisser le soin aux autres. Mais je ne suis pas là pour vous juger ni pour la transformer en sainte. Voilà pourquoi je pourvois à quelques-uns de vos besoins. À ceux d'Olivia également, bien sûr. C'est ma préoccupation première. Celle de Clovis, pareillement.

— Elle sait que je suis ici ?

— Je l'ai informée de certaines choses vous concernant. Pas toutes, évidemment. Elle n'est pas encore prête.

— Quand le sera-t-elle ?

— J'en déciderai, le moment venu. Comme elle.

— Je suis un peu étonné qu'elle se soucie de moi.

— Cela confirme à quel point vous la connaissez mal.

Euston se pencha soudain, les yeux plissés, en rougissant. Tout autre sujet – ses clients de haute volée, les flics à sa botte – était momentanément oublié. La suite était d'ordre personnel, et il parla d'une voix tendue.

— Dites-moi, Woodrow. Quand vous avez bouclé ma fille dans votre trou perdu, cette superbe enfant, ouverte et cultivée, qui était autrefois si vive et dynamique, croyiez-vous réellement que votre charme discret de vieux Sudiste suffirait à la distraire et à la satisfaire ? Avec votre seul salaire de flic ?

Cain ouvrit la bouche, mais aucun son ne sortit, ce qui permit à Euston de s'engouffrer dans la brèche.

— Je m'en doutais. Et maintenant que tout s'est écroulé, vous continuez de manger aux frais de son père.

Ni l'un ni l'autre n'avait grand-chose à ajouter. Quand le serveur leur proposa un dessert ou un café, Cain déclina et Euston signa l'addition. À mettre au compte de Willett & Reed, ou de la Chase National Bank, pour autant qu'on sache.

Cain posa sa serviette sur la table et se leva. Euston resta assis. Il avait retrouvé des couleurs et une voix normale.

— N'oubliez pas de me tenir au courant, Woodrow. Dans mon métier, il est toujours utile de disposer de plusieurs sources d'information. J'ai bien des amitiés au commissariat, mais la famille reste un témoin privilégié.

— Je ne me souviens pas d'avoir promis quoi que ce soit.

— Qui parle de promesses ? C'est un aspect implicite de notre arrangement, si tant est que vous vouliez conserver votre poste et votre domicile. Les petits caractères au bas du contrat, si vous préférez, et vous savez que les avocats y font attention.

— Alors vous auriez dû mettre ça par écrit.

Euston sourit.

— Si j'étais un imbécile, Woodrow, je dirais que votre promenade en taxi ne vous a rien appris. Je peux toujours vous expédier ailleurs, savez-vous. Pensez-y la prochaine fois que vous hésiterez à me rappeler.

Cain sentit le sang lui chauffer les joues. Il serra le dossier de sa chaise et tourna les talons avant de dire une bêtise.

Malgré sa jambe qui le lançait, il revint à pied au commissariat. Cela faisait une trotte, mais l'exercice l'apaisa un peu. En vain finalement car, en regagnant son bureau, il vit que Maloney avait placé son arme et son holster sur ses papiers, bien en évidence pour que tout le monde les voie. Il y avait un mot par-dessus, griffonné sur une page d'un bloc mémo. Maloney l'avait signé en grosses lettres, avec maintes fioritures, pour qu'on sache bien qui se moquait de Cain.

« Revoyez les consignes de surveillance des armes à feu, citizen. La vôtre peut encore vous servir. »

En colère, Cain roula la feuille en boule et il allait la jeter dans la corbeille quand son esprit pratique prit le dessus. Se ravisant, il la défroissa et la rangea dans le tiroir du haut de son bureau, qu'il ferma à clé. Maloney, Steele et Mabry. Des noms à se rappeler. Il se promit de retourner inspecter la pièce 95, dès que possible, même si Mulhearn, à nouveau, le prenait sur le fait. Personne dans la salle de brigade ne moufta lorsqu'il sangla Colt et holster sur son épaule. Il étudia successivement les autres bureaux, en se demandant combien d'autres de ses collègues étaient à la solde de son beau-père.

11

Cain sortit du métro à Delancey Street, où il découvrit le monde de Danziger. Il ne put s'empêcher de sourire. C'était exactement le genre d'endroit que Euston avait dénigré, la veille, dans le sanctuaire aseptisé de l'Union League Club. Des « gribouillis sémites » ornaient de nombreuses enseignes et, de fait, bien des femmes étaient couvertes des pieds à la tête. Cependant, le reste du globe avait aussi sa place ici. Il y avait même un chausseur Thom McAn.

La foule arpentait les trottoirs par cette journée de marché ensoleillée. Les vendeurs vantaient leurs prix et marchandises ; l'odeur de la viande fraîche et des fruits et légumes lavés flottait dans l'air ; des poulets plumés étaient suspendus par le cou derrière une vitrine. Cain pensa que ce marché aurait pu se trouver dans une ville européenne plutôt qu'à Manhattan, et il s'aperçut que tout lui plaisait : l'animation, la ferveur, le bruit ambiant.

Un vendeur de journaux, en casquette et culotte courte, le bouscula en chemin. Il apportait dans un gros sac l'édition de l'après-midi, dont l'encre avait à peine séché. Brandissant un exemplaire, le garçon se mit à beugler les grands titres, tandis que son sac rebondissait sur ses genoux cagneux. Un poissonnier au tablier taché de sang vida un seau de glace sur la pêche du jour, qui brillait sur son étal.

— De l'églefin tout frais des quais, monsieur, vous ne l'aurez pas moins cher !

Cain hocha la tête en passant, mais n'osa pas ouvrir la bouche, sachant que son accent trahirait sa qualité d'étranger. Il s'amusait trop à feindre d'être quelqu'un du quartier, une sensation qui l'accompagna jusqu'à l'étroit immeuble du 174 Rivington Street, qui réunissait deux portes d'entrée. Celle de droite donnait sur un étroit couloir, doté d'un escalier. Sur l'autre, peinte en noir, était punaisée la carte de visite du vieil homme, au-dessus de la fente d'une boîte aux lettres. Cain frappa vigoureusement jusqu'à ce que Danziger lui ouvre. Ce dernier parut d'abord surpris, puis irrité.

— Il fallait m'avertir.

— Vous avertir ? Je suis policier.

— J'ai un client avec moi.

Une autre voix, masculine, cria quelque part derrière lui.

— Un client ? Tu m'appelles comme ça dans mon dos, Sacha ? *Un client* ?

— Sacha ? répéta Cain.

— Mon diminutif. C'est un vieil ami.

— Ah, *un ami* ! Voilà qui est mieux, fit la voix.

— Nous traitons d'affaires personnelles et de son courrier. Pourriez-vous, s'il vous plaît, revenir plus tard ? Dans une demi-heure, par exemple ?

— Mais non ! cria encore le « client ». Je n'ai de secrets pour personne. Tu le sais bien, Sacha. De plus, à entendre ce monsieur, je doute qu'il comprenne un seul mot de russe. Fais-le entrer !

Danziger soupira et s'effaça devant Cain.

156

— Attendez près de la porte pendant que je termine cette lettre. Je vous rejoins dans un instant.

— Bonjour, monsieur !

Un vieil homme aux longs cheveux gris ébouriffés quitta son siège au fond et fit un grand sourire à Cain. Il portait un gilet et un pantalon noirs, ainsi qu'une chemise blanche amidonnée. Il devait avoir au moins soixante ans, cependant l'éclat de ses yeux brun clair ressortait dans la pénombre de la longue pièce mal éclairée.

Cain étudia les lieux avec ravissement. Le bureau de Danziger paraissait occuper tout le rez-de-chaussée. Comme il n'y avait ni lit ni toilettes, « Sacha » dormait et se lavait probablement ailleurs. Tel un petit salon, la partie dans laquelle attendait Cain était meublée d'une causeuse marron usée, d'une bergère à oreilles vert émeraude, dont la bourre sortait du coussin. Les rayonnages de livres, qui garnissaient les murs du sol au plafond, contenaient des titres dans de nombreuses langues, dont d'épais volumes qui semblaient être des dictionnaires et des ouvrages de référence. Il s'en dégageait une odeur de bibliothèque, vaguement moisie, comme dans la chambre carrée de Lederer, l'autre soir à Yorkville, qui n'avait cependant pas cet aspect bohème.

Au fond, où l'autre homme se tenait près d'une chaise à dossier en échelle, trônait un bureau à cylindre massif, en noyer verni, encombré de livres et de papiers. Mais la merveille des merveilles occupait le mur derrière lui : une immense étagère à casiers, constitué d'une, voire de deux centaines de compartiments qui, tous jusqu'au dernier, contenaient des enveloppes – une ou deux pour certains, plus d'une dizaine pour d'autres. Aucun n'était totalement vide. L'ensemble avait de telles dimensions que Cain n'en revenait pas. Tant de vies, tant d'histoires rassemblées dans ce petit espace qui leur servait de centre névralgique, de point de ralliement avec le reste du monde, par-delà les rues encombrées où elles avaient trouvé refuge.

Près du bureau à cylindre était installée une grande table où Danziger avait disposé quatre vieilles machines à écrire, côte à côte, réservée chacune à l'un des quatre alphabets qu'il connaissait – cyrillique pour le russe, hébraïque pour le yiddish, un modèle allemand pour les *Umlauts*, et la dernière pour l'anglais. Une lucarne en verre dépoli, dominant les casiers et la table, permettait d'aérer la pièce. Ouverte, elle projetait un rai de lumière oblique qui illuminait la poussière.

Sur la droite, siégeait un gros poêle à bois. Le plancher, qui craquait ou gémissait au moindre pas, était couvert d'un chevauchement de carpettes et tapis orientaux aux différents motifs, formes, couleurs et épaisseurs. Ce patchwork donnait au lieu une topographie particulière, comme s'il fallait négocier son chemin vers le fond au travers d'une série de sentiers et de vallées. L'endroit avait à la fois quelque chose d'une souricière (une horreur en cas d'incendie), d'un musée, et d'une énigme. Par-dessus tout, il reflétait la personnalité de son occupant, composite et mystérieuse.

Traversant la mer de tapis d'un pas vif, Danziger s'en revint vers son bureau et prit place dans un fauteuil dont l'armature grinça. En face de lui, son compagnon s'assit également.

— Bien, dit le vieil homme comme si Caïn n'était pas là. Où en étions-nous ?

— Voyons, présente-moi à ton visiteur !

Contrarié, Danziger se releva lentement. Son compagnon en fit autant, et Cain les imita. Il se sentait déplacé, comme lors d'une cérémonie officielle dans un lointain royaume.

— Monsieur Cain, voici Fyodor Alexandroff, un vieil ami qui a toute ma confiance et qui recourt à mes services depuis des années. Fedya, je te présente Woodrow Cain, un inspecteur réputé de la police new-yorkaise. Nous nous assistons mutuellement dans le cadre d'une affaire assez importante.

— Un policier, tiens ? Eh bien, enchanté, monsieur.

— Très heureux.

— Ma nièce devrait bientôt nous rejoindre. Elle a l'habitude d'entrer sans frapper et sa curiosité confine parfois à l'impolitesse. Ne voyez pas d'inconvénient à l'ignorer entièrement.

— Certainement.

« Certainement » ? Cain ne parlait jamais ainsi. Il avait le sentiment d'être projeté dans un autre siècle et de s'adapter au fur et à mesure. Il se représenta la nièce d'Alexandroff sous les traits d'une vieille femme décatie qui sentait le chou, et dont la longue jupe noire en laine balayait le sol autour d'elle.

— Il exagère, bien sûr, assura Danziger. Elle n'est pas bien méchante, en vérité. C'est même la bonté incarnée. Alors, voyons, Fedya, où en étions-nous ?

Les deux hommes se rassirent. Cain également.

Alexandroff répondit en russe et ils furent bientôt absorbés par leur conversation, penchés l'un vers l'autre, leurs fronts séparés de quelques centimètres au plus. Danziger prenait des notes dans un épais registre et hochait la tête de temps en temps. Ils continuèrent ainsi pendant dix minutes encore, sous le regard de Cain, fasciné par leurs expressions et leurs postures.

Les yeux dans les yeux, ils paraissaient aspirés dans une transe, ponctuée de quelques mots en russe.

La porte s'ouvrit, illuminant brusquement l'entrée. Le charme était rompu et ils levèrent la tête. Cain se retourna en plissant les paupières au soleil. Devant lui se dressait la silhouette d'une femme, vêtue d'un manteau léger. Son visage lui apparut plus nettement tandis qu'il se réhabituait à la lumière.

Il eut brusquement un nœud dans la gorge. Ce n'est pas sa beauté qui l'impressionna si vivement ; plutôt ordinaire, elle ne portait ni maquillage ni bijoux. Mais il se dégageait de sa présence, ou peut-être de ses mouvements, une assurance et une énergie qui irradiaient tel un champ de force, comme empruntées à la lumière elle-même. L'effet ne se dissipa aucunement quand la pénombre l'enveloppa, une fois la porte refermée. Ses yeux n'y étaient pas pour rien. Bruns, chaleureux, comme éclairés de l'intérieur, ils débordaient d'intelligence, de bienveillance et – du point de vue de Cain – de charme.

— Qui êtes-vous ? demanda-t-elle, ni cordiale ni impolie.

— Woodrow Cain. J'attends que M. Danziger se libère.

— Vous n'êtes pas un client, tout de même ?

— Je… nous…

Les mots manquaient à Cain, qui se fit l'impression d'un imbécile ou d'un gamin de treize ans.

— Nous travaillons ensemble.

— Il est inspecteur de police, Beryl, alors conduis-toi comme il faut ! lança Fyodor Alexandroff.

C'était une plaisanterie, cependant Beryl – au moins Cain apprenait-il son nom – n'eut l'air ni amusée ni impressionnée.

160

— Tiens, Sacha collabore avec les autorités, maintenant.

Puis en direction des deux hommes au fond de la pièce :

— Ne vous pressez pas pour moi, j'ai apporté un livre.

Elle s'installa sur la vieille causeuse, sortit son ouvrage de son sac et l'ouvrit aussitôt. Le message était on ne peut plus clair : laissez-moi tranquille. Caïn choisit de passer outre.

— *Ciel de Chine*, aperçut-il sur la couverture. De la même veine que *La Terre chinoise* ?

— La police lit Pearl Buck, maintenant ? dit Beryl sans lever le nez.

— J'ai étudié la littérature.

— Où ça ?

Cette fois, elle lui accorda un regard.

— À Chapel Hill.

— Ah. Thomas Wolfe y a acquis son style ampoulé. Je l'ai croisé, un jour, dans une réception au Village. Il était poursuivi par un groupe de filles qui n'y connaissaient rien. Il paraissait vulnérable et attachant, tel que je l'imaginais : un gars de la montagne, mal dégrossi. Mais il était immense.

— Il habite toujours par ici ?

— Il est mort.

— Ah oui, je le savais. Il y a quelques années, c'est cela ?

— De la tuberculose, oui.

Beryl baissa les yeux sur son livre. Caïn venait de se fourvoyer, il le savait, mais il était trop tard pour rebrousser chemin. Il se demanda par quel moyen il pourrait lui soutirer une adresse ou un numéro de téléphone. Peut-être son nom de famille n'était-il pas Alexandroff, et peut-être était-elle mariée, bien qu'il eût déjà observé ses mains et qu'elle ne portât pas d'alliance. Au jugé, elle devait avoir vingt-neuf ou trente ans. Soit environ l'âge de Cain. Il chercha quelque chose à dire qui ne confine pas au ridicule.

— C'est un métier intéressant.

— Vous parlez de Wolfe ?

— Non, de Danziger.

— Oh oui, je suppose que ça lui plaît.

Beryl posa son ouvrage ouvert sur ses genoux et jeta un coup d'œil aux deux hommes, qui marmonnaient en russe, de nouveau très absorbés.

— Il y a des années que mon oncle lui rend visite. Il n'est pas illettré comme la plupart des autres clients. Mais un de ses cousins, à Minsk, ne lit que le yiddish. En réaction contre ses parents, je suppose, oncle Fedya a tout oublié de cette langue, il y a des années. Alors Sacha la lui traduit en russe. Il lui lit son courrier et tape ses réponses à la machine, en se basant sur leurs conversations et les notes qu'il prend au fur et à mesure. Mais ce n'est pas la raison pour laquelle ils discutent si longtemps, quand ils sont ensemble. Fedya vient le voir autant par amitié, et pour les potins du quartier. Ils se connaissent depuis longtemps. Leur langue commune était le russe, quand ils se sont rencontrés, alors ils l'utilisent entre eux. Les lettres en soi, bah, il n'y a pas de quoi écrire à sa mère.

— Elle est bien bonne.

Beryl sourit pour la première fois. Pendant un instant, la pièce était comme illuminée.

— Mais j'ai vu Sacha travailler avec des femmes, et c'est surtout ça qui le fait vivre. Avec les hommes, le courrier se limite généralement à « Je vais bien, j'espère que vous aussi », et ils mentionnent un ou deux événements récents. Rien de palpitant. Minimal. Cela manque de fond et de vigueur. Alors que les femmes, c'est un spectacle, et il faut les entendre ! Elles sont encore dans le Vieux Monde, et pas qu'un peu. Sacha leur sert de crieur public, de journal. Il les fait parler – il est très doux quand il veut, très poli, très respectueux – et, une fois qu'elles sont lancées, mon Dieu, on ne les arrête plus. Elles mettent leur cœur à nu. J'en ai vu sortir en larmes de chez lui. Cela doit s'approcher d'une catharsis. Et d'après ce qu'on m'a dit, il met de la musique dans leurs lettres.

— Qu'en savent-elles, si elles sont illettrées ?

— Bonne remarque, admit-elle, souriant de nouveau. Je lui ai posé la question. Il semble que, souvent, les réponses qu'elles reçoivent, écrites par d'autres écrivains publics, abondent de compliments sur son style.

— Si c'est lui qui l'affirme…

— Vous pensez comme un policier.

Cain sourit à son tour.

— Votre oncle et vous l'appelez Sacha.

— Oui. Le diminutif d'Alexander.

Beryl rouvrit son livre.

— Mais son nom est Maximilian.

— Sur sa carte de visite ?

— Oui. Enfin, non. On n'y lit que Danziger.

— Vous ne le connaissez pas très bien, apparemment.

— Pas depuis longtemps.

— Je vois ça.

Beryl reprit sa lecture, mais Cain devenait trop curieux – à son sujet et celui de Danziger – pour s'arrêter. Et il ne disposait toujours pas d'une adresse ni d'un nom de famille.

— Il m'a appris, l'autre jour, qu'il s'efforçait d'oublier tout ce qu'on lui confie, tous les secrets.

Lassée, elle releva la tête.

— Vous avez l'air sceptique.

— Pour un homme censé traiter des « informations », cela m'a paru douteux.

— Je crois que c'est très plausible, au contraire, compte tenu des nouvelles que ses clients reçoivent maintenant de leurs amis, de leur famille, partout en Europe. Qui laisserait ces histoires affreuses vous trotter toute la nuit dans la tête, comme des wagons de marchandises dans une gare de triage ? J'en perdrais le sommeil. Si j'en crois Fedya, Sacha sait très bien oublier ce qu'il veut.

— Comment cela ?

— Demandez-lui. Ou à Max. Comme vous préférez l'appeler.

Elle s'en revint à son bouquin. Cette fois, Cain, absorbé par ce qu'elle venait de lui annoncer, renonça à l'interrompre. Un instant plus tard, Danziger et Alexandroff avaient terminé. Le second serra la main de Cain en partant. Cain espérait échanger quelques mots encore avec Beryl, mais elle sortit attendre son oncle dans la rue. Quand la porte se referma derrière Fedya, elle avait disparu. Cain soupira et décida de passer aux choses sérieuses. Qui ne se révéleraient guère plus concluantes.

— Vous auriez dû me prévenir de votre visite, dit Danziger, un rien agacé. Quand vous m'avez parlé hier de vos « pénalités », j'ai rempli mon agenda jusqu'à la fin de la semaine et ce ne sont pas des rendez-vous qu'on annule sur un coup de tête.

— Désolé.

— Retrouvons-nous lundi, peut-être ?

— D'accord.

— À votre bureau.

Sur le point d'acquiescer, Cain pensa qu'il aurait une vague chance de croiser Beryl s'il revenait chez le vieil homme.

— Ici, de préférence, proposa-t-il. Dix heures, lundi matin ?

Danziger se renfrogna, puis accepta.

— Comme vous voudrez. Oh, avant que j'oublie. J'ai fait ma petite enquête à propos de cet Albert Kannerman.

— Qui ?

— Votre escroc en liberté. Votre punition.

— Qui vous a dit son nom ?

— Tenez. Essayez ça.

Danziger tendit à Cain un papier plié sur lequel était inscrite une adresse dans Grand Street. Rien de plus.

— À ce que j'ai compris, vous aurez plus de chances de le trouver chez lui entre deux et trois heures du matin. Il paraît qu'il a le sommeil lourd, aussi.

Cain allait lui demander comment il avait obtenu ces renseignements quand la porte se rouvrit. Aussitôt son cœur battit, mais c'était une dame avec un bébé dans les bras, accompagnée de deux jeunes enfants aux joues couvertes de miettes de pain.

— Ah, madame Stern, dit Danziger, sa voix grimpant d'une octave. Quel plaisir de vous voir. Ce monsieur allait justement me quitter. Entrez donc, pendant que je remets la main sur votre courrier. Une lettre de chacune de vos sœurs !

Cain se glissa au-dehors tandis qu'ils entraient. Il repartit vers Delancey Street, toujours aussi animée, et se fraya

165

un chemin dans la cohue jusqu'à l'escalier du métro. Sur le quai, il ressortit de sa poche le papier que Danziger lui avait donné. Il rit dans sa barbe, une fois de plus émerveillé par les ressources du vieil homme. Peut-être était-ce un tuyau percé, mais il en doutait. Encore un tour de Max Danziger, le prestidigitateur. Ou plutôt de Sacha ?

De l'information, en effet.

Apparemment, Kannerman résidait à proximité. Cain se proposa de partir en reconnaissance, d'évaluer les moyens d'accès et les possibilités de fuite. Il allait repartir vers l'escalier quand il aperçut Beryl, trente mètres plus loin sur le quai, adossée à un pilier et encore en train de lire.

Cain se dirigea prudemment vers elle, sinuant à travers la foule en espérant qu'elle ne le repérerait pas. Il s'arrêta à dix mètres d'elle environ en s'interrogeant, mal à l'aise – comment allait-il briser la glace ? –, quand la rame arriva dans la station. Il regarda monter Beryl et l'imita, en choisissant une autre portière du même wagon. Entre les têtes et les corps, il la vit s'asseoir sous une réclame pour les cigarettes Old Gold, qui reproduisait le slogan qu'il avait entendu en musique, le matin, diffusé par la radio du voisin – *Not a cough in a carload*[1] ! –, qui lui parut de mauvais augure. Puis il se faufila entre les voyageurs jusqu'à se trouver en face de son siège.

Elle le remarqua aussitôt. Il feignit la surprise.

— Oh ! Si je m'attendais… dit-il.

Beryl parut contrariée, comme si elle n'avait rien perdu de la manœuvre.

— Oui, bonjour, souffla-t-elle sèchement, esquissant une grimace.

1. Des wagons pleins sans un tousseur.

Elle reprit sa lecture. Cain commençait à en vouloir à Pearl Buck.

L'éclairage faiblit une seconde et la rame se mit brutalement en mouvement. À l'arrêt suivant, Cain eut du mal à se maintenir au même endroit à cause du va-et-vient des passagers. Il ne savait comment poursuivre le dialogue. Deux fois, Beryl leva les yeux vers lui. La première, il se détourna, embarrassé. La seconde, elle fronça les sourcils et protesta.

— *Mais enfin !*

Elle le dit assez fort pour que la moitié du wagon l'entende. Cain rougit et, jetant un coup d'œil à gauche, aperçut une femme âgée qui le regardait de travers : l'ennemi public numéro un, du moins en ces lieux. Passablement honteux, il fit marche arrière vers l'extré-mité opposée du wagon où, durant quelques minutes, il étudia l'affichette d'une association caritative qui faisait un appel aux dons en faveur des victimes chinoises du Japon. Difficile d'oublier Pearl Buck dans ces conditions.

Eh bien. Était-ce donc le sort que cette ville réservait aux solitaires ? Transformés en suiveurs qui, en vain, cherchaient secrètement quelque compagnie ? Dans le cours d'une journée, Cain voyait passer tant de visages que, forcément, il avait souhaité que, une fois de temps en temps, il y en ait un qui illumine quelque chose au fond de lui, qui fasse vibrer la corde sensible… Devant Beryl, il se donnait surtout l'impression d'un idiot patenté. D'un vieillard lubrique, assis sur un banc dans un parc, avec le nez qui coule et une bouteille de gnôle dans un sac en papier.

Entre les deux arrêts suivants, les lumières de nouveau s'éteignirent, plusieurs secondes à la suite. Lorsqu'elles se rallumèrent, Cain remarqua un homme au faciès asiatique, d'une cinquantaine d'années, vêtu de tweed anglais des pieds à la tête. Il venait de s'asseoir en face de lui. À sa gauche et à sa droite, les sièges étaient inoccupés alors qu'au moins une demi-douzaine de passagers restaient debout. Les gens le considéraient avec plus d'hostilité qu'ils ne l'avaient fait pour Cain un instant plus tôt. Les Allemands, les Italiens avaient le droit de se fondre dans la masse, mais pas les Japs, évidemment, puisque depuis Pearl Harbor ils n'étaient plus dignes de confiance. Avec quelque étonnement, Cain avait lu récemment un article du *Times* à propos du *Mikado* de Gilbert et Sullivan, dans lequel le journaliste encensait le livret. À la lumière des récents événements, il décrivait les Japonais comme « un peuple sournois, rusé, hypocrite, inconsciemment malhonnête et perfide ». Cela s'appliquait-il à ce pauvre gars ? Avec sa serviette sur les genoux, il avait surtout l'air d'un homme d'affaires fatigué.

Il se leva pour descendre à l'arrêt suivant, qui était aussi celui de Cain. Ce dernier s'effaça pour le laisser sortir le premier. Au lieu de quoi, un jeune type furieux et son copain s'imposèrent devant lui, ainsi que d'autres personnes qui lui brûlèrent la politesse.

En sortant à son tour, Cain entendit, devant lui, des grognements, des halètements, un bruit de corps qui se télescopent. Quand la foule se dispersa, il reconnut le Japonais, à genoux au bord du quai. De sa serviette ouverte à côté de lui s'échappaient des papiers, happés par le souffle d'air créé par la rame qui s'éloignait. Les gens se pressaient autour de lui, l'ignoraient, à l'exception d'une ou deux personnes qui le bousculèrent, déterminées à l'humilier plus encore. Un court instant, l'homme vacilla dangereusement au-dessus des rails, mais retrouva finalement son équilibre.

— Salaud d'espion, murmura quelqu'un.

— Pourquoi n'est-il pas en prison ? ajouta un autre.

Cain s'approcha et commença à ramasser les papiers éparpillés. Puis il s'agenouilla près du Japonais qui, reculant instinctivement, leva un bras devant sa tête pour se protéger.

— N'ayez crainte. Je vais vous aider. Vous parlez anglais ?

— Bien sûr, s'indigna l'homme sans aucun accent. Je suis américain. Il y a trente-neuf ans que je vis dans ce pays !

Le jeune vaurien de tout à l'heure revenait vers eux avec son copain.

— Hé, l'ami ! Laisse-le-nous, on va s'en occuper.

Cain se retourna. Ils avaient les mains dans les poches et le sourire aux lèvres. Le premier des deux plia le genou, comme avant de frapper dans un ballon. Cain, accroupi, bondit, saisit son pied et lui tordit la jambe assez fort pour le jeter à terre.

— Il est de leur côté, ce con ! cria le second, prêt à riposter.

Cain lâcha le premier et sortit son insigne, qu'il leur colla sous le nez.

— Je suis flic. Fichez le camp.

Puis, à l'adresse de la foule en train de s'assembler :

— Tout le monde s'en va ! Cet homme est un citoyen américain qui se rend à son travail. Il n'y a rien à voir.

Cette dernière phrase était celle d'un vrai policier new-yorkais. Il ne manquait que l'accent local. Les deux vauriens étaient ébahis : celui de Cain tranchait sur son attitude. Mais l'insigne fit son effet et ils prirent lentement le chemin de la sortie.

Quand Cain regarda derrière lui, une jeune femme aidait le Japonais à se redresser : Beryl. Cette fois, elle ne se renfrogna pas, ne se refusa pas.

— Merci d'être intervenu. J'ai déjà vu ça bien trop souvent, assura-t-elle, et personne ne lève le petit doigt.

L'homme serrait sa serviette contre sa poitrine. Elle était éraflée, mais intacte, comme lui.

— Merci, dit-il à Cain.

— Je vous en prie. Faites attention à vous.

Sur le quai, les gens affichaient des mines réprobatrices, cependant personne ne s'insurgea. Ils s'éloignèrent peu à peu. L'homme s'épousseta et reprit son chemin, laissant Cain et Beryl côte à côte. Il jeta un coup d'œil vers elle et la surprit qui l'imitait. Il ne connaissait toujours pas son nom de famille.

— Désolé d'avoir été si, euh… impoli. Mais c'est que…

À nouveau, les mots lui manquèrent. Il s'enlisait encore.

— Bon, fit-elle en dégageant une mèche de son front. Il faut que j'aille travailler.

— Moi aussi.

Elle se retourna et s'en alla sans hâte. Une nouvelle occasion perdue. Cain était décidément un âne, un crétin.

Soudain, elle fit volte-face et, avant qu'il comprenne ce qui arrivait, lâcha l'information la plus précieuse qu'il eût recueillie depuis des jours.

— Beryl Blum. Sans *e* à la fin. Cadman 6, 24, 37. C'est le même téléphone pour tout l'immeuble, donc il faut demander Beryl, au 2C.

Sans lui laisser le temps de répondre, elle gagna l'escalier et la foule l'enveloppa.

Pour ne pas l'oublier, Cain répéta intérieurement son numéro sur plusieurs centaines de mètres. Il s'arrêta finalement devant le commissariat, se munit de son bloc et l'inscrivit sur une page blanche avec son nom entier.

L'avoir noté le rassura. Oui, il la reverrait, et peut-être bientôt.

Il s'engouffra dans le bâtiment et monta les marches deux par deux.

12

DANZIGER

Tôt le troisième samedi de chaque mois, à l'insu de mes amis et voisins, je m'octroie une courte métamorphose. J'oublie les mornes avatars de mon existence actuelle pour déployer les brillantes ailes de papillon de mon lointain passé. Cela constitue une sorte de thérapie, je pense, un moyen de me rappeler une époque où l'adversité gouvernait moins nos vies. J'entame cette transformation peu après m'être levé, en remplissant une petite valise en cuir. Vers huit heures du matin, celle-ci en main, je me mets en route, vêtu de mes habituelles guenilles. Je salue poliment les passants, dont un grand nombre partent à la synagogue élever leurs âmes par ce matin de sabbat. Je les laisse croire avec plaisir que j'en fais autant.

En réalité, je me dirige à l'ouest le long de Delancey, jusqu'au Bowery et son arsenal de bars borgnes, d'hôtels miteux, où il règne à cette heure un silence de mort. Puis, mettant le cap sur les quartiers chics, je marche jusqu'à Astor Place. Je préfère bien m'éloigner de mon cadre familier avant de monter dans le métro, pour ne pas être surpris par un bon pratiquant des alentours de Rivington Street.

Mon but n'est pas de tromper mes voisins et clients. Je les empêche surtout d'apprendre des choses susceptibles de leur causer du tort. Leurs vies comptent à mes yeux, et exposer leurs foyers à quelque calamité en révélant, par négligence, certaines de mes vieilles histoires serait, de ma part, impardonnable.

En arrivant à la gare de Grand Central, je me rends dans deux excellents établissements de M. James P. Carey, un grand entrepreneur d'une époque révolue, retraité depuis peu. Accessible par la salle d'attente messieurs, le premier est un salon de coiffure, autrefois prestigieux, qui jouxte des bains-douches où, pour la somme tout de même élevée de cinquante cents, je me prélasse dans la chaleur et la buée d'un bain de vapeur à la russe. Alors je laisse exsuder de mes pores les travaux et soucis du mois écoulé.

Décrassé, délassé, je défais ma valise pour revêtir des habits propres et soigneusement pliés. Costume anthracite, au veston à larges revers et au pantalon plissé, qui sent un peu la naphtaline ; chemise blanche amidonnée ; cravate rayée en soie ; chaussettes noires en laine ; derbys noir et blanc, en cuir italien, et qui, depuis quelques années, ont tendance à me pincer les orteils.

Je passe dans le grand salon aux seize fauteuils, murs carrelés et lavabos de marbre, où Sandro, mon coiffeur attitré, rase ma barbe d'une semaine avec son coupe-chou, avant d'appliquer une serviette très chaude sur mes joues glabres. Sans rien dire, je me plais à écouter les potins des autres clients sur le monde politique. Avant de reprendre mon chemin, je fais un crochet par la consigne de M. Carey, où je dépose ma valise dans laquelle j'ai rangé mes vêtements habituels.

Ensuite un métro vers le centre, où j'émerge dans ce quartier qui me rappelle toujours les musiques de Gershwin – dynamiques, optimistes, insolentes et si américaines. Le cœur humain y bat sous les orchestrations. Comparés aux ruelles bondées autour de Rivington Street, les boulevards semblent ici spacieux comme les canyons du Grand Ouest. Je me délecte du spectacle des gratte-ciel aux lignes dures et nettes qui s'élancent dans l'azur, sans la moindre corde à linge en vue. Si l'un de mes proches voisins devait me croiser sur le trottoir dans cette dernière portion de mon itinéraire, je doute qu'il me reconnaisse. Même mon attitude est changée. Les épaules en arrière et le torse bombé, j'allonge le pas avec assurance.

Je m'enfonce dans Midtown jusqu'au restaurant Longchamps, dans 57th Street, entre 5th et 6th Avenue, où je m'assieds et commande mon petit déjeuner. Avec les gestes expansifs d'un banquier, je déplie vigoureusement le journal du jour.

Le Longchamps, je l'avoue, est une solution de repli. Mon choix se porterait d'abord sur Lindy, dans 7th Avenue, où mon ancien patron s'entourait chaque soir de sa cour. Même après tant d'années, il serait trop bête, trop risqué, de m'y montrer. Je suis devenu très prudent et ma promenade mensuelle n'a pas pour objectif de recréer l'histoire. Je m'autorise seulement quelques instants d'inoffensive nostalgie pour me souvenir d'une période dans laquelle je croyais à un avenir sans guerre, à un âge plus éclairé, à ce nouveau pays où les soucis du Vieux Monde ne trouveraient pas leur place. Tel est le fol optimisme de la jeunesse

– fou, oui, quand je repense au type d'individus avec qui je jouais et travaillais à l'époque.

Alors je me contente du Longchamps de 57th Street, à l'élégance Art déco qui inspire ses peintures et ses menus. Lui aussi était prisé de mes anciennes relations, d'une douce amie, notamment, qui a depuis longtemps disparu de ma vie. Son visage est à peine un souvenir. Mais l'endroit attire encore parfois quelques rescapés de ces temps, et c'est probablement un risque calculé que je prends en venant ici. Cela fait peut-être même partie du charme.

Les serveuses d'aujourd'hui, cependant, ne voient en moi qu'un homme discret, un illustre inconnu qui souhaite lire son journal en paix et savourer ses œufs pochés sur toast, arrosés de moult tasses de café.

Je m'installe en général au fond, mais la table était prise. Les affaires reprennent. Pendant les premiers mois de la guerre, le restaurant était le plus souvent désert. Maintenant, les gens recommencent à dépenser de l'argent – ceux qui en ont, du moins. Ou peut-être la nouvelle campagne publicitaire du Longchamps se révèle-t-elle fructueuse. J'ai récemment aperçu son encart dans le *Times* – un appel grossier aux sentiments patriotiques, selon lequel y manger favoriserait les succès de nos armées à l'étranger : « Ne vous contentez pas de sandwichs. Faites de chaque repas le repas de la VICTOIRE au Longchamps[1]. » D'une prétention ridicule, bien sûr, mais comment être plus américain ?

J'attaquais tout juste mes œufs quand trois clients sont entrés. Ma fourchette est restée en suspension

1. « *Don't be a "sandwich grabber". Make every meal a* VICTORY *meal at Longchamps.* »

devant ma bouche. J'en ai reconnu un : l'un des substituts du procureur de Manhattan, dont les journaux ont plusieurs fois reproduit le portrait. Sa tête me rappelait ces images récentes, mais je n'ai réussi à l'identifier vraiment qu'au moment où le deuxième a retenu mon attention. J'étais beaucoup plus jeune, la dernière fois que je l'ai vu, et son apparition m'a commandé de poser ma fourchette dans mon assiette et de me cacher derrière les pages de mon journal. D'abord, parce que c'est le genre de type qui n'oublie jamais un visage, même si les années ont largement modifié celui-ci. Ensuite, il fait partie de ces gens « qu'on aperçoit, mais qu'on préfère ne pas regarder », comme avait dit jadis un sage à propos de mon ancien patron. Je le connais sous son vieux surnom, Little Man, et aussitôt me sont revenues à l'esprit les raisons pour lesquelles je prends de telles précautions lorsque, chaque mois, je transite entre deux périodes de mon existence.

Pendant quelques instants difficiles, je n'ai pas osé rabattre le paravent commode de mon journal. J'ai finalement rassemblé assez de courage pour jeter un nouveau coup d'œil et j'ai découvert le troisième larron. Son visage ne me disait rien et, quand les autres ont prononcé son nom, celui-ci non plus. Cependant ses vêtements et son style oratoire m'ont permis de deviner qu'il était l'avocat d'un individu de mauvaise réputation.

Ils se sont assis à une table voisine et, malgré leurs efforts pour parler à voix basse, j'ai réussi à saisir une bonne partie de leur conversation. Dans le cas contraire, je ne vous relaterais pas l'incident.

Leurs propos initiaux, somme toute banals, concernaient le général MacArthur, Herr Hitler et le groupe de lanceurs des New York Yankees. Ils n'ont guère éveillé mon intérêt. Mais l'un d'eux a mentionné le nom d'un individu du même acabit que Little Man, un nom que certainement tout le monde connaissait dans le restaurant. Je me suis figé en dressant l'oreille, mon journal collé au nez.

Et voilà : quelques minutes plus tard, le rapport étroit entre leur réunion et ma situation actuelle m'a paru évident. Car alors ils ont évoqué, bien que brièvement, celle de Lutz Lorenz. Stupéfait, j'ai tendu l'oreille de plus belle. Quand la serveuse s'est approchée dans l'intention de me resservir du café, je l'ai renvoyée avec une grossièreté qui ne me ressemble pas. J'ai ensuite compris pourquoi l'assistant du procureur me paraissait si familier, même si j'avais vu sa bobine dans les journaux, et cette prise de conscience m'a gravement perturbé.

À ce stade, je savais que cette journée ne se déroulerait pas comme tous les troisièmes samedis de chaque mois. En général, je sors du restaurant avec l'estomac rempli et d'agréables souvenirs en tête. Mais là, je pensais déjà au lundi suivant, quand je serais forcé de rapporter mes découvertes à l'inspecteur Cain – en risquant, par la même occasion, de dévoiler un aspect de moi-même que j'espérais lui cacher, à lui comme à presque tout le monde, jusqu'à la fin de mes jours. M. Cain est un homme d'une vive curiosité, et j'étais sûr qu'il me poserait des questions gênantes. Il me faudrait lui répondre avec vigilance, en m'efforçant de ne pas m'emmêler les pinceaux. Cela étant, j'avais pour souci immédiat de recueillir autant d'informations que possible.

À cette fin, j'ai encore écouté et observé attentivement. J'ai dû pour cela exploiter un savoir-faire dont je n'avais pas eu besoin depuis des lustres. Et, pour la deuxième fois depuis de nombreuses semaines, j'ai considéré les voies impénétrables de vieux secrets que j'aurais crus enfouis, en me demandant combien d'autres surgiraient des profondeurs.

La guerre était là, venue jusqu'à ma table. Lundi, j'allais apporter de fraîches nouvelles du front à Woodrow Cain. De futures victimes paraissaient maintenant inévitables.

13

En entrant dans le commissariat, Cain remarqua un attroupement autour du panneau d'affichage, sur lequel Romo, le sergent de permanence, venait d'épingler une note de service du commissaire divisionnaire. Simmons, un des inspecteurs de la brigade, râlait tant qu'il pouvait.

— Cinquante-cinq cents ? Faut les payer nous-mêmes ? Ça représente onze mois de frais de café !

— Mais t'auras ton auréole, Simmons, lui dit Romo. Pas cher pour ressembler à un ange.

Les agents en uniforme en train de lire l'avis ne semblaient aucunement se plaindre, et Cain comprit pourquoi lorsqu'il découvrit le titre : « À tous les inspecteurs ».

— Vous avez vu ça ? demanda Simmons. Le QG veut qu'on achète des casquettes bleues avec une calotte qui brille dans le noir, pour porter après le couvre-feu.

— C'est pour qu'on vous repère, la nuit, fit un agent. On reconnaîtra les cons.

Cain déchiffra les petits caractères au bas de la feuille. Les casquettes seraient disponibles le lundi suivant à la salle du matériel au quartier général. Chaque inspecteur était tenu d'avoir la sienne à la fin de la semaine prochaine. Encore une perte de temps, une dépense dont on se serait bien passé.

— Hé, sergent Romo, jeta un agent. À propos de matériel, j'ai besoin de la clé de l'armoire à fournitures. Mon bloc mémo est plein.

— Hein ? Tu crois pas que je vais te confier les clés de la maison, non ? Jamais de la vie. Je t'y amène dans une minute.

Romo passa un bras sous son bureau surélevé au milieu du hall d'entrée, attrapa un gros trousseau qui cliqueta dans sa main, et redescendit de l'estrade. Ce qui donna une idée à Cain. Plusieurs fois, la veille, il avait voulu inspecter la pièce 95. Les deux premières, Steele était de service avec un autre agent. Quand Cain était revenu à nouveau, la porte était close et verrouillée. Romo détenait sans doute une clé.

Relevant les yeux, Cain s'aperçut que celui-ci l'observait attentivement. Pour échapper à des remontrances, il se dirigea vers l'escalier, mais Romo le héla sans lui laisser le temps de filer.

— Citizen Cain, justement je vous cherchais. Votre vieux schnock est revenu.

— Qui ? demanda Cain en se retournant.

— Le drôle de type au grand manteau. Celui qui sent la soupe.

Danziger, à l'évidence.

— À sept heures du matin, il bassinait l'équipe de nuit. Quand je lui ai dit que vous ne seriez pas là avant neuf heures, il a failli piquer une crise. Il a fini par s'en aller et il vous attend au Royal.

Romo vissa un doigt sur sa tempe. « Un dingue. »

— Merci, sergent. Je veillerai à ce qu'il ne vous embête plus.

Le Royal, une gargote, était coincé entre une cordon-nerie et la boutique pour hommes Schonfeld. De grands dessins sur la vitrine faisaient la réclame pour ses triples club-sandwichs à un nickel pièce – une affaire à condition de pouvoir supporter Freddie, le serveur, particulièrement grossier.

En tablier blanc, ce dernier poursuivait un taon obstiné à coups de torchon. L'endroit était désert à l'exception d'une table au fond, occupée par Danziger, qui se cachait derrière son *Daily News*. Cain fit claquer un quarter sur le comptoir en inox.

— Voilà pour un café et que vous nous laissiez tranquilles. J'ai du boulot.

— Oui, monseigneur, dit Freddie qui, sans objecter, fit une révérence ironique.

Cain emporta sa tasse fumante à la table, où Danzi-ger avait bu la moitié de la sienne. Hagard, il avait les yeux injectés de sang.

— Je croyais qu'on se retrouvait chez vous, rappela Cain. À dix heures...

Le vieil homme se pencha et murmura d'un ton insistant :

— Cela ne pouvait pas attendre. Cette affaire devient plus compliquée que nous ne le pensions.

— Les affaires simples ne courent pas les rues.

— Bon, si vous prenez ça pour un euphémisme...
Plus *grave*, si vous préférez. Plus *dangereuse*... Y sont mêlés des gens aux...

Danziger chercha ses mots.

— ... pouvoirs plus étendus que les nôtres.

— Hum. Ce serait plutôt à moi d'en juger.

Cain regarda derrière lui pour s'assurer que le serveur n'écoutait pas. Mais Freddie s'affairait devant sa plaque de cuisson, qu'il raclait à l'aide d'une spatule en métal.

— Vous n'avez pas bonne mine, au fait.

— J'ai travaillé d'arrache-pied tout le week-end, déclara Danziger. J'ai rappelé des contacts que j'avais négligés depuis des années. Après ce dont j'ai été témoin, samedi matin au Longchamps, j'ai à peine dormi.

— Au Longchamps ? s'étonna Cain. Pas vraiment la même catégorie que le Royal. Vous devez en écrire, des lettres, pour vous payer ça.

— Le petit déjeuner est d'un prix abordable. C'est un rituel, j'y vais tous les mois.

Le vieil homme était sur la défensive, comme s'il avouait s'être rendu chez une prostituée. Franchement, il n'était pas beau à voir. Livide, il semblait ne pas avoir fermé l'œil depuis des nuits. En revanche, pour changer, il était correctement coiffé et paraissait même s'être rasé.

— Pardon. Je ne voulais pas en faire un plat. Donc vous êtes allé au Longchamps. Racontez-moi ce qui vous tourmente.

— Trois hommes sont entrés. Trois hommes dont on lit le nom dans les journaux. Ils se sont assis à une table près de la mienne, assez près pour que je les entende. Ils tenaient une réunion de travail et se préoccupaient de la situation de Lutz Lorenz.

— En effet, cela n'est pas banal, mais tout dépend de qui il s'agit. Cela implique, en tout cas, que sa disparition commence à être remarquée. Qui étaient ces types ?

— Non, vous ne comprenez pas. Ils *savent* où il se trouve. L'un d'eux a assuré que Lorenz était « en lieu sûr ». Malheureusement, il n'a pas précisé où.

— Oh là. Doucement. J'ai besoin de noms. Les journaux les connaissent, vous dites ?

— Le premier est Murray Gurfein.

— Le Gurfein qui bosse chez le procureur ?

— Oui.

— Il s'occupe spécialement des rackets.

— Et là, il prenait son petit déj' avec un truand et l'avocat d'un truand.

— Pour bien faire son boulot, il est sans doute amené à côtoyer de sales types.

— Ce que je me suis dit, moi-même. Mais attendez. Le deuxième homme, l'avocat, est Moses Polakoff. Ce qu'ils appellent un baveux, en argot, je crois.

— Jamais entendu parler. Le troisième type était son client ?

— Non. Le client de M. Polakoff réside actuellement dans le nord de l'État de New York.

— À Albany ? Buffalo ?

— Dans la prison de Clinton, à Dannemora, en qualité de détenu. Il s'agit de Charles Luciano, surnommé Lucky par la presse.

— *Lui ?* Mêlé à l'affaire Lorenz ?

— Lui et le troisième larron, Meyer Lansky.

— Ça me rappelle vaguement quelque chose.

— « Vaguement »… le mot lui conviendrait. Lansky se débrouille très bien pour éviter toute publicité. Il vit dans le luxe, passe à travers les mailles, raconte à qui veut l'entendre que ses affaires sont légitimes, qu'il a une licence pour exploiter ses casinos et voilà.

— Vous n'ignorez rien à son sujet.

— Comme je vous l'ai dit, j'ai travaillé.

— Comment l'avez-vous reconnu, s'il évite toute publicité ?

— Vous menez un interrogatoire ou vous m'écoutez ?

— Allez-y.

— Je n'ai pas pu tout entendre, seulement des bribes de leur conversation, mais j'ai réussi à comprendre que les affaires de M. Luciano et de M. Lorenz ont un point de convergence et qu'il est question de les reloger l'un et l'autre.

— Luciano sort de taule ?

— Non, mais ils envisagent de le déplacer. La prison de Dannemora serait surnommée la Sibérie, parce qu'elle est loin de tout. Il y a encore de la neige au sol, là-bas. Apparemment, les trois hommes souhaitaient avoir Luciano plus près d'eux, et ils se sont mis d'accord pour essayer de le transférer ailleurs. À Sing Sing, peut-être.

— Et pourquoi plus près ?

— Pour lui rendre visite plus souvent et plus commodément.

— Qui lui rendrait visite ?

— Ces trois-là, justement.

— Dans quel but ? Et quel rapport avec Lorenz ?

— Je n'en sais rien, mais ils ont cité son nom juste après. C'était le point suivant de leur discussion, alors j'en ai déduit que les deux sujets étaient liés. M. Lansky a été le premier à prononcer son nom. Il s'est inquiété de son état auprès de M. Gurfein, et M. Gurfein a répondu : « On s'en est occupé. Il est à l'abri. »

— Gurfein ? C'est le substitut du procureur qui a dit ça ?

— Ses mots exacts. Maintenant, il serait peut-être utile que je vous le décrive. Trapu, pour reprendre votre terme de l'autre soir. Trapu, avec des paupières bouffies et une moustache fine. Vous vous souvenez ?

— Le type qui dirigeait l'expédition. Ce doit être le même.

— Précisément.

— Mettons que Lorenz soit le témoin d'une grosse affaire dont nous ignorons tout. Vous avez dit vous-même qu'il a des relations louches dans toutes sortes d'organisations. Seulement, nous ne sommes pas sûrs que Hansch et Schaller soient concernés.

— Alors expliquez-moi pourquoi ces événements se succèdent, je vous prie. On repêche Hansch dans le Hudson, mort évidemment. Quatre jours plus tard, Schaller est tué. Peu après, Lorenz se fait cueillir par votre monsieur racket, Gurfein, qui est de mèche avec deux des plus grands gangsters de la ville, dont l'un est incarcéré.

— Certes, vu sous cet angle... Mais qu'est-ce qui vous prouve qu'il est de mèche avec ces crapules ? Ils ont mangé ensemble, c'est tout. Peut-être que Gurfein négocie un arrangement ? Ils l'ont aidé à coffrer Lorenz, en échange de quoi il arrête les poursuites contre Lansky et il place Luciano dans une taule plus chouette, par exemple ?

— Un arrangement avec deux rois pour faire tomber un pion ? releva Danziger, incrédule. À quelles fins ? Et de quoi accuserait-on Lorenz ?

— N'importe quoi. Les morts de Hansch et Schaller, entre autres.

— Gurfein et son patron, Frank Hogan... procéderaient-ils à cette sorte d'arrangement sans en informer la police ? Selon vous, qui avez de l'expérience, c'est une pratique courante dans la maison ?

— Pas du tout. Et nulle part, certainement. Mais je ne sais pas comment tout cela fonctionne à New York, en particulier chez le procureur. Un de ces hommes a-t-il mentionné nommément Hansch et Schaller ? Ou un de ces groupes bundistes comme les Silver Shirts ?

Danziger fit signe que non.

— Je n'ai entendu que deux noms : Lorenz et
Luciano. Après quoi, ils n'ont pas traîné. Ils ont réglé
leur note et sont partis dans un endroit tranquille pour
étudier les choses dans le détail.

— Qu'en savez-vous ?

— Je les ai suivis.

— Vous êtes fou ? Dans la foule, vous ne passez
pas inaperçu.

— Je ne portais pas du tout les mêmes vêtements,
samedi. Il est peu probable qu'ils m'aient vu. De plus,
il y a certaines précautions à prendre, dans ce genre de
situation, pour ne pas révéler ses intentions.

La réponse était pleine de sous-entendus et Cain
avait tant de questions à poser à Danziger qu'il sourit
malgré lui. Il était emballé, curieux, bien qu'encore sur
ses gardes. Évidemment, on peut toujours accorder à
quelques bribes de conversation une importance qu'elle
n'a pas, et craindre injustement le pire, mais ce curieux
assemblage de personnages connus et les raisons de leur
rapprochement l'intriguaient vivement. Sans compter
certains aspects cachés de la vie de Danziger que le
vieil homme révélait peu à peu.

— Alors dites-moi la suite.

— Ils sont sortis. Je les voyais derrière la vitrine
pendant que je payais mon addition. Je m'attendais à
ce qu'ils se séparent, mais ils sont montés ensemble
dans le premier taxi. Alors j'en ai hélé un à mon tour.
Comme il y avait beaucoup de circulation, nous n'avons
pas eu de mal à les filer. Ils ont tourné dans 6th Avenue,
pris la direction du sud jusqu'à l'hôtel Astor, à Times
Square, où ils sont entrés.

— Tous les trois ?

— Tous les trois. Je me suis glissé dans le hall,
comme si j'avais mes habitudes dans un endroit aussi

sélect. Je les ai repérés au fond, devant les ascenseurs. Heureusement, il y avait du monde. Des grooms, et tous ces gens qui ne travaillent pas la journée... Ils ont pris un des ascenseurs. J'ai attendu que les portes se referment et j'ai pressé le bouton du même. J'ai regardé au-dessus des portes pour suivre la progression de la flèche, qui s'est bloquée sur le M, la mezzanine. L'ascenseur est redescendu et les portes se sont ouvertes. Dieu merci, il était vide, à l'exception du liftier, qui m'a demandé à quel étage je montais. J'ai feint d'avoir oublié quelque chose et je l'ai prié de m'excuser.

« Je suis revenu une heure plus tard, et j'étais encore trop tendu pour me risquer à la mezzanine. J'ai fait un tour dans le hall, où j'ai attendu vingt minutes et, finalement, je suis monté. Cet étage-là ne comporte pas de chambres. J'ai étudié toutes les portes. La première donnait sur une salle de réunion, qui était déserte. Ensuite, il y avait une grande pièce réservée pour un banquet, joliment décorée, où la future mariée et sa demoiselle d'honneur préparaient le déjeuner. Le traiteur travaillait à côté. Dans la suivante, de vieux banquiers du Midwest, plutôt endormis, tenaient un colloque. Il y avait deux autres bureaux, sans plaque, aux portes verrouillées. Et, au milieu du couloir, une suite de trois pièces, numérotées cent quatre-vingt-seize, cent quatre-vingt-dix-huit et deux cents, avec une plaque, cette fois, sur la troisième porte, pour nous apprendre qu'il s'agit des locaux de l'Association des hauts responsables du Grand New York. Le traiteur mis à part, c'était la seule avec une désignation officielle.

— La seule ?

— Oui.

— Une heure s'était écoulée. Ils étaient peut-être dans les autres bureaux, aux portes fermées.

— J'y ai pensé. Mais il ne faut pas négliger cette association. Son nom donne l'impression de… d'une…

— Couverture ?

— Oui.

— Cela vaut la peine de le vérifier.

— Ou…

— Ou ?

— Elle peut aussi être authentique, dit Danziger. Et représenter la crème de l'establishment new-yorkais. Ce qui, d'une certaine façon, serait assez troublant.

Sans cesser d'observer le vieil homme, Cain prit toute la mesure de ses déclarations.

— Vous m'avez l'air d'en connaître un bout sur les gangsters, les bavards, les couvertures et les filatures. Vos goûts en matière de restaurants sont également dignes d'intérêt.

— Ce n'est qu'une petite extravagance mensuelle.

— Certes. Mais le Longchamps compte une douzaine d'établissements du même nom, si je ne me trompe ? Et il se trouve que vous avez choisi précisément celui dans lequel ces trois hommes sont venus s'occuper de leurs petites affaires.

— Si vous voulez savoir, on m'a rapporté qu'ils ont coutume de s'y réunir. Leur présence en soi n'y est pas une surprise.

— Exactement ce que je voulais dire. Qui vous a rapporté ça ?

— Ce sont des choses que je glane dans le cadre de mes activités, comme je vous l'ai appris, il y a quelque temps.

Cain sourit et se pencha au-dessus de la table pour forcer Danziger à le regarder dans les yeux.

— Voyez-vous, à un moment ou un autre, il faudra me parler franchement de votre vie, si vous voulez garder ma confiance.

— Je pourrais avoir les mêmes exigences à votre égard.

— Si nous enquêtions sur une affaire à Horton, vous en auriez parfaitement le droit. Mais c'est votre repaire, ici, et nous courons après vos vieux fantômes. Ou peut-être les évitons-nous ? Je me pose la question et cette incertitude est un peu troublante, elle aussi.

Danziger contempla silencieusement sa tasse de café. Cain attendit qu'il reprenne la parole.

— Quand j'étais jeune, j'évoluais dans un autre milieu. J'étais insouciant et désinvolte, ce qui n'est pas rare à cet âge. Je fréquentais les gens dans le coup, comme aurait dit ma mère, si elle avait été là.

— C'était l'époque où vous alliez enterrer les notables en taxi ? En 1928, vous n'étiez plus vraiment un blanc-bec.

— J'ai fait des choses dont je ne suis pas fier, mais tout ça est de l'histoire ancienne, je vous assure. Je suis une autre vocation aujourd'hui, comme vous l'avez constaté vous-même à mon bureau. Je sers une clientèle différente, qui compte sur mes bons services pour accéder à des informations qui lui sont indispensables. Comme je vous l'ai dit, le passé, c'est...

— ... du passé ?

— Oui. De plus, ajouta Danziger, un éclair dans les yeux, ce n'est pas vous qui allez me reprocher des cachotteries. Il paraît que vous vous intéressez de près à la nièce de mon ami Fedya, Mlle Beryl Blum.

Bien que pris au dépourvu, Cain sourit. Beryl n'avait pas peu fait pour lui remonter le moral. Rassemblant son courage dimanche en fin d'après-midi, il lui avait téléphoné, et il s'étonna que Danziger soit déjà au courant. Par expérience, il avait pensé que la jeune femme, comme la plupart de ses semblables, souhaiterait qu'il respecte les convenances, qu'il ne l'invite à sortir que le week-end suivant. Mais elle avait insisté pour qu'ils se voient aujourd'hui, lundi, après le travail.

— Pourquoi attendre toute la semaine ? avait-elle demandé. Nous sommes attirés l'un par l'autre et nous n'avons plus seize ans. Alors, demain ?

Sa franchise était à la fois choquante et réjouissante. Peut-être les New-Yorkaises étaient-elles toutes ainsi. Voire. Beryl affichait clairement son indépendance, comme pour vous défier de la critiquer. Ce qui, à Horton, aurait probablement rebuté Cain. Mais après tout ce qu'il avait enduré pendant ces derniers mois, cette hardiesse avait un effet revigorant. Ils avaient donc pris rendez-vous et, ce matin, il avait revêtu une chemise neuve, un costume propre, et il était parti au bureau d'excellente humeur.

— Ça n'a pas l'air de beaucoup vous plaire.

— Beryl est sa nièce préférée, Fedya vous considère comme un prédateur et me reproche de servir d'intermédiaire, répondit Danziger. Dans ce domaine, il est d'un snobisme à toute épreuve. Il préférerait un chirurgien ou un doyen d'université. Un bon garçon dont il aurait la mère à portée de main. Mais pas un goy, et encore moins un policier.

Danziger sourit également. Par espièglerie, mais aussi parce qu'il avait adroitement réussi à changer de sujet. Cain ne s'en offusqua pas.

— Dites à votre ami que je serai très sage.

— Oui, mais elle ? Voilà ce qui l'inquiète réellement. C'est une jeune femme éprise d'idées neuves et au comportement impudique. Enfin... ce sont vos affaires, pas les miennes, n'est-ce pas ? Peut-être devrions-nous éviter d'aborder les questions personnelles et nous concentrer sur notre tâche, proposa le vieil homme.

Le message était clair : laissez ma vie privée hors de tout ça et je ne m'occuperai pas de la vôtre. Cain se rangea momentanément à son avis. Leur collaboration présentait suffisamment de dangers pour ne pas y ajouter de complications inutiles.

Ils sortirent du Royal au moment où Freddie abattait son torchon sur un autre taon. Un claquement sec qui, pour Cain, résonna étrangement comme un coup de feu.

14

Elle voulut savoir tout ce qu'il y avait à savoir sur lui et, pour la première fois depuis une éternité, Cain était disposé à se livrer. Une année d'abstinence sexuelle expliquait sans doute une partie de son zèle. Quelque chose de plus était en jeu – le besoin profond de se dégager du carcan qui l'entravait depuis les événements de l'automne précédent.

Le printemps avait amorcé un processus que Beryl attisa avec ses questions. Cain avait l'impression de s'épanouir comme les pétales d'une fleur ; ses réponses le gorgeaient de lumière et d'énergie ; il rajeunissait à mesure qu'il se révélait. Au début de leur conversation, malgré la proximité des autres clients de Guffanti, l'italien de 7th Avenue qu'ils avaient choisi, il se surprit à déclarer :

— Je dois vous mettre au courant : j'ai une fille et elle va venir me rejoindre à la fin de l'année scolaire.

— Alors vous êtes...

— Encore marié. Le divorce est en cours, ce n'est qu'une affaire de temps. Ma femme est hospitalisée quelque part où l'on traite sa dépendance à l'alcool. En même temps que d'autres problèmes, je pense, bien que mon beau-père reste discret à ce sujet. J'y suis pour beaucoup, mais on ne peut pas tout me reprocher. Il y a un lourd passif derrière nous, une longue histoire. Si vous voulez que je vous raconte, n'hésitez pas à demander.

Sans détourner les yeux, sans broncher, Beryl se pencha vers Cain. Il la trouvait déjà extraordinaire, et sa réaction ne fit que confirmer son impression.

— Je le ferai, mais dans un endroit plus intime. Merci d'être aussi franc. Cela doit être pénible, comme histoire.

— Embarrassant, aussi.

Ravi de s'être retiré un poids de la poitrine, Cain but une gorgée de son verre. Il avait craint, dans la journée, d'être oppressé par le souvenir de Clovis. Mais ce n'était pas le cas, et il se sentit libre de parler d'elle et de ce qui était arrivé.

— Et votre vie à vous ? Je monopolise la conversation depuis le début de la soirée, dit-il soudain.

— Ma faute, je vous ai bombardé de questions.

— Parce que je suis flic ? Vous craignez que je ne sois pas à la hauteur ?

Beryl sourit.

— J'aimerais affirmer que non, mais cela ne serait pas honnête.

— Les femmes se soucient de ce genre de chose.

Elle fronça les sourcils.

— Quel genre de femmes ? Les snobs ?

— Notamment. Celles qui attachent de l'importance aux noms de famille et aux grandes universités.

— Eh bien, vous ne me trouverez pas dans le Bottin mondain, mais pour ce qui est des études, Columbia vous convient-il ?

— Parfaitement.

— Chapel Hill n'a pas à rougir.

« Pour une fac du Sud », pensait certainement Beryl, trop polie pour le dire. Elle baissa la tête en riant doucement – une mimique pleine de charme. Elle tendit le bras par-dessus la table et posa sa main sur celle de Cain.

— Vous envisagiez un troisième cycle, paraît-il ?

— Vous êtes bien informée.

— Fedya tenait à se renseigner sur vous. Pour me protéger. Il s'en veut que nous passions cette soirée ensemble, et il a consulté Danziger dès qu'il a su.

— J'ai appris ça.

— Mais Danziger n'a pas soufflé mot en ce qui concerne votre femme et votre fille.

— Peut-être me protège-t-il, lui aussi, jeta Cain, conforté par cette idée.

— Probablement. Mon oncle prétend que vous êtes dans ses petits papiers.

— Le sentiment est réciproque. Et, à propos de se renseigner…

— Je suppose qu'il ne s'est pas étendu sur sa folle jeunesse.

— Il vous en a parlé ?

— Non. Mais Fedya aurait quelques histoires à raconter.

— Du genre ?

De nouveau, Beryl baissa la tête pour dissimuler son sourire. Cain se laissait séduire et ne voyait aucune raison de résister.

— Il serait déplacé de vous les répéter.

— Vous dites sûrement vrai. Mais ne croyez pas que je n'aie pas remarqué : vous ne l'appelez plus Sacha. C'était une imprudence ?

— Vous ignorez tout de sa vie, n'est-ce pas ?

— C'est ce que je commence à soupçonner, je l'admets.

— « Ce que je commence à soupçonner. » Vous vous exprimez comme lui. Il fait cet effet-là à tout le monde. En sa présence, n'avez-vous jamais l'impression d'ouvrir un roman anglais du XIXe siècle ?

— Si, la moitié du temps.

Ils rirent. Beryl redevint sérieuse.

— Je ne veux rien exagérer, mais si vous devez poursuivre quelqu'un qui, comme dirait Danziger, a un passé suffisamment douteux pour devenir menaçant, il vous serait peut-être utile d'en apprendre davantage à son sujet ?

Elle reposa une seconde sa main sur celle de Cain, qui frissonna jusqu'au bout des orteils. À trente-quatre ans, il se comportait comme un gamin à la sortie de l'école, paralysé après un baiser sur la joue.

— Qu'essayez-vous de me faire comprendre ?

Beryl haussa les épaules.

— Je suis dans une position délicate. Je n'ai sûrement pas tous les éléments, seulement quelques légendes que je tiens de Fedya. Mais il doit subsister des traces quelque part, non ? Pour peu que vous sachiez son vrai nom.

— Sacha ?

— C'est le diminutif d'Alexander. Maximilian est son deuxième prénom.

— Il s'appelle vraiment Danziger ?

— Aujourd'hui, oui.

— Parce qu'il a changé de nom ?

— À ce qu'il paraît.

— Légalement ?

— Ce point-là est ambigu. Il a choisi Danziger car une branche de sa famille est originaire de Dantzig, en Prusse-Occidentale.

— Du côté de son père.

— Cela, il vous l'a dit.

— Oui, mais pas son ancien nom. Vous le connaissez ?

Sans répondre, Beryl fit un sourire gêné. Cain n'insista pas. Il était sur le point de passer à autre chose quand elle lâcha :

— Il était question d'une femme, dans le temps.

— Dans le temps ? Pourquoi n'est-elle plus là ?

— Je l'ignore. Il ne s'étend pas là-dessus, même avec mon oncle.

— Et depuis, il serait resté célibataire. Que savez-vous encore ?

— Assez peu. Du moins, rien que je puisse révéler sans appréhension. Mais je souhaite vous aider, parce que... voilà, je n'aimerais pas qu'on vous tende un piège.

— Qu'on nous tende un piège ? Comment ça ? Qui ?

— Ce n'est pas très clair, même d'après le peu d'éléments dont je dispose. Et je donne sûrement l'impression que la situation est plus grave qu'elle ne l'est. Mais je ne m'en remettrais pas s'il lui arrivait quelque chose à cause de moi. Cela ne concerne pas que lui. Vous n'avez pas idée de ce qu'il représente pour tellement de personnes. Des gens vulnérables, vieux, dont l'ancien mode de vie a presque disparu.

— J'imagine bien, au contraire.

— Vraiment ? Il est leur dernier lien avec ce qu'ils ont abandonné. Leur famille, leur histoire. S'il disparaît, tout cela retournera en poussière. Et si, par des paroles malheureuses, je devais détruire ce qu'il a créé...

Elle secoua la tête.

— Qui parle de détruire quoi que ce soit ? Ou de lui faire du mal ? Cela n'est pas mon intention. Il se trouve que je l'aime bien. Même beaucoup.

— Je sais. Cela se voit, et je vous crois sincère. Mais, parfois, lorsqu'on se met à fouiller dans les zones d'ombre... Enfin, vous êtes policier, je ne vous apprends rien. Des choses ressortent de leur cachette, qu'on ne peut dissimuler à nouveau. Et ensuite tout l'édifice s'écroule.

— L'édifice. Le mot qu'il emploierait.

Beryl sourit encore, sans se départir de sa gêne.

— Et je n'aimerais pas qu'il vous entraîne dans une situation impossible, du fait notamment que vous le connaissez si peu. Cela m'inquiète tout autant.

— Quel danger y a-t-il ? Ces gens « dans le coup » dont il m'a parlé ?

Elle hocha la tête et se frotta les bras, comme si elle avait soudain froid.

— Laissez-moi y réfléchir, dit-elle.

— Bien sûr.

Cain brisa l'extrémité d'un long gressin. On leur servit leurs pâtes et une bouteille fraîche d'orvieto. Il entortilla ses spaghettis autour de sa fourchette. Dans le Sud, il n'avait jamais goûté une sauce tomate à l'italienne – épaisse, garnie d'oignons, de poivrons et de foies de poulet hachés. À la table voisine, un homme commanda un clover club – un cocktail –, et Cain s'émerveilla d'être là, en compagnie d'une femme intéressante, dans un restaurant de Manhattan avec ce qui semblait être la moitié de cette ville bruyante.

Le serveur revint remplir leurs verres et ils abordèrent d'autres sujets : leurs enfances, leurs métiers, les quartiers où ils résidaient.

Beryl travaillait pour la Croix-Rouge, dans différents programmes d'aide aux nouveaux immigrés, souvent issus de zones de conflit. Elle accueillait parfois des ressortissants de nations ennemies, qui avaient échappé à la déportation. Elle maîtrisait l'allemand, le russe et avait des notions de polonais, ce qui l'amenait à assister des gens qui avaient énormément souffert et resteraient hantés par de pénibles expériences.

— Cet homme dans le métro, dit-elle, pourquoi lui avez-vous porté secours ?

— Cela fait partie de mon métier.

— Tous vos collègues ne seraient pas de cet avis.

Il y avait là matière à discussion. Cain repensa à Maloney et à l'épisode houleux du Caruso.

— Vous n'avez pas fui non plus.

— Je rencontre aussi des hommes comme lui dans mon travail. Originaires d'un pays que nous haïssons maintenant, avec ce que cela implique. Mon chef croit que j'ai plus de facilité à assister ceux-là.

— Ce n'est pas vrai ?

— Je souhaiterais partir à l'étranger. En Europe, directement au front. Mais je ne suis pas infirmière, et les volontaires ne manquent pas pour ces missions-là, plus prestigieuses. Le chef répète qu'il a davantage besoin de moi ici.

— Je devrais le remercier de vous garder à New York, dit Cain.

Lorsqu'on leur apporta la note, Beryl l'étonna encore en insistant pour payer sa part. Il était à la fois soulagé – l'addition était plus salée qu'il ne s'y attendait – et embarrassé.

— Tout le monde doit participer, affirma-t-elle. C'est comme ça en temps de guerre.

— Oui, mais…

— Il faudra vous habituer à ma façon de faire.

Peut-être pas si difficile, supposa-t-il.

Ils se promenèrent un moment après le dîner. La soirée était belle, douce, une brise printanière soufflait depuis le fleuve, sans apporter son lot habituel de sable et de particules. À l'ouest, les derniers rayons du crépuscule éclairaient la ligne des toits, au-dessus des immeubles plongés dans le noir. Comme toujours, il y avait dehors une foule qui se bousculait, se faufilait partout. Avec Beryl à ses côtés, Cain ne se sentait plus oppressé. Les visages paraissaient ouvrir de nouvelles perspectives. Les voix diffuses semblaient chacune mériter son attention.

— Cet endroit ne cesse de me surprendre, admit-il, stimulé par l'énergie palpable autour d'eux. Le monde entier réuni dans une île. Des gens de toutes origines.

— Même de Horton. Cain sourit.

— Même de Horton.

Beryl prit son bras en souriant, elle aussi. Il n'avait pas eu le cœur aussi léger depuis plus longtemps qu'il ne parvenait à se rappeler. Aurait-elle dû le quitter à l'instant, sa bonne humeur l'aurait accompagné jusqu'au petit matin. Au détour d'une rue, sa jambe se raidit et, par réflexe, Cain porta la main à sa cuisse, pour masser sa longue cicatrice et ses muscles endoloris.

Il tressaillit quand Beryl remarqua :

— Vous boitez légèrement. C'est une des choses qui vous ont amené ici ?

— Oui.

— Il ne faut pas avoir honte. Cela fait de vous un meilleur flic – pardon, un meilleur policier.

— Je doute que le département partage votre opinion.

— Eh bien, il a tort. La douleur, l'humilité… ça vous change un homme. Vous avez tellement de collègues qui ne savent pas ce que c'est. Ça se voit dans leur attitude, leur façon de travailler.

Cain haussa les épaules.

— Je n'ai jamais été du genre acharné, à vouloir arrêter tout le monde.

— Cela n'était sans doute pas nécessaire, là-bas.

— Détrompez-vous. Le samedi soir, il y a de l'animation dans les tavernes au bord des routes. Ou un type qui brutalise sa femme dans sa baraque en bois. Un ivrogne adepte du canon scié et du tord-boyaux maison. Ajoutez quelques copains et voisins excités et vous avez toute la violence du monde. À côté, le Bowery a l'air paisible.

— Peut-être bien.

— Absolument. Où aimeriez-vous aller ?

— N'importe quel endroit au calme.

Cain aurait bien proposé son domicile mais, bien que Beryl ne fût pas femme à respecter les conventions, il craignait de brûler les étapes.

— Il y a un bar tranquille un peu plus loin. Paraît-il qu'il était clandestin pendant la prohibition.

— Pourquoi pas votre appartement ?

Il rougit malgré lui. Le petit garçon couvé, en goguette avec la mangeuse d'hommes.

— OK. Mais je n'ai qu'une bière à vous offrir.

— Ma mère est originaire de Bavière. Elle dirait que vous ne manquez de rien.

Le portier de nuit les accueillit avec une politesse et un sourire inhabituels. Les goûts de Cain en matière de représentantes du beau sexe semblaient lui convenir. Sans doute était-il content pour Cain, qui faisait figure de solitaire dans l'immeuble. Personne ne voulait d'un de ces occupants déprimés qui mettent fin à leurs jours, pendus à un tuyau sous le plafond.

Cain sortit une bière du réfrigérateur et ouvrit une fenêtre. Des gamins jouaient au foot et criaient dans la rue. Quelque part à la radio, la voix de Red Barber informait les supporters des Dodgers que le lanceur Kirby Higbe détenait l'avantage. Le même sentiment inspirait Cain lorsqu'il s'installa sur le canapé et tendit à Beryl une bouteille de Schlitz bien fraîche.

— Vous êtes toujours aussi courtois ? Vous me tenez la porte, vous marchez à ma gauche... C'en est presque obséquieux.

— J'ai été élevé comme ça.

— Le vrai gentleman sudiste.

Ce qu'avait dit Clovis en d'autres temps. Son image s'évanouit aussitôt.

— Avec une certaine timidité, plutôt inattendue.

Cain baissa la tête.

— Je n'avais pas dîné avec une femme depuis longtemps.

— Je suppose.

Beryl lui caressa la joue. Il posa sa bière sur le sol. Ils s'observèrent un instant, les yeux dans les yeux, et s'embrassèrent, légèrement, leurs lèvres s'effleurant à peine. Puis ils se rapprochèrent l'un de l'autre sur le canapé dont les ressorts protestèrent.

Elle n'était pas maquillée. Pas une goutte de parfum, pas une trace de poudre, de crème, de rouge. Ni eyeliner ni mascara. Il aurait dû s'en rendre compte, puisqu'il l'avait étudiée attentivement toute la soirée. Mais ce fut une révélation pendant leurs premières étreintes, joue contre joue, alors qu'il s'emplissait de son odeur : la peau, le savon, rien de plus. À cet instant, Cain se rappela qu'à ce moment particulier, avec Clovis et toutes les femmes qu'il avait connues depuis le lycée, s'étaient toujours mêlées une touche d'eau de Cologne, une trace de cosmétique : les senteurs mêmes de l'excitation sexuelle, aujourd'hui disparues, comme si Beryl avait sauté une étape du mode d'emploi. Une absence qui, très brièvement, l'indisposa. Puis elle le caressa de nouveau, Cain l'attira contre lui, et le charme opéra. La peau, le savon suffisaient bien.

Plus tard, dans son lit, Beryl fut la première à briser le silence, si l'on exceptait Red Barber qui commentait toujours le match de base-ball.

— *Smash sur la troisième. Ça traîne vers la seconde...*

— On a moins traîné qu'eux, dit Beryl en riant.

— Je ne m'y attendais pas.

— Ça n'aurait peut-être pas marché, autrement. Fedya me traite de libertine. Il a sans doute raison. Je suis partisane de l'idée que, entre adultes consentants, il n'est pas nécessaire d'attendre une éternité pour satisfaire ses désirs. Surtout à notre âge.

— Je ne t'ai pas demandé le tien.

— Toujours le gentleman. Trente et un ans.

— Trente-quatre.

— Danziger me l'avait dit.

Ils se serrèrent l'un contre l'autre. Pendant que Barber poursuivait ses commentaires, Beryl glissa une main sur la cuisse de Cain. Ses doigts étaient légers comme un souffle de brise.

— *C'est la foire d'empoigne, maintenant, autour de la troisième base.*

Ils sourirent. Puis quelqu'un éteignit la radio. Il n'y avait plus qu'eux et le bruit distant des klaxons en guise de sérénade. Quand Beryl atteignit la cicatrice sur la cuisse de Cain, il ne broncha pas et elle laissa sa main dessus, chaude, rassurante.

— Dis-moi ce qui s'est passé.

Il répondit sans hésiter. Les mots vinrent plus facilement qu'il ne l'aurait cru.

— Un jour en fin d'après-midi, avec mon collègue Rob, nous sommes allés chercher un suspect. On était prévenus qu'il se terrait dans une vieille bicoque de bootlegger, en bordure d'un champ de tabac. Il y avait du lierre sur les fenêtres et un trou dans le toit. On le connaissait. Tom Strayhorn, un vieux salopard, pas bien dangereux, qui aimait chasser les écureuils, boire tout le week-end sur son skif et pêcher sur la Neuse. Il n'avait jamais causé de problèmes. Sauf qu'il avait tabassé sa femme, quelques jours plus tôt et, ce samedi-là, il avait dévalisé une épicerie. Bref, il était temps de le coffrer.

« Sa voiture était là, embourbée devant une haie. Il l'avait camouflée avec des branchages, comme un affût pour la chasse. Mais il devait être soûl, car c'était mal fait. Nous avons frappé en nous annonçant. Il nous connaissait aussi, donc on ne craignait pas grand-chose. "Entrez", il a dit. Nous avons empoigné nos armes, car c'est le règlement. J'ai ouvert la porte et je suis passé le premier.

Cain s'interrompit en se rappelant le ciel de novembre et l'intérieur sombre. L'eau qui gouttait des poutres tordues. Les mauvaises herbes qui avaient poussé entre les lattes grises du plancher. L'odeur d'eau-de-vie frelatée, de viande avariée dans l'air froid, et Strayhorn qui se marrait, accroupi dans un coin, un gros pistolet à la main comme un appendice incongru.

— Et alors ?

— On est censés faire preuve de retenue. Se préparer à tirer mais permettre au gars de baisser son arme, s'il veut. Mais il a visé Rob et, *bang*, pressé sur la détente en rigolant. J'aurais dû réagir plus vite. Rob est mort sur le coup, une balle en plein cœur. Alors j'ai riposté et Strayhorn a continué, il m'a touché à la jambe. Difficile de se rappeler comment tout s'est enchaîné, qui a tiré d'abord. On a fait un boucan d'enfer dans cette petite cabane, et Rob a troué le plancher en tombant. J'avais son sang partout sur moi.

— Quelle horreur !

— Nous travaillions ensemble et c'était mon plus vieil ami. On s'est connus en première année de fac, dès la première semaine. Il a été mon témoin de mariage. Je lisais dans ses pensées, et lui dans les miennes. Du moins je le croyais. Car, ce matin-là, je venais d'apprendre qu'il avait couché avec ma femme. Clovis me l'avait annoncé au petit déjeuner, en même temps qu'elle avait l'intention de partir.

— Bon Dieu. Je suis désolée.

— Moi aussi, oui.

Cain s'interrompit à nouveau et respira un bon coup. Cet aspect-là n'était pas le moins pénible.

— Il savait que tu savais ?

Cain hocha la tête.

— Je l'avais évité toute la journée, jusqu'à ce qu'on nous envoie chez Strayhorn, et je n'allais pas aborder le sujet. Je n'arrivais pas à le regarder. À peine si on a ouvert la bouche en chemin. C'est peut-être pour ça que j'ai attendu. Avant de tirer, je veux dire. Une question que s'est posée le procureur, aussi, quand on l'a informé du reste.

— Il t'a interrogé ?

— Oui, puisque j'ai tué Strayhorn. J'étais l'unique témoin, les deux autres étant morts. Il était obligé. Ses gars ont tout décortiqué, point par point, plusieurs fois de suite. Mon chef les y a incités. Il ne voulait pas que la ville entière pense qu'il me couvrait, surtout qu'il était au courant, pour Clovis et pour Rob. Tout le monde l'a appris avant moi, d'ailleurs. Cela arrive, parfois, dans les petites villes, on est le dernier au courant. Comme j'étais le seul survivant, tu imagines les racontars. Deux secondes, trois coups de feu, et j'ai perdu mon meilleur ami et ma femme. Ma carrière, ma réputation… je n'avais plus rien. Tout a fini dans le sang, celui de Rob, de Strayhorn, le mien. Tout ce sang qui gouttait entre les lattes du plancher.

— Mais tu as dit toi-même que tu as agi selon les règles ?

— Oui. Pourtant je me demande si je n'ai pas su dès le départ que c'était une erreur. Il suffisait de voir la sale gueule de Strayhorn. Et je suis entré le premier. J'ai quasiment deviné ce qu'il allait faire.

— Il aurait pu te tuer d'abord.

— C'est peut-être ce que je voulais. Qu'est-ce qui est le plus affreux : souhaiter ma mort ou celle de Rob ? J'ai peut-être même cru que Strayhorn allait nous descendre tous les deux.

— Ce serait vrai si tu n'avais pas riposté.

— J'ai réagi instinctivement.

— Et Rob ? Il aurait pu tirer le premier, lui aussi.

— Voilà probablement ce qui m'a sauvé, en fin de compte. Aux yeux du procureur, du moins. Et le fait que Strayhorn était une vieille ordure qui n'a eu que ce qu'il méritait. J'en reviens toujours à ça, pour me rassurer, me dire que je n'aurais pas pu faire mieux.

— Et ?

— Le verdict est suspendu. Sauf pour Clovis, qui ne doute de rien, elle.

— Elle te condamne ?

— Le mot est faible. Elle est devenue à moitié dingue. Clovis a toujours bu, c'était déjà un problème, mais on s'en arrangeait. Elle s'est mise à divaguer du matin au soir. D'un instant à l'autre, elle passait des hurlements aux sanglots, ou alors elle regardait dans le vide. Elle ne finissait plus la moitié de ses phrases. Et la pauvre Olivia, c'était comme si elle n'existait plus pour sa mère. Ça a duré des journées. Mon beau-père a envoyé quelqu'un pour rapatrier sa fille dans le nord de l'État de New York. Il n'a jamais précisé où. Mais il m'a obtenu cet appartement, et une place ici dans la police. Dans l'intérêt d'Olivia, a-t-il dit. Je crois surtout qu'il veut garder un œil sur moi. Sur Olivia aussi, quand elle arrivera.

— Tu ne pouvais pas rester à Horton ?

— À Raleigh, peut-être. J'y ai grandi, ma sœur y vit encore. Mais comment aurais-je gagné ma vie ? Et puis la famille de Rob habite toujours à un bout de la ville. J'ai tant de fois séjourné chez eux, avant les événements. Tous les étés, pendant la fac, c'était presque une deuxième maison pour moi. Non, impossible de retourner là-bas.

— Ils t'ont mis en cause ?

— James, le jeune frère de Rob, s'est enfoncé dans le crâne que tout était ma faute. Il vénérait Rob et il a remué ciel et terre pour me nuire. Il a écrit onze lettres, pas moins, au procureur, pour obtenir mon inculpation. Le procureur n'a pas donné suite, alors James a écrit au ministère de la Justice, en proposant de témoigner contre moi, prêt à raconter des histoires de conspiration qui ne tiennent pas debout.

Cain avait saisi un coin du drap dans son poing droit, qui commençait à trembler. Beryl le porta à sa bouche pour l'embrasser. Il rouvrit sa main, plia et déplia ses doigts plusieurs fois pour les détendre.

— Comment as-tu appris tout ça ?

— Le secrétariat du procureur.

Beryl parut étonnée.

— Pas très réglementaire, je sais, mais eux aussi trouvaient que James déraillait. Raison de plus pour mettre les bouts. Je m'attendais presque à le voir à la gare, quand je suis parti, avec un fusil pour m'achever. Il ne ferait sans doute pas de mal à Olivia, mais bon, je serai plus rassuré lorsqu'elle sera là, même si cela risque d'être dur pour elle.

— Comment est-elle ?

Cain sourit, puis soupira. C'était un soulagement de s'être confié, mais il avait maintenant besoin de ranger ça dans un coin, et penser à sa fille lui facilitait la tâche. Il s'était allongé sur le côté pour parler à Beryl, face à face, et il s'étendit sur le dos pour respirer profondément avant de répondre.

— Elle est adorable. Gentille, curieuse et futée comme pas deux. Elle me manque et je suppose que c'est réciproque. On s'écrit presque tous les jours.

— Est-elle au courant de… ce qui s'est passé ?

— On n'a jamais évoqué devant elle l'affaire de Rob et de Clovis, mais les enfants sont intelligents. Ils ont des oreilles pour entendre, surtout dans une petite ville. Ils voient les journaux, aussi. Pour quelle autre raison sa mère serait-elle devenue folle ? Pourquoi avais-je une blessure à la cuisse ? Elle a sûrement tout compris. Je ne crois pas qu'elle m'en veuille, ou alors elle cache bien son jeu. Mais à son âge, on déguise mal l'amertume et la méfiance.

— Elle sait certainement que tu l'aimes.

— Je l'espère. Moi, je le lui répète dans chacune de mes lettres.

Beryl posa un bras sur la taille de Cain. Ils gardèrent le silence, savourant ce moment de tranquillité, la brise légère qui entrait dans la pièce. Puis elle s'appuya sur un coude et murmura, comme on confie un secret à un amant :

— Dalitz. L'ancien nom de Danziger. Alexander Maximilian Dalitz. Je te le dis car je sais que tu ne lui feras aucun mal. Et ce sera tout, ce soir, en ce qui le concerne.

Pesant ses mots, Cain hocha la tête, reconnaissant. Il embrassa Beryl, trop vite d'abord, puis plus lentement, et l'attira près de lui pour qu'elle le retienne tandis qu'il sombrait dans le sommeil. Pour s'assurer aussi, sans doute, qu'elle soit encore là au réveil.

15

Ils furent réveillés par quelqu'un qui frappait à la porte, doucement d'abord, puis de plus en plus fort. Cain s'assit dans le lit et tâtonna à la recherche de sa montre.

— C'est ton propriétaire, qui t'interdit de recevoir des femmes ? demanda Beryl, encore endormie.

Minuit était passé de quelques minutes. Cain enfila un peignoir et traversa l'appartement, pieds nus, pendant qu'on continuait de tambouriner.

— Une seconde ! J'arrive !

Il ouvrit la porte pour découvrir Sue, sa sœur, fatiguée, énervée, qui tenait une valise dans sa main gauche. À sa droite, accrochée à sa robe de coton blanc froissée, se tenait Olivia, épuisée, dont les yeux s'animèrent lorsqu'elle vit son père.

— Olivia ! Ma chérie !

Cain s'agenouilla pour l'accueillir. Avait-elle grandi de deux ou trois centimètres ? Son visage avait-il changé en l'espace de quelques mois, ou était-ce seulement la fatigue ? Sans rien dire, elle s'élança vers lui et le prit dans ses bras comme si elle avait attendu ce moment toute sa vie.

— Nous t'avons cherché à la gare, jeta Sue, contrariée. Tu n'as pas reçu ma lettre ?

— Non, répondit-il, la voix brisée par l'émotion. Le train a dû arriver plus vite qu'elle. Je n'étais pas au courant.

Le petit corps d'Olivia serré contre lui, il avait envie de sangloter. Gêné, il s'aperçut que son peignoir portait l'odeur de Beryl, de leurs ébats, une odeur qui semblait omniprésente. Sue les contourna, lui et sa fille, pour entrer d'un pas vif dans l'appartement. Ses talons claquèrent sur le plancher. Du coin de l'œil, Cain la surprit qui dressait l'inventaire des lieux, le nez en l'air, les narines épatées, attentive au moindre détail compromettant.

— Tu aurais dû me téléphoner, dit-il doucement, peu disposé à se disputer avec Olivia dans ses bras. Ou envoyer un télégramme. J'aurais eu le temps de me préparer.

— L'argent ne tombe pas du ciel, Woodrow. Nous ne menons pas une vie dissolue comme toi.

Parole de baptiste confirmée.

— Oui, c'est le grand luxe ici. Il n'y a qu'à en juger par les meubles.

Il se demanda si Beryl les entendait, et comment il allait maîtriser la situation.

— Si la poste ne dessert pas New York plus vite que la Southern Railway, je ne vois pas comment l'Oncle Sam espère encore battre Hitler et Tojo.

Cain desserra son étreinte et regarda Olivia dans les yeux. Elle était à moitié endormie.

— Ma chérie, je suis si heureux que tu sois là. Mais l'école ? Tu n'as pas terminé ton année, si ?

En bâillant, elle colla sa tête contre sa poitrine, pendant que Sue fournissait la réponse.

— Sa maîtresse dit qu'en l'absence de son père elle est devenue difficile. Comme quoi il était préférable qu'elle finisse l'année ici. J'ai apporté son dossier scolaire. En clair, elle lui donnait du fil à retordre. Plus personne ne parvient à se faire obéir. Ni elle, ni moi, ni Don. Tu sais à quel point ta fille peut être têtue, une fois qu'elle a décidé une chose. Et elle en cache, des secrets, je t'assure.

Tout cela en présence d'Olivia elle-même, qui paraissait trop fatiguée pour s'en soucier. Ou peut-être avait-elle déjà entendu cette litanie. Cain se redressa et prit sa fille par la main.

— Allons te coucher, ma jolie.

Mais où ? Il avait prévu de lui donner sa chambre lorsqu'elle serait là, et de se procurer un lit pliant qu'il garderait au salon. Pour l'instant, il y avait quelqu'un dans sa chambre et il sentit ses joues s'empourprer. Il jeta un coup d'œil vers le couloir. Visiblement, Beryl ne s'était pas levée. Il eut l'impression que son appartement était un tourbillon d'indices et de coupables dissimulations, susceptibles de le trahir. Il se tourna vers sa sœur qui avait probablement tout deviné.

Sue retourna à la porte prendre sa deuxième valise et ferma derrière elle.

— Je vais ranger tes affaires, Olivia, dit-elle en se dirigeant vers la chambre.

Ses talons frappaient le sol comme le marteau de la justice. Cain la suivit.

— Laisse-moi m'en occuper, Sue.

— Ça ira, affirma-t-elle sèchement en pressant le pas, telle une locomotive lancée à pleine vapeur. Je ne suis plus une enfant, je fais ce que j'ai à faire.

Elle avait donc très bien compris.

Cain renonça à la suivre. Il tenait encore la main d'Olivia quand Sue s'engagea dans le couloir. Il se prépara à une explosion de rage. Mais il entendit simplement quelques chuchotements, puis Beryl apparut dans le salon, tout habillée et, compte tenu des circonstances, étonnamment sereine.

— Je viens de lui dire que je m'en allais, donc je vous souhaite une bonne nuit, murmura-t-elle sans une once de colère ou d'énervement.

Cain se rendit compte qu'elle n'était même pas surprise. Cette fille était décidément formidable.

Avec un sourire chaleureux, il lui tendit sa main libre, mais baissa le bras quand Sue surgit derrière elle, triomphante et prête à éclater comme un orage. Beryl effleura en passant le bras de Cain et s'arrêta devant la porte.

— Je suppose que nous nous reverrons bientôt, dit-elle à l'intention de Cain et Olivia.

— Certainement, répondit Cain. Je te présente Beryl, annonça-t-il à sa fille. Une amie.

— Une amie ! répéta Sue avec un grognement de mépris.

Impassible, Olivia hocha la tête en bâillant. Son calme apparent reflétait sans doute davantage la fatigue que la solidarité, mais il était tout de même plaisant d'afficher un front uni.

À peine Beryl était-elle partie que Cain vit sa sœur sortir une paire de draps propres de la valise d'Olivia, dont elle recouvrit le canapé.

— Papa, je peux me coucher maintenant ?

— Je ne pense pas que ton père ait un lit pour toi, ma belle, alors tu t'installeras ici, répondit Sue à la place de son frère.

Sa gaieté forcée lui faisait une voix de fausset.

212

Cain la rejoignit et retira les draps.

— Je m'en charge. Olivia ira dans mon lit, je vais lui mettre ces draps. Sue, tu gardes le canapé et je dormirai par terre.

Interloquée, Sue prit un air dégoûté en dévisageant son frère. Le message était clair : « Comment ? Tu vas mettre ta fille dans le même lit que cette femme ? »

— Viens, ma chérie, dit Cain en saisissant la main d'Olivia.

Sue croisa les bras tandis qu'ils quittaient le salon.

Il retira les draps sales qu'il roula avant de les jeter dans un coin de la chambre. Olivia l'observait avec de grands yeux. Elle s'avança pour l'aider à refaire le lit, puis leva la tête alors qu'il retapait l'oreiller.

— C'est grand, ici, papa. Je veux dire New York.

— Oui, très grand, ma jolie. Tu t'y habitueras. Tu habites ici, maintenant.

Elle acquiesça, retira ses chaussures et sa robe droite en laine qu'elle fit passer par-dessus sa tête. Cain la borda et, aussitôt allongée, elle s'endormit. Il l'embrassa sur le front. Oui, elle avait grandi de quelques centimètres et elle paraissait plus âgée. Bientôt treize ans. Elle ressemblait encore à une enfant, parce qu'elle était fatiguée, mais demain ? Il éteignit la lumière et retourna au salon, où il retrouva Sue dans la même posture que tout à l'heure – debout, les bras croisés, les lèvres pincées.

— Je comprends pourquoi cette ville te plaît autant. Une catin dans ton lit quand tu en as envie, et pas de famille à proximité.

— Je ne me rappelle pas avoir dit que New York me plaisait. Pour l'instant, je m'en arrange.

— Quelle idée de t'être exilé dans un endroit pareil ! On t'aurait volontiers accueilli chez nous, Don et moi.

— « Aurait » ? Cela n'est plus d'actualité, donc.

— Tu m'as comprise. Et écoutez-moi ça, il parle comme un Yankee[1] ! Tu serais mieux parmi les tiens.

Cain était trop las pour contester.

— Merci d'avoir accompagné Olivia, dit-il en espérant calmer le jeu. Tu as l'air moulue. As-tu faim ?

— Qu'as-tu là-dedans ? demanda Sue en se jetant presque sur le réfrigérateur.

Il aurait volontiers proposé de lui préparer quelque chose, mais mieux valait la laisser faire lorsqu'elle avait décidé de s'approprier une cuisine. En quelques secondes, elle avait réuni l'essentiel. Peu après, des œufs et du bacon grésillaient dans une poêle, le pain était mis à griller et le café passait dans la cafetière en verre.

Cain la regarda manger et ils échangèrent des propos banals au sujet de personnes qu'ils connaissaient, en s'efforçant de rester sur un terrain neutre pour éviter tout nouveau conflit. Au bout d'un instant, il décida de tenter le sort.

— Tu es allée à Horton, récemment ?

Sue se figea, sa fourchette devant sa bouche. Un morceau de blanc d'œuf pendait sous son nez comme un ver accroché à un hameçon.

— Une fois, pour prendre des affaires d'Olivia.

— On jase encore, là-bas ?

— Pire que ça. Personne ne veut même prononcer ton nom. Je suppose que se rappeler tout ça les effraie. Ils ne savaient pas quoi faire devant Olivia. En la voyant, la vieille Mlle Lawing a ouvert de grands yeux, elle avait les mains qui tremblaient. Quand je leur ai appris que tu avais emménagé à New York,

1. Les Américains du Nord.

c'est comme si je leur avais dit que tu t'étais engagé dans l'armée japonaise. Quelle heure est-il ?

Cain consulta sa montre.

— Bientôt deux heures. Tu penses à ton train ?

— Il part à six heures. Je n'ai pas le temps de traîner. Je vais me rafraîchir un peu, me laver le bout du nez. Après quoi, j'aime autant aller attendre à la gare.

Comme auparavant, Sue considéra la pièce d'un air dégoûté. S'ils poursuivaient la discussion, il ne faudrait pas longtemps pour qu'ils recommencent à se disputer comme des chiffonniers. Cain ne chercha pas à retenir sa sœur.

— Laisse-moi au moins t'appeler un taxi. Je le paierai.

Elle hocha la tête, puis se leva pour débarrasser.

Après son départ, il allait s'endormir sur le canapé quand il entendit une petite voix dans la chambre.

— Papa ?

Cain se leva, passa dans l'autre pièce et s'assit à côté du lit. Olivia avait les yeux grands ouverts.

— Qu'est-ce qui ne va pas, ma chérie ?

— J'ai oublié de dire mes prières. Ce n'est pas grave si je les dis maintenant ?

— Mais non. Vas-y.

Elle dressa l'oreiller contre le mur et s'assit. Puis elle joignit les mains et pencha la tête, comme sa mère lui avait appris.

— *Alors que je m'apprête à dormir, je prie le Seigneur de veiller sur mon âme. Si je devais mourir avant de me réveiller, je prie pour qu'il la garde auprès de lui. Qu'il bénisse papa, mon école, ma maîtresse, tante Sue, oncle Don, grand-père et grand-mère, grand-père Euston...*

Elle s'interrompit et regarda son père.

215

— Il peut bénir maman aussi ?

— Bien sûr. Ça lui ferait plaisir.

— Tante Sue ne voulait pas. Elle disait qu'on n'avait pas le droit de bénir une mauvaise femme.

— Ne laisse personne décider de qui on doit bénir ou pas, d'accord ?

— D'accord.

— Et ta maman n'est pas une mauvaise femme.

— Je sais.

De nouveau, Olivia baissa la tête.

— *Et bénissez maman. Amen.*

Elle ferma les yeux bien fort comme pour régler la question une bonne fois pour toutes. Puis elle les rouvrit, détacha ses mains, remit son oreiller en place et s'allongea. Cain remonta la couverture.

— Tu crois que je la reverrai ?

— Ta maman ?

— Oui, dit Olivia d'un air très sérieux.

— Sans doute, mais pas tout de suite. Il faut que j'en parle avec grand-père Euston.

— Et lui, il viendra nous voir ?

— Je suis sûr qu'il voudra te voir. Peut-être pas ici, mais il le fera.

Olivia hocha la tête et referma les yeux. Cain resta encore un instant auprès d'elle, à écouter son souffle. Puis une question lui traversa l'esprit, mais trop tard, elle s'était endormie. Cela n'était pas bien grave non plus. Libéré de toute inquiétude, son visage respirait une innocence et une simplicité qu'il lui envia. Il était soulagé qu'elle n'ait pas voué sa mère aux gémonies. Que ferait-elle, cependant, lorsqu'elle en saurait plus ? Il se demanda quelle version de l'histoire sa tante lui avait livrée. Et ce qu'on avait pu lui raconter d'autre.

« Elle en cache, des secrets », avait dit Sue. Rien d'anormal à son âge. D'ici un an, cela deviendrait probablement une seconde nature. De grands changements attendaient Olivia, dans un futur proche. Elle aurait bientôt ses premières règles, alors ce serait une jeune femme en quête d'indépendance qui s'intéresserait aux garçons. Les filles avaient besoin de leur mère à ce stade, pour les guider et faire leurs armes. Sans quelqu'un pour le conseiller, Cain aurait du mal à remplacer Clovis. Ce n'était pas un mince travail et il n'était pas sûr d'être à la hauteur.

Il pensa à tous ces gamins délurés qu'il croisait dans le quartier, qui jouaient au base-ball et parlementaient au coin des rues. Olivia était si douce, toujours prête à aider les malheureux, à soutenir le petit garçon, atteint de la poliomyélite, qui marchait avec un appareil orthopédique. Elle libérait les lucioles que son amie avait enfermées dans un bocal, quand celle-ci avait le dos tourné. Allait-elle s'adapter ? Quel effet la grande ville produirait-elle sur son jeune caractère ?

Cain poussa un soupir, se leva, regagna le canapé. Il était trop agité pour dormir.

16

Mardi, Cain se réveilla confronté aux changements qui venaient d'affecter sa vie. Il était redevenu père. Un père avec une maîtresse, par-dessus le marché, à moins que l'arrivée d'Olivia n'ait définitivement éloigné Beryl, ce qu'il ne souhaitait pas. Il était encore troublé par les événements de la veille.

Tout s'était passé si vite avec Beryl, presque trop, comparé à ses précédentes aventures. Leur apparente insouciance l'avait séduit – quel bonheur de s'abandonner à nouveau, sans personne dans son dos pour y trouver à redire. Le jour pointait derrière les stores, sa fille était encore endormie, et la situation avait l'air d'un mirage, presque d'une mystification. Oui, il était toujours heureux d'être papa. Cependant, d'une certaine façon, Olivia semblait avoir amené Clovis avec elle.

Il repensa à Beryl, couchée dans son propre appartement – la seule personne à qui il était susceptible de se confier. Mais aurait-elle vraiment envie de l'écouter ? Il n'y avait qu'un moyen de le savoir.

Il décrocha le téléphone et composa son numéro. Une autre locataire répondit, dont la voix se réverbérait dans le hall de l'immeuble. Cain demanda à parler à Beryl. Le combiné fit un bruit sec au bout du fil, Cain entendit des pas et un cri. Et, soudain, Olivia était là devant lui, qui bâillait, pieds nus dans le salon. Elle avait les grands yeux attentifs de sa mère.

— J'ai faim, papa.

Il reposa le téléphone sur son socle au moment où quelqu'un lui parlait.

— Alors on va préparer le petit déjeuner. On a beaucoup à faire, aujourd'hui.

— Je peux avoir des œufs brouillés ?

— Bien sûr. Avec du bacon et des toasts ?

Elle hocha la tête.

— C'est le journal ?

— Oui. Les nouvelles ne sont pas bonnes.

Olivia parcourut les gros titres.

— Où est-ce, Corregidor ?

— Dans l'océan Pacifique. C'est une île des Philippines. Nos soldats sont dans le pétrin, là-bas.

— Et Leningrad ?

— Une ville russe, assiégée par les Allemands. Donne-moi ça.

Inutile de la chiffonner dès le matin avec ces opérations de guerre. Cain jeta un coup d'œil sur la une. L'actualité était déprimante. En France, le nouveau président du Conseil s'était allié avec les nazis. Hitler avait fêté son cinquante-troisième anniversaire sur le front de l'Est, pendant que, dans le New Jersey, les agents du FBI avaient multiplié les descentes – soixante-deux – chez des nazis locaux, pour voir ce qu'ils fomentaient. L'enquête de la marine sur l'incendie du *Normandie* faisait état de « graves négligences, au mépris du bon sens et des règles les plus élémentaires ». Mettant en cause les délais de production, la marine avait également pris les rênes de quatre usines d'aviation, et remarqué que, dans certaines unités de celles-ci, tous les employés étaient des ressortissants de pays ennemis. Cain se demanda ce que penserait Harris Euston de cette décision : un coup porté aux syndicats ? Ou une ingérence indue des autorités ? Partout où l'on regardait se cachaient de minuscules fronts de bataille.

En espérant trouver quelque chose de plus gai pour Olivia, il ouvrit la page des sports, pour un résultat mitigé. Une victoire pour les Dodgers. Une défaite pour les Giants. Les Yankees au repos.

Cain avait appelé le commissariat pour prévenir qu'il serait en retard, en raison d'une urgence familiale. Leur petit déjeuner pris, il sortit faire des courses avec Olivia. Il était maintenant dans la position du New-Yorkais aguerri, censé initier une novice. Les conseils qu'il lui prodigua en hâte s'apparentèrent vite à un manuel de survie en milieu hostile. Marche bien sur le trottoir. Ne parle pas aux inconnus. N'oublie pas notre adresse. Fais connaissance avec les portiers. Va aux toilettes avant de quitter la maison. Ne fixe pas les gens dans le métro. Et ainsi de suite jusqu'au magasin de meubles d'occasion de 14th Street, où Cain acheta un lit pliant et un petit matelas.

Olivia semblait dépassée par les événements, et qui le lui aurait reproché ? D'un carrefour au suivant, elle gardait la tête baissée et serrait fort la main de son père. Peut-être n'était-il pas obligé de la mettre en garde avec tant d'insistance à propos des inconnus. Passé 20th Street, elle lâcha sa main et il fit deux pas avant de se rendre compte qu'elle ne le suivait pas. Affolé, il se retourna et la vit penchée au-dessus d'une grille de métro, en train d'examiner ce qu'elle cachait. La foule s'écartait en deux files autour d'elle.

— Qu'est-ce qu'il y a, ma chérie ?

Elle étudiait les centaines de mégots de cigarettes qui s'étaient accumulés sur un rebord, une vingtaine de centimètres plus bas.

— Regarde, dit-elle. Tu crois qu'on les ramassera, un jour ?

— Je crains qu'ils soient hors d'atteinte, ma jolie.

— Alors pourquoi les gens continuent à les jeter là-dedans ?

— Je ne sais pas. Elle releva les yeux.

— Que c'est sale !

— Il est toujours difficile de nettoyer les grandes villes.

— Alors New York est *vraiment* grande. Tout va de travers, ici.

Cain allait sourire lorsqu'il ressentit une pointe de froid au milieu de son dos, comme si on l'observait. Aussitôt sur ses gardes, il fit volte-face et scruta les visages autour de lui, s'attendant à apercevoir Maloney, ou Linwood Archer, l'assistant du commissaire divisionnaire. Il ne reconnut personne et tout le monde semblait s'occuper de ses affaires. Seul, un épicier se tenait devant sa porte, probablement intrigué par l'air soucieux de Cain. Ce dernier était encore en alerte, comme si l'on avait pressé un bouton dans son dos pour sonner l'alarme.

— Qu'est-ce qui ne va pas ?

— Rien, ma jolie. Donne-moi la main.

Il se rappela que sa fille n'était pas là pour un court séjour, mais qu'elle s'installait chez lui – deux fois plus de responsabilités, trois fois plus de risques. Peut-être était-ce la cause de ce brusque accès de trouille. Quoi qu'il en soit, il se retourna une fois encore et ne put réprimer un court frisson en constatant que tout paraissait normal.

— Qu'est-ce que tu regardes ?

— Les gens.

— Eh bien, ça ne manque pas.

Cain sourit.

— Tu l'as dit. Allez, on rentre.

Lorsqu'ils regagnèrent l'appartement de 25th Street, une femme mal habillée les attendait dans le hall d'entrée, assise sur une chaise pliante que lui avait prêtée Tom, le portier de jour. Elle se leva, l'air hésitant, tandis que Tom fournit l'explication.

— Monsieur Cain, c'est Eileen que M. Euston vous envoie pour vous assister.

Il lui tendit un papier plié, portant l'en-tête de Willett & Reed, sur lequel était tapé à la machine un message du beau-père. Cain le lut pendant qu'Eileen clignait nerveusement des paupières.

> *Woodrow,*
>
> *Ce petit mot pour vous présenter Eileen O'Casey, qui est à votre service. Elle bénéficie d'excellentes recommandations et, comme ses horaires sont flexibles, je pense qu'elle conviendra. Je souhaite recevoir la visite d'Olivia dans les meilleurs délais, et peut-être vaut-il mieux qu'Eileen se charge de me l'amener.*
>
> *Que jamais l'on ne m'accuse de manquer de parole ni de me dérober à mes obligations. J'en attends autant de vous.*
>
> *Harris*

Cain replia la lettre et la rangea dans sa poche. Il s'éclaircit la voix, tenta de recouvrir sa colère d'un voile de gratitude avant d'adresser la parole à cette nouvelle venue qui, désormais, passerait sans doute plus de temps en compagnie d'Olivia que lui-même. Il se demanda comment Euston avait eu vent de son arrivée. Tom, peut-être, ou son collègue de la nuit. Voilà ce qu'on risquait lorsqu'on laissait son beau-père organiser les choses à sa place.

— Je m'appelle Woodrow Cain, madame O'Casey. Ravi de faire votre connaissance. Et voici ma fille, Olivia.

Eileen avait un air pincé, mais son visage s'éclaira d'un large sourire lorsqu'elle se tourna vers Olivia qui, sans esquisser de mouvement de recul, ne s'avança pas non plus. Pourquoi l'aurait-elle fait ? En l'espace de douze heures, elle avait quitté sa tante pour son père qui la confiait maintenant à cette femme.

— M. Euston précise qu'il réglera mon salaire, donc vous êtes tranquille de ce côté-là, déclara-t-elle.

Voilà donc qu'on envoyait à Cain une nouvelle espionne. Il devait pourtant admettre qu'elle tombait on ne peut mieux.

— Bienvenue, lui dit-il.

Puis, à l'adresse de sa fille :

— Olivia, il faut témoigner à Mlle Eileen les mêmes égards et le même respect qu'à ton papa.

Il espéra ne commettre aucun impair. Entraîné malgré lui en territoire étranger, il avait désespérément besoin d'une carte et d'un interprète.

— D'accord, ma chérie ?

Olivia hocha gravement la tête. On pouvait lire dans ses yeux que cette journée venait de prendre la pire des tournures et il en eut un coup au cœur. À peine arrivée en ville et déjà à la merci de tous ces inconnus. Cain savait ce qu'elle ressentait.

— Cela veut dire que tante Sue revient pas ?

— *Ne* revient *pas*, ma belle. À cette heure, elle doit être dans le train pour Raleigh.

Il les accompagna à l'étage et personne ne dit un mot tandis qu'ils gravissaient les marches en file indienne. Lorsqu'il eut tranquillement refermé sa porte, il noua sa cravate, se munit de son bloc et il se préparait à ressortir quand le téléphone sonna. Beryl, peut-être ? Était-ce sa voix qu'il avait entendue, plus tôt ce matin, lorsqu'il avait raccroché ?

C'était Mulhearn.

— Il paraît que vous arrangez tout seul vos horaires, maintenant, citizen Cain ? On n'en fait qu'à sa tête ? Dans ce cas, vous ne manquez pas d'estomac, mais je peux encore vous foutre mon pied au cul.

— Ma sœur m'a amené ma fille au milieu de la nuit, capitaine. Je n'étais pas prévenu et il a fallu que j'avise. J'étais sur le point de partir. Je suis là dans une demi-heure et je rattraperai ça demain.

— Pas si vite. J'ai une petite course à vous confier en chemin, puisque vous avez encore besoin de vous racheter, apparemment. Vous avez eu raison de ne pas vous engager dans l'armée, vous passeriez votre temps à éplucher les patates et à creuser les latrines. Bon, vous l'avez sous la main, votre fichu carnet ?

— Oui, capitaine.

— J'ai cinq noms pour vous. Vous allez me les porter au Service de l'identité judiciaire, juste à côté du quartier général. On a besoin de leurs empreintes et de leur casier judiciaire. Ces mecs, là-bas, sont des emmerdeurs de première, alors vous êtes l'homme de la situation. Pigé ?

— Pigé.

Mulhearn épela les cinq noms que Cain nota soigneusement. Voilà qui le retiendrait la plus grande partie de l'après-midi, alors qu'il espérait reprendre contact avec Danziger, de préférence chez lui, aussi loin que possible de Mulhearn. Cain se dérida un peu en découvrant que le cinquième individu n'était autre qu'Albert Kannerman, l'escroc qui, grâce au tuyau de Danziger, avait été pincé la veille par l'équipe de nuit à l'adresse que Cain avait transmise – ce qui devrait lui valoir un minimum de reconnaissance.

— Vous avez tout ?

— Oui, capitaine.

Il allait raccrocher quand Mulhearn ajouta :

— Ah, à propos du quartier général. Un gratte-papier dénommé Archer est passé vous voir au commissariat. Comme quoi la compta a encore des questions à vous poser. Mais vous avez son numéro. Rien ne presse, à moins que vous ne pensiez qu'un travail bâclé comme le vôtre mérite d'être payé.

Il coupa brutalement en éclatant de rire.

Linwood Archer cherchait donc Cain. Mulhearn croyait-il vraiment qu'Archer était attaché à la compta ? Ou savait-il maintenant que le divisionnaire avait confié à Cain une mission peu recommandable ? De mauvaises nouvelles, dans un cas comme dans l'autre. Sans doute Archer voulait-il faire comprendre à Cain qu'il attendait des résultats. Cain se rappela l'impression qu'il avait eue, dans la rue, d'être surveillé. Était-ce Archer, ou un de ses sous-fifres ? Il faudrait qu'il retourne dans la 95 aussi vite que possible.

— Papa ?

— Oui, ma chérie.

— Est-ce qu'elle peut m'emmener au square, Mlle Eileen ? demanda Olivia.

Il regarda sa petite tête triste, son air insatisfait, et l'imagina sur une balançoire ou en train de grimper dans une cage à écureuil. Cette idée l'épouvanta. Mais l'impatience et l'ennui se lisaient dans ses yeux. Une gamine pleine de vie, obligée de rester enfermée par une belle journée d'avril, avec cette imposante gardienne qui sentait l'eau de rose et la lessive…

— Oui. Mais sois prudente.

Cain se baissa, la serra un instant contre lui et lui baisa le front. Puis il s'en alla faire ce qu'on lui avait ordonné.

17

Minutieux et diligent, le Service de l'identité judiciaire était le summum de l'archivage. Fiches, photographies, procès-verbaux d'arrestation et assignations y racontaient mille histoires, sans oublier les études balistiques et le classement des modes opératoires. Son odeur de renfermé et son silence religieux donnaient l'impression d'une bibliothèque, où étaient répertoriées des décennies de crimes et des générations de malfaiteurs.

À Horton, obtenir des informations sur des criminels pouvait prendre des journées, voire des semaines, et il n'y avait pas de renvois entre les juridictions. Ici, on réunissait tous les renseignements utiles dans un endroit unique et, chaque année, le département de la police publiait de volumineux rapports statistiques sur l'activité criminelle à New York, pleins de tableaux, de chiffres et de totaux qui n'en finissaient pas. Combien de personnes âgées de trente et un à trente-cinq ans avaient été arrêtées, l'an passé, pour agression à l'arme blanche ? Deux cent quatre-vingt-deux. Et dans la tranche des seize-vingt ans, combien de vols sur une victime endormie ou en état d'ébriété ? Six.

Mieux encore, tel un restaurant ouvert vingt-quatre heures sur vingt-quatre, le Service était toujours à votre disposition.

Impressionnant.

Pourtant, comme lorsqu'il avait mangé devant le distributeur automatique, Cain fut légèrement troublé par tant d'efficacité. Si cela devait continuer, on serait en mesure de savoir pratiquement tout sur n'importe qui, en levant à peine le petit doigt.

— C'que vous voulez ? demanda le flic au comptoir.

Cain montra son insigne et soumit sa liste.

L'homme lui tendit un formulaire.

— Remplissez-moi ça. Hum, oui, inspecteur Cain. Et de quel district, je vous prie ?

Il ricana.

— En général, Mulhearn nous envoie des jeunots de la patrouille radio. Vous ne devez pas être en odeur de sainteté, là-bas.

Cain mit un doigt sous son nez en faisant la grimace, puis il sourit.

— Alors, ces cinq noms et c'est tout ?

Cain allait confirmer quand une idée lui traversa l'esprit.

— Non, encore un. J'ai failli oublier.

Il ajouta un sixième nom. Le flic hocha la tête et lut à haute voix :

— Alexander Maximilian Dalitz. Très bien. J'aurai tout ça dans une heure ou deux. Vous voulez attendre ou vous repassez ? Vos collègues en profitent pour manger un morceau, la plupart du temps.

Il se pencha par-dessus le comptoir et poursuivit à voix basse :

— Au coin de la rue, quelle que soit l'heure, Clancy fait demi-tarif à tous les estimés membres de la police.

— Je vais attendre ici.

— Comme vous voudrez.

Au bout d'une heure, mort d'ennui, Cain finit par aller boire un café. Un nickel plus tard et la langue brûlée, il trouva en revenant une pile de dossiers sur le comptoir, coiffée de son formulaire. Le flic avait disparu quelque part.

Cain compta rapidement les dossiers. Il y en avait cinq – concernant les cinq individus cités par Mulhearn –, mais rien au sujet de Dalitz. Il poussa un soupir, surpris d'être aussi soulagé. Cette affaire de « passé suffisamment douteux pour devenir menaçant » n'était donc que du blabla, des légendes de vieux bonshommes qui fabulaient sur leur jeunesse. Ou peut-être Danziger avait-il commis ses méfaits, quels qu'ils fussent, avec assez d'habileté pour n'être jamais inquiété. En tout état de cause, Cain se sentit dix fois plus léger qu'en arrivant. Il se mit à siffloter en signant au bas du formulaire pour confirmer qu'il avait obtenu ce qu'il cherchait. Le flic qui l'avait accueilli l'entendit et repassa la porte au fond de la salle.

— J'avais deviné que c'était vous, dit-il. Mais ne croyez pas que je vous embrouille, il va me falloir quelques jours pour récupérer le dossier de ce Dalitz.

Cain ravala son sourire.

— Il a un dossier ?

— Vous me l'avez demandé, non ?

— Si, si, bien sûr.

— C'est que… Eh bien, il est au frais depuis un moment, celui-là, compte tenu de son état.

— Son état ?

— Décédé. En 28. Vous le saviez ?

— Oui, oui.

Le soulagement se transforma en boule dans l'estomac, qui s'agglutina au café trop chaud.

— Les affaires classées atterrissent dans un trou aux Archives municipales. Et pour les remuer, là-bas, quand on a besoin de quelque chose, il faut se lever tôt. Si je vous donnais un coup de fil quand le cadavre sera remonté à la surface, pour ainsi dire ?

— Oui, parfait.

Cain retrouva la lumière du jour. Mort en 1928, l'année où Danziger avait pris un taxi pour la dernière fois, du moins jusqu'à celui du week-end dernier. Pour se rendre à un enterrement, avait-il précisé. Le sien ? Cet homme avait tout du sorcier, mais cela ferait quand même un sacré tour de magie. Ou peut-être s'agissait-il d'une erreur d'écriture, d'un document mal rangé dans cette ville qui semblait parfois se réduire à une montagne de paperasse, avec un formulaire à remplir à chaque coin de rue. Par ailleurs, c'était une chose de contrefaire sa mort, mais de là à résider ensuite dans le même quartier sans que personne ne remarque rien... Pour mener une nouvelle vie, quatorze ans durant, près de l'endroit où la précédente était censée avoir pris fin ? Danziger était ingénieux, certes, mais sans doute pas à ce point.

Cain disposait cependant d'un nom – Dalitz – et d'une information nouvelle – sa mort. Il se promit de les lui soumettre, l'un et l'autre, si possible avant la fin de la journée. Il serait obligé de demander à Mlle Eileen de rester plus tard ce soir, le premier qu'Olivia passait dans la grande ville. La petite avait raison. À New York, tout allait de travers.

Cain soupira, cala les dossiers sous son bras et se fondit dans la foule.

18

DANZIGER

Il me cherche, là-dehors. Ou plutôt cherche-t-il à savoir qui j'ai été. Mon intuition me le dit, de la même façon qu'elle me signalait jadis toute forme de danger avant même qu'il ne se manifeste. Appelons cela un sixième sens, toujours en alerte à partir du moment où, ne serait-ce qu'une fois, vous avez baissé la garde pour en subir les pénibles conséquences. Le fait que cet indiscret soit relativement inoffensif me rassure cependant. M. Cain, j'en suis sûr, n'a aucune intention de me nuire. Il s'entêtera au point d'être importun, mais son enquête découle de sa curiosité et d'un sens du devoir mal placé. Nulle malveillance à lui reprocher. C'est plutôt son inexpérience qui m'inquiète ; et l'éventualité que sa quête désinvolte d'informations à mon sujet l'amène malgré lui à dévoiler trop de choses à des yeux gourmands par-delà mes murs.

La coupable est certainement Beryl. Fedya m'a rapporté, cet après-midi, que la pauvre fille, dans un moment de faiblesse – la chair est faible, n'est-ce pas –, a divulgué mon ancien nom à M. Cain. Ce qui démontre, s'il le fallait, qu'en matière de secrets, une personne de plus est une personne de trop. Mais je ne l'accablerai pas. Beryl est une bonne fille. Je parle d'une *fille*, alors qu'à trente et un ans, elle a largement dépassé l'âge de se marier, c'est pourquoi, sans doute, M. Cain et elle ont tout pour s'entendre. Ajoutez une dose de privation à une dose de désir, et vous avez le sérum de vérité des solitaires. Aucun autre secret ne sera garanti tant que l'amour leur fera tourner la tête.

Je ne peux nier que cette situation exige de moi des précautions extrêmes. Lorsque je reverrai M. Cain, il aura certainement du nouveau à me confier et, par conséquent, de nouvelles questions à poser. Pour l'instant, il conviendra d'éluder, de déformer, d'infléchir ; pour son bien comme pour le mien. Car le temps est venu de l'entraîner aux alentours d'un monde où je vécus naguère.

Vous me demanderez, non sans raison, pourquoi encourir de tels risques au nom de deux Allemands aux sympathies nazies, aujourd'hui morts ? Je vous répondrai : instinct de conservation. Une sombre cabale semble être à l'origine des récents événements et, si la crainte et le soupçon ont poussé ses initiateurs à réduire au silence Hansch et Schaller, alors peut-être aussi s'en prendra-t-on à moi. Sans aucun doute, Lorenz, bâillonné d'une autre manière, a dû révéler mon nom, puisque c'est lui qui a conduit ces deux hommes à ma porte.

Sans mon aide et mes conseils, M. Cain n'atteindra pas le cœur des choses. Je maîtrise les codes de ces gens. Je parle leur langue, au sens propre comme au figuré. Sans moi, il ne saura pas interpréter des données et des signes essentiels, ce qui nous mènerait au désastre.

Dans son intérêt et dans le mien, il me faut renouer avec mes habitudes d'antan. Je dois rétablir des contacts avec des personnes dangereuses et, par la même occasion, implorer le pardon de cette divinité qui m'a sauvé la vie jusqu'à présent. Car j'avoue être séduit par l'idée de retrouver, en bon voyeur, les plaisirs et les excitations qui ont autrefois guidé mes pas et failli signer mon arrêt de mort.

19

L'après-midi venu, Mulhearn fit en sorte que Cain n'ait pas une seconde pour réfléchir à ce qu'il venait d'apprendre sur Danziger. Il ne serait pas question non plus de lui rendre une courte visite. Une fois encore, le capitaine déposa un épais dossier sur son bureau.

— Au boulot, citizen. Vous êtes de service civil, aujourd'hui.

La défense civile, DC comme disaient les flics, avait pour mission, en temps de guerre, d'organiser les civils qui s'étaient portés volontaires pour servir de sauveteurs pendant les bombardements, ou d'auxiliaires de police pour seconder celle-ci lorsqu'elle avait besoin d'effectifs supplémentaires, notamment pendant les défilés, les émeutes ou les grandes manifestations.

Pour commencer, Cain était chargé de vérifier une rumeur selon laquelle deux espèces de bons à rien, domiciliés dans 37th Street, avaient soumis leur candidature à la DC dans l'intention de dévaliser tranquillement les boutiques pendant les black-out. Cinq coups de téléphone et un aller et retour rapide au bureau de recrutement le plus proche permirent d'établir que les deux hommes étaient partis en camp d'entraînement militaire, quelques semaines plus tôt, et n'avaient jamais postulé à un emploi civil. Cain fut cependant obligé de taper un rapport détaillé, l'accusation provenant d'un New-Yorkais zélé qui avait écrit à Edgar Hoover, le directeur du FBI, lequel l'avait transmise au maire LaGuardia, qui l'avait ensuite adressée à Valentine.

« À étudier soigneusement et complètement », avait écrit le divisionnaire sur une feuille volante. « Voilà comment on résiste au pouvoir politique », pensa Cain avec une pointe d'ironie. Le fait que la feuille ait atterri sur son bureau n'en manquait pas non plus. Il résista à l'impulsion d'envoyer un commentaire discret à Linwood Archer.

L'autre tâche qu'on lui avait attribuée se révéla beaucoup plus agréable : il devait inscrire six nouvelles recrues – féminines – de la défense civile, dont la présence égaya le commissariat. Les commentaires fusèrent lorsqu'il les conduisit au rez-de-chaussée afin de prendre leurs empreintes. De retour de leurs rondes, plusieurs agents s'en donnèrent à cœur joie.

— Pas de mains baladeuses, citizen Cain.

— Bah, il va faire ça les doigts dans le nez, l'inspecteur.

— Dans le nez, tu crois ?

Quelques-unes de ces femmes commencèrent à rougir. Cain ne se laissa pas démonter. Les policiers de Horton n'auraient pas réagi différemment que ceux de New York. Les seules femmes qu'on voyait jamais au commissariat étaient, soit des filles en civil qui travaillaient dans les bureaux à l'étage, soit des grandes gueules du Tenderloin qui venaient d'être arrêtées, soit les victimes affolées d'une agression. L'ensemble du travail administratif était ici dévolu aux hommes, et la présence de ces six jeunes femmes bien intentionnées, dans leurs uniformes soignés de la DC, ne pouvait qu'agiter les esprits.

Deux fois, il dut chasser des agents un peu trop curieux, cependant l'intérêt suscité par ces dames lui donna une idée qu'il se promit de mettre en œuvre dès qu'il en aurait fini avec les empreintes. Il mena le petit groupe au bureau surélevé de Romo dans le hall d'entrée, à qui il chuchota, comme s'il tramait un complot :

— Vous avez une minute, sergent ?

— Pour votre charmante escorte, j'ai même toute la journée.

— Ces dames seraient ravies qu'on les raccompagne en haut pendant que je vais aux gogues. Je ne voudrais pas qu'il leur arrive du mal pendant que je m'absente, si vous voyez ce que je veux dire.

— Parfaitement, jeune homme !

Romo descendit de son estrade et, d'un pas sautillant, guida les recrues de la DC vers l'escalier. Tout le monde les regarda passer, à l'exception de Cain qui glissa une main sous le bureau pour s'emparer du trousseau de clés. Celle de la pièce 95 était correctement étiquetée. Il la détacha, l'empocha et raccrocha le trousseau au moment où la dernière des six femmes disparaissait en haut des marches, dans un concert de sifflements admiratifs. Cain ne risquait rien à condition que personne n'ait besoin des clés avant le changement d'équipes. Il avait une heure devant lui pour faire faire un double, et il s'inquiéterait plus tard de savoir comment remettre l'originale à sa place.

Lorsqu'il eut terminé de remplir la paperasse des recrues, il les suivit au-dehors et se dirigea vers la quincaillerie la plus proche. L'employé n'avait pas l'habitude de voir un flic demander une copie de ce qui semblait être une clé de service. Il fronça les sourcils d'un air hésitant, mais Cain lui offrit un dollar en expliquant :

— Ma faute. J'avais un double que j'ai perdu et j'aimerais mieux que le lieutenant n'en sache rien.

— Compris.

Cain avait déjà en tête un plan pour remettre la première clé sur le trousseau. En sortant de la quincaillerie, il se rendit aussitôt chez Logan, une taverne dans laquelle plusieurs de ses collègues s'arrêtaient toujours après le service. Le barman ne rechignait pas à honorer certaines fantaisies des messieurs de la police. Cain avait eu le temps de se familiariser avec les tactiques employées. Il s'assit au comptoir. Dans dix minutes, l'équipe de jour déboulerait comme un seul homme et il n'y aurait plus un tabouret de libre. Mais, pour l'instant, l'établissement était pratiquement désert.

— J'ai une commande pour le *lieute* de ce soir, dit-il en utilisant l'argot maison. Il aimerait bien une petite *flûte*.

Le barman se pencha pour saisir une canette vide d'Orange Crush – Cain se demanda ce que Zharkov buvait réellement, la veille –, dans laquelle il versa quelques doses d'Old Bushmills.

Cain allait ouvrir son portefeuille quand, d'un geste, le barman l'en dissuada et déclara :

— Mes compliments au lieute.

De retour au commissariat, Cain respecta la procédure établie. Walker, le sergent de permanence pour la nuit, un type maigre et sympathique, était en train de s'installer à l'accueil.

— Une flûte pour le lieute, annonça Cain à voix basse. Qu'il n'ait pas le gosier trop sec, cette nuit.

Les yeux de Walker s'éclairèrent.

— Mais en voilà, un homme bien éduqué ! Vous êtes l'inspecteur Cain, c'est ça, le nouveau ?

— Oui, sergent.

— Très bien. Le lieute n'oubliera pas de prier pour vous. Et moi non plus.

Il fit un clin d'œil à Cain et versa une mesure de whisky dans sa tasse de café.

— Les frais de portage, expliqua-t-il avant d'aller livrer sa flûte au lieutenant.

Cain vérifia qu'on ne le regardait pas et saisit l'occasion. Il décrocha le trousseau de clés, replaça celle de la 95, puis regagna son bureau où il lui restait quelques papiers à remplir. Il quitta le commissariat peu après avec deux objectifs, et, une heure plus tard, il arrivait à Rivington Street chez Danziger.

Cette fois, il entra sans frapper. Danziger le dévisagea d'un air contrarié.

— Je suis avec une cliente, lâcha-t-il, irrité. Ma dernière, aujourd'hui.

Il se retourna vers une femme corpulente, vêtue de noir, assise sur le fauteuil en face du sien.

— Veuillez m'excuser, madame Hartstein. Nous pouvons continuer sans crainte d'être entendus. Ce monsieur mal élevé ne parle ni ne comprend l'allemand, je vous l'assure. Je peux lui demander d'attendre dehors, si vous le souhaitez.

Elle observa un instant Cain, qui fit un sourire penaud, comme lorsque sa grand-mère le surprenait en train de se lécher les doigts devant le gâteau au caramel sorti du four.

— Inutile, dit-elle en anglais. J'ai presque fini.

— Fort bien. Veuillez ne pas nous interrompre, ajouta Danziger, cassant, à l'adresse de Cain.

Celui-ci dut constater qu'elle n'avait pas réellement terminé. Cette dame avait encore des questions importantes à traiter. Danziger prenait rapidement des notes tandis qu'elle s'exprimait en allemand à voix basse, sur un ton pressant, avec des gestes des deux mains. Lorsqu'elle s'interrompit, il hocha gravement la tête et retira d'une enveloppe une feuille pliée de papier pelure. Mme Hartstein l'écouta attentivement, tête baissée, tandis qu'il lui en faisait la lecture, en allemand toujours. Elle l'arrêta soudain en posant une main sur son bras, puis elle sortit un mouchoir bordé de dentelle de son grand sac à main et essuya ses paupières. Danziger termina sa lecture et, lorsqu'il se tut, ce fut comme s'il avait annoncé la mort de quelqu'un. Il s'ensuivit un instant de silence. Danziger replia lentement sa feuille et la rangea dans l'enveloppe. Il alla glisser celle-ci dans un des casiers au fond de la pièce, presque à l'extrémité de la rangée supérieure. Sa cliente poussa un profond soupir. Lorsqu'il la reconduisit, ils n'accordèrent pas un regard à Cain en passant devant lui. Mme Hartstein avait les yeux perdus dans un monde désolé au bout des mers.

Danziger aida sa cliente à franchir le seuil, vers le bruit et la poussière de la rue.

— Je la raccompagne chez elle. Le moins que je puisse faire, dans ces circonstances. Attendez encore un moment, pria-t-il Cain, assis sur la bergère.

— Bien sûr.

La porte se referma.

En trente secondes, Cain vit sa curiosité l'emporter sur sa bonne éducation. Il se leva discrètement, sachant qu'il avait tort. D'abord, il inspecta les tiroirs du bureau. Le plus grand était fermé à clé. Les autres contenaient toutes sortes de documents – factures, listes, bouts de papier sur lesquels étaient griffonnés divers noms et numéros qui ne lui dirent rien. Sur le bureau lui-même se trouvait un gros livre écorné, ouvert en son milieu : *American Letter Writer and Speller, English and Yiddish*[1] : un ouvrage de référence publié par un certain Harkavy, imprimé quarante ans plus tôt par la Hebrew Publishing Co., à New York.

Cain aperçut une petite photographie ovale, de la taille d'une pièce de un dollar, encadrée et cachée par une pile de lettres récentes. C'était le portrait terni d'une jeune femme, belle et sévère, avec des cheveux noirs et un col montant boutonné jusqu'en haut. Il la retourna, au cas où une date serait inscrite, mais seul était mentionné le nom d'un photographe new-yorkais. Il s'appliqua à la replacer au même endroit.

Il étudia les deux centaines de casiers au mur, qui, comme auparavant, abritaient tous quelque chose. Impressionnant, bien sûr, mais après examen, il se rendit compte qu'un grand nombre d'enveloppes et de feuilles jaunissaient, que leurs bords se recourbaient, que l'encre s'effaçait.

Avec soin, il préleva une lettre et la déplia. Elle datait d'octobre 1932. Dix ans avaient passé. Le papier pelure, desséché, se craquelait presque. Trois autres enveloppes dans le même casier portaient un cachet de la poste antérieur à 1931.

Qui étaient ces gens ? Où le destin les avait-il menés ? Certains étaient-ils morts ? Si c'était le cas,

---

1. Précis de correspondance américaine, en anglais et yiddish.

pourquoi Danziger conservait-il leur correspondance, lui qui tenait tant à effacer leur histoire de sa mémoire ? À ce qu'il prétendait, toutefois.

Cain rangea le tout avec mille précautions. Ces casiers lui firent l'effet d'un monde révolu. La porte grinça légèrement dans son dos. Gêné, il rougit et attendit de reprendre une contenance avant de regarder Danziger en face. Les bras croisés, le vieil homme l'observa depuis l'entrée. Tandis que la porte se refermait lentement derrière lui, un trait de lumière éclaira ses cheveux blancs et sa peau pâle, lui donnant l'apparence d'un ange vengeur. Pourtant il ne semblait pas en colère, et encore moins surpris.

— Vous ne trouverez pas ça ici, déclara-t-il. Pas dans ce bureau.

— Trouver quoi ?

— Des traces de ma vie précédente.

Cain fut tenté de lui demander qui était la jeune femme de la photo, mais quelque chose dans son expression l'en dissuada.

— Cela revient à admettre que vous en avez eu une.

— Une ? Si je sais compter, j'en ai eu au moins trois. Nous avons tous plusieurs vies, ne croyez-vous pas ? Mon enfance, d'abord, heureuse bien que pauvre, dans une ville dont plus personne ne se souvient. Perdue à tous égards, si l'on se fie aux actualités. Puis un long voyage vers l'Amérique, où New York a trop vite fait de moi un orphelin. Après quoi, je me suis instruit tout seul, pour m'élever dans la société… Toute une époque. C'est celle-ci qui vous intéresse, n'est-ce pas ? Dont vous cherchez des traces. Mais, je vous le répète, vous n'en trouverez pas ici.

— Ni à l'identité judiciaire, apparemment.

Cain préféra ne pas mentionner sa requête qui était en train de transiter vers les Archives municipales.

— Ils affirment que vous êtes mort. Ou plus exactement qu'Alexander Maximilian Dalitz est décédé en 1928.

Danziger tressaillit malgré lui et Cain le remarqua.

— Il est mort pour une bonne raison. Plusieurs bonnes raisons. Mais ne dénigrons pas les morts. Je vous suggère plutôt de considérer ces lettres que vous étiez en train de déplacer. Regardez-les bien.

Cain s'exécuta.

— Maintenant dites-moi ce que vous voyez.

— Du courrier, assez vieux pour une bonne part.

— Non, non. Ce sont des vies que vous voyez. Des vies qui dépendent de la mienne. Et, oui, j'ai favorisé cette dépendance, pour satisfaire, peut-être, le besoin de me sentir digne et précieux. Le résultat est le même. Et à présent, en continuant de farfouiller comme vous le faites, vous vous proposez de me réduire à néant, de m'abîmer, à tout le moins de discréditer la position que j'occupe. Dans ce cas, poursuivez, si vous ne savez vous comporter autrement qu'en policier avec son manuel de procédure. Mais avez-vous bien mesuré les conséquences de vos actes ? Comprenez-vous ce que cela signifierait pour tous ces gens ? demanda Danziger avec un grand geste du bras. Êtes-vous prêt à en porter le poids ? Mme Hartstein, par exemple, que vous avez croisée tout à l'heure. Voulez-vous savoir ce qu'elle m'a révélé ?

— Cela n'est pas confidentiel ?

— Ne soyez pas impudent. Écoutez seulement, pour changer. Il y a quatre mois, elle a reçu une lettre de sa sœur à Hambourg. Sa famille entière se tenait cachée, cependant la police, qui cherchait les juifs, frappait à toutes les portes. Selon la rumeur, ce sont des foules de juifs qu'on escorte à la gare où on les fait monter dans des wagons. Des wagons à bestiaux, monsieur Cain, pas des voitures de voyageurs. Des trains qui partent ensuite vers l'est.

« Pendant les quatre mois suivants, Mme Hartstein n'a pas eu de nouvelles. Pas un mot de personne. Elle craignait le pire, tout en espérant que sa famille était maintenant logée ailleurs, un endroit depuis lequel il valait mieux ne pas envoyer de courrier, même en le remettant à des intermédiaires dignes de confiance. Jusqu'à aujourd'hui, quand elle m'a rendu visite avec une lettre d'un vieux voisin, un goy bienveillant qui, la semaine précédente, avait vu les biens de sa famille dans une brocante. Les meubles, les bijoux, l'argenterie, les candélabres. Même leurs *vêtements*, monsieur Cain, leurs culottes, tricots de peau, soigneusement repassés et pliés sur les étagères ou suspendus aux tringles de cette épouvantable boutique. Chaque parcelle de leur vie. Comme je l'ai rapporté à cette dame avec tristesse, cela n'est pas un cas isolé, loin de là, et les seules conclusions qui s'imposent sont fort inquiétantes.

— Peut-être sa famille a-t-elle tout vendu, de la cave au grenier, pour avoir de quoi se réfugier quelque part ?

— Et où ? À Berlin ? Où les trains de marchandises qui quittent la gare sont plus nombreux encore, dit-on... Il est très probable, monsieur Cain, que la famille de Mme Hartstein ait disparu pour toujours. Et donc qu'il ne demeure de son passé, de son histoire, que ce que vous voyez dans son casier, le troisième depuis la droite dans la rangée du haut. La rangée du haut car c'est une de mes plus anciennes clientes. Sans moi pour conserver ces traces, que resterait-il d'elle ?

« Alors que vous, monsieur Cain, en tant que policier, me considérez seulement comme une source d'information, un guide, quelqu'un dont vous vous débarrasserez dès que vous aurez obtenu ce dont vous avez besoin. Oui, je sais que j'ai une trop haute opinion de moi-même, et je n'estime sans doute pas assez votre métier. Mais si mon orgueil vous fait douter de moi, prenez conseil auprès d'une personne fiable. Demandez à Beryl Blum.

— Oh, je vous fais confiance. Dans votre version actuelle, du moins.

— Comme c'est la seule qui existe, cela devrait suffire.

— Sauf que vos anciennes relations – vous l'avez dit vous-même – peuvent se révéler dangereuses. Pour vous et moi. Vous ne le vouliez pas, mais vous avez remis un pied dans cette période de votre existence. Si j'ai bien compris, vous avez franchi la ligne rouge quand vous avez accepté Werner Hansch parmi vos clients.

Danziger regarda Cain attentivement, comme s'il révisait son jugement à son sujet.

— Vous comprenez bien, monsieur Cain. Cependant, je n'ai vraiment eu l'impression de la franchir qu'en tombant sur cet éventail peu commun de personnalités, le matin où j'ai petit-déjeuné au Longchamps.

— Ce qui nous mène où ?

— C'est à vous, l'enquêteur, de me le dire. Avez-vous du nouveau ?

— Pour commencer, j'ai fait un détour par l'hôtel Astor avant d'arriver.

— Raisonnable, ça ?

— Pas un mauvais point de départ.

— Sauf que, si certaines personnes savent que la police s'intéresse à elles, eh bien...

— J'ai été discret. Et j'avais de quoi graisser la patte à une dame, pour qu'elle le soit aussi.

— Je vois. On est réglo, mais on emploie parfois des méthodes discutables. J'en serais presque flatté.

— Ses prétentions étaient modestes. Je parle de la standardiste de l'hôtel.

— Un choix judicieux. Qu'ils entrent ou qu'ils sortent, tous les appels passent par elle, n'est-ce pas ?

— Pas ceux de l'Association des hauts responsables du Grand New York, qui a une ligne directe depuis le mois de décembre. Elle s'en souvenait, car c'était la semaine suivant Pearl Harbor.

— Elle ne sait pas grand-chose de leurs activités, alors ?

— Presque rien. Mais elle connaît le patron de l'association, un certain Haffenden.

— Haffenden ? Et cela s'écrit ?

Cain épela avant de continuer :

— Prénom Charles, mais tout le monde l'appelle Red.

— Avec ce genre de surnom, un gars susceptible d'évoluer dans les mêmes milieux que MM. Lansky et Polakoff.

— Pas vraiment.

— Pourquoi ?

— Agnes, la standardiste, prétend qu'il est charmant. Un vrai gentleman.

— L'éducation et le racket ne sont pas mutuellement exclusifs.

— Elle dit qu'il porte l'uniforme.

— Un militaire ?

— Officier de marine. Capitaine de corvette. Alors j'ai passé quelques coups de fil, toujours discrètement. Voilà où ça devient intéressant. Avant la guerre, c'était un homme d'affaires, réserviste. Un type enjôleur, un ponte de la publicité et du marketing. Ce qui explique probablement qu'il soit à la tête de l'association. Quand la marine l'a mobilisé, elle l'a nommé second capitaine de district, dans le renseignement naval.

— L'espionnage ?

— Et son bureau officiel, dans la marine donc, se trouve près de Wall Street, dans le bâtiment fédéral de Church Street. Maintenant, pourquoi s'est-il fait installer une ligne privée à l'Astor, allez savoir. Selon Agnes, ces derniers temps, il s'y rend deux ou trois fois par semaine, et reste cloîtré des heures à la suite.

— En réunion avec Meyer Lansky, Murray Gurfein, l'avocat de M. Luciano et des individus de cette sorte.

— Une autre information : il a appelé Agnes, l'autre jour, pour lui demander le numéro d'un endroit pas très loin d'ici, vers l'East River.

Cain feuilleta les pages de son bloc sténo jusqu'à retrouver la bonne.

— Voilà : l'hôtel Meyer, au 117 South Street. Ce n'est pas grand-chose, sans doute, mais...

Danziger affichait un grand sourire.

— Vous connaissez ? demanda Cain.

— Un établissement minable, immonde, qui sert d'abri aux marins et à la racaille des quais. Mais c'est aussi là qu'un personnage célèbre exerce ses talents, dont vous devez avoir entendu parler. Joseph Lanza.

— « Socks » Lanza ?

— Le mafioso du marché aux poissons de Fulton, qui est à côté.

— Quel serait son rôle dans l'histoire ?

— Faire travailler du monde, par exemple. Lorenz a fourni des emplois à Werner Hansch et à ses amis bundistes. Peut-être grâce à Lanza, qui contrôle pratiquement le Syndicat de la poissonnerie. Personne ne monte sur un chalutier ni ne vend de poisson à la criée sans son accord.

— Plausible, admit Cain.

— Oui, mais pas sûr.

— Parce qu'il est mis en examen, vous voulez dire ?

— À ce que rapportent les journaux, de nombreux chefs d'accusation pèsent contre lui. Association de malfaiteurs, extorsion de fonds, etc. C'est pourquoi il est curieux qu'il soit mêlé à ces gens. À sa place, on ne tient pas à montrer qu'on collabore avec les autorités, quelles qu'elles soient. Ou alors il devient très difficile de poursuivre ses affaires. Même de rester vivant.

— À moins que les autorités soient corrompues.

— C'est aussi une possibilité. Lanza a été inculpé par l'ancien procureur général, Dewey. Le nouveau, Hogan, et son compère Gurfein sont peut-être moins empressés de lui porter tort. De toute façon, Lanza a de drôles de fréquentations. Nous irons lui en demander la raison, s'il consent à nous parler.

— *À nous parler ?*

— Cette ligne rouge que vous évoquiez, cette période de mon existence… Vous avez vu juste, bien sûr. Il est d'autres limites que j'espérais ne pas dépasser. Seulement, je crois y être contraint aujourd'hui si je veux vous être encore de quelque utilité.

— Vous êtes certain ?

— À la condition que vous arrêtiez de vous documenter à mon sujet. Vous devez également être prêt à ne pas respecter toutes vos procédures et à faire fi de certaines obligations, ne serait-ce que par respect pour ma clientèle, dit Danziger avec un geste vers ses casiers. Sommes-nous d'accord ?

Cain n'avait guère le choix. Il se demanda à quels compromis il s'exposait – sans compter que Linwood Archer le tenait certainement à l'œil.

— D'accord. Je suis partant.

— Fort bien. Alors nous allons parfaire votre éducation, pendant que je continue de me renier.

— Oui, mais où ?

— À l'hôtel Meyer, au marché de Fulton. Dans le ventre de la bête.

Cain mesura l'importance de cette décision et craignit une seconde que le jeu n'en vaille pas la chandelle.

— Vous êtes bien sûr de vouloir le faire ?

Danziger confirma.

— Mais ce sera ce matin, pas avant. Il va faire nuit dans un instant et, de nuit, nous ne passerons pas leurs lignes de défense.

— Cela n'est pas une mission armée, quand même.

— Seulement de reconnaissance. Mais aussi tôt que possible. Avant le lever du soleil.

— Pour les prendre à l'improviste ?

Le vieil homme fronça les sourcils.

— À l'évidence, vous n'êtes jamais allé là-bas. À cette heure, le marché est en pleine activité. La foule nous protégera. Avec un peu de chance, les sentinelles seront trop occupées pour nous remarquer. Mais si ma tactique ne vous convient pas, libre à vous de proposer une alternative.

— Décidément, vous êtes un puits de culture.

— Vous devriez m'en remercier, au lieu de douter de moi.

Cain le dévisagea, à la recherche d'une faille, mais Danziger restait impassible.

— Entendu. Je serai là, de bon matin.

L'écrivain public hocha la tête, puis balaya la pièce du regard, tel un homme faisant l'inventaire de ses biens avant d'entreprendre un long voyage, probablement dangereux. Sans un mot, il raccompagna Cain à la porte.

20

Cain avalait des bouffées de brume salée en marchant sur les pavés glissants, couverts de sang et de déchets de poisson. Sa jambe commençait juste à s'assouplir. Sous une banne en lambeaux, une gerbe d'écailles étincela un instant dans un rayon de soleil, telle une pluie de confettis d'argent. Un peu plus loin, un gros homme, muni de gants épais, dégageait les boyaux rosâtres du ventre d'un énorme espadon.

Danziger et Cain étaient partout cernés par le bruit – les couperets qui s'abattaient sur les planches en bois, le ruissellement de l'eau déversée à grands jets, les cris affamés des mouettes et, par-dessus le reste, les voix puissantes des vendeurs qui, à chaque étal, annonçaient leurs prix au poids. Instables, leurs casiers en métal ployaient et grinçaient. Des queues de vivaneau dépassaient de l'un d'eux, comme des mains gelées par le froid dans un dernier adieu. À Fulton Street, dix minutes après l'aube, il n'y avait pas une femme. Cain aperçut ici et là quelques gamins efflanqués, en short et blouse de travail, qui couraient entre l'ombre et la lumière.

— Attention, Oscar ! s'exclama quelqu'un derrière lui, Oscar étant apparemment le surnom réservé à toute personne étrangère au marché.

Cain s'écarta à temps pour laisser passer une charrette à bras qui partit bringuebaler en direction de l'East River. Un homme arrivait dans l'autre sens, portant sur chaque épaule une caisse en bois remplie de glace.

Malgré ce déploiement d'activité, Cain sentit une sorte de fatigue peser autour de lui, signe que tout le monde ici travaillait depuis de nombreuses heures et s'était levé bien plus tôt que lui.

— C'est comme ça tous les jours ?

— Un peu plus calme, le dimanche, répondit Danziger. Plus encore par gros temps, quand les bateaux restent au port.

Cain examina son compagnon et constata un changement. Au départ, Danziger avait paru méfiant. Il l'avait guidé à pas prudents, une lenteur trahissant son âge et sa fragilité. Il marchait à présent à grandes enjambées, sûr de lui, comme s'il se détendait en territoire connu. Cain parvenait tout juste à se maintenir à son niveau.

Ils longèrent, sur leur gauche, ce qui semblait être une série interminable de vitrines et de devantures, toutes ouvertes à la rue. La raison sociale de chaque établissement se détachait en grosses lettres noires entre les fenêtres des bâtiments de brique, qui comportaient trois étages. La brique elle-même était recouverte de peinture blanche, pour gagner en visibilité, sans doute, pendant les dernières heures de la nuit, quand le marché se réveillait. Cain parcourut les noms : MARKET SHELL FOOD, HUÎTRES, FILETS, CLAMS ; JOHN DAIS, POISSON EN GROS ; FLAG FISH ; BEYER FISH, et ainsi de suite jusqu'à South Street et la berge du fleuve, depuis lequel les mâts et les cabines de pilotage étendaient leurs ombres sur les quais.

À l'autre bout de Fulton Street, une longue rangée de camions garés côte à côte, aux portières arrière

béantes, attendait d'emporter les achats des restaura-
teurs et détaillants. D'autres véhicules, arrivés pleins,
avaient été débarrassés de leur cargaison – crabes et
huîtres de la baie de Chesapeake, morue et homards
en provenance du littoral nord. Un camion n'était pas
plus tôt parti qu'un autre prenait sa place.

Partout en ville, la viande et les légumes frais
commençaient à manquer. Le sucre était déjà rationné ;
la viande et le café le seraient bientôt, disait-on. Mais
ici, la mer continuait de délivrer ses trésors sans rechi-
gner. Pas étonnant que la pègre fût attachée à ces
lieux et au pouvoir qu'ils lui conféraient. C'était une
machine à fric à rendement constant, que la guerre
n'affectait même pas et dont tous les maillons de la
chaîne – pêche, réception, stockage, transformation,
préparation, vente et transport – étaient commodément
rassemblés sur le même site, ce qui, sans aucun doute,
facilitait une forme ou une autre de racket à chaque
étape. Et, inculpé ou pas, Socks Lanza y régnait en
maître.

Cain découvrit que le plus haut immeuble du pâté
de maisons, avec ses cinq étages de brique rouge,
était l'hôtel Meyer, qui s'annonçait en lettres blanches,
fixées sur les escaliers de secours. Une autre inscription,
en dessous, se révélait d'égale importance pour tout
pêcheur au gosier sec : BAR.

— Notre destination ? demanda Cain.

— Oui.

Danziger leva un bras pour arrêter le policier.

— Étudiez l'endroit un instant et dites-moi ce que
vous voyez.

Les manches retroussées, des pêcheurs en salopette
entrèrent dans le bar pour y prendre leur petit déjeuner,
ou peut-être leur premier remontant de la journée. Son

sac plein de l'édition du matin, un vendeur de journaux fumait une cigarette, avachi près de la fenêtre ouverte. Il avait à peine douze ans. À gauche, deux types gardaient une entrée anonyme, chacun d'un côté de l'étroite porte. Comparés aux ouvriers du marché, ils étaient drôlement sapés : costumes à revers larges, chapeaux mous inclinés sur le front, leurs yeux invisibles sous le bord. L'un d'eux mordillait un cure-dent en roulant des mâchoires, l'autre fumait un cigare.

— Voilà deux jeunes spécimens tout à fait remarquables, observa Cain.

— Ils sont là pour ça, confirma Danziger. D'un peu plus près, vous remarqueriez aussi un renflement sous le veston. C'est également voulu. M. Lanza les poste ici pour que tout le monde en tienne compte.

— Et évite de s'attarder ?

— Grands dieux, non. Il informe la Terre entière qu'il est là et bien là, prêt à recevoir ses solliciteurs. Et *lui* ne porte jamais de costume. M. Lanza préfère l'uniforme de ses collègues commerçants : un bleu de travail plein de taches d'huile et d'éclaboussures. Et il acceptera les visiteurs tant que ces deux élégants nervis resteront à leur poste. Pas n'importe quels visiteurs, bien sûr. C'est le défi que nous devons relever.

— Comment fait-on pour passer ?

— Votre insigne suffirait certainement mais, selon leurs usages, cela constituerait une entrée en force et nous serions si mal reçus qu'il aurait mieux valu ne pas venir. De plus, vous attireriez l'attention sur vous. À coup sûr, quelqu'un rapporterait votre intervention dans le 14e secteur, et votre capitaine Mulhearn en serait dûment notifié.

— Comme si j'avais besoin de ça.

— Alors laissez-moi diriger les opérations. Je parlerai pour nous deux.

— Ils ne devineront pas que je suis flic ?

Danziger fit la moue, comme si Cain était décidément obtus.

— Ils devineront sans doute que vous n'êtes pas d'ici. Surtout, ils s'apercevront que vous êtes armé, c'est pourquoi vos mains doivent être constamment visibles.

Cain avait fini par croire qu'il se fondait dans la masse des New-Yorkais. Il se sentit vaguement insulté, mais ce n'était pas le moment de jouer les chochottes.

— Bien, allez-y.

D'un pas vif, la tête haute, le vieil homme se remit en marche. Cain le suivit en essayant de ne pas trop boiter. Il nota bientôt que les deux sentinelles étaient rasées de frais, contrairement aux poissonniers et aux marchands dont la barbe avait repoussé depuis le milieu de la nuit. Même à distance, les sbires sentaient l'après-rasage. Voyant Danziger approcher, celui qui mâchonnait un curedent le projeta hors de sa bouche pour qu'il tombe à environ un mètre cinquante devant lui, telle une limite à ne pas dépasser.

— Je suis M. Danziger, dit celui-ci. Nous aimerions vérifier une chose avec M. Lanza.

Cain s'étonna qu'il ne déguise pas son identité mais, après tout, Danziger était déjà un pseudonyme, alors pourquoi en ajouter un ?

— Je suis avec mon collègue, M. Pierce, et cela concerne le syndicat. Une affaire compliquée et assez urgente.

— On n'était pas prévenus de votre arrivée, mais Lester va voir si on peut vous recevoir vite fait.

Ledit Lester s'engouffra dans l'hôtel et disparut dans l'escalier. Le deuxième garde sortit un nouveau cure-dent d'une poche de son veston et se remit à mâchonner, sans quitter des yeux Cain et Danziger. Quelques minutes plus tard, Lester revint, accompagné d'un autre homme. La veille, Cain avait étudié quelques photos de Lanza, et il savait que ce n'était pas lui. Le type portait, lui aussi, un costume de ville, quoique sans la veste, et il semblait d'un grade plus élevé que les sentinelles.

Lentement, soigneusement, il étudia sans un mot les deux visiteurs, comme s'il cherchait à évaluer leurs forces et leurs faiblesses. Puis il hocha la tête et se retourna.

— OK, dit Lester, qui ajouta pour Cain : Mais vous laissez votre chapeau à la porte.

Cain, nu-tête, resta perplexe jusqu'à ce que Danziger lui explique, avec une pointe d'agacement :

— Votre arme.

À contrecœur, Cain la confia au nervi. Celui-ci eut un mouvement de recul, comme si on lui tendait un putois mort.

— Comment qu' ça se fait que vous avez un Colt 32, comme les poulets de Valentine ? On a assez de Lizzie Louses qui croisent dans nos eaux comme ça.

Danziger répondit :

— Il choisit l'arme qu'il porte. Je suis la tête et lui, les jambes. Je vous assure que mon collègue est parfaitement inoffensif.

— Et muet, avec ça ?

Le type ricana. Les bras le long des flancs, Cain serra les poings en se demandant ce que pouvait bien être une Lizzie Louse.

— C'est en haut. Allez-y.

L'homme qui était descendu les attendait à présent sur le palier du premier étage. Il les conduisit dans une petite pièce où un bureau gris acier, orné d'une bonne demi-douzaine de creux et bosses, occupait presque toute la place. À part un calendrier publicitaire décoloré, au mur, pour un magasin de fournitures pour bateaux, il n'y avait guère de décoration. La fenêtre était ouverte et il flottait une odeur de poisson et de mazout. Les stores vénitiens claquaient et ferraillaient au vent. L'homme s'installa derrière le bureau, alluma une cigarette, rangea son paquet sans en offrir une.

— Lequel c'est, Danziger ?

Ce dernier fit un geste.

— Et vous, c'est Pierce ?

— Oui, dit Cain. Vous vous appelez… ?

L'homme ignora la question et s'adressa à Danziger.

— Donc c'est vous, le chef ?

— J'ai été désigné pour représenter les intérêts de mes clients.

— Avocat, alors ?

— Mandataire.

— Et ça concerne le syndicat ?

— Oui. Deux membres de celui-ci ont récemment disparu dans des conditions malheureuses. Nous intervenons en leur nom afin de percevoir toute forme de pension ou de compensation due à leurs familles.

Sans réagir, l'homme étudia encore ses deux visiteurs.

— Leurs noms ? demanda-t-il en se munissant d'un crayon.

— Werner Hansch et Klaus Schaller.

Il nota sans ciller.

— Ça me dit rien.

— Deux citoyens allemands, embauchés au cours des derniers mois, sur recommandation de l'Agence germano-américaine du travail, dirigée par M. Lutz Lorenz.

Le type haussa les sourcils et, la tête penchée en arrière, tira une longue bouffée de sa cigarette. Puis, sans quitter des yeux ses interlocuteurs, il recula sur son fauteuil à roulettes et se leva.

— Je reviens dans une minute.

Cain et Danziger l'entendirent monter à l'étage supérieur.

— Il va en référer à Lanza ? dit le premier.

— Sans doute. Ce gars est son bras droit, je crois.

— Vous connaissez son nom ?

— Benjamin Espy.

Danziger ne révéla pas d'où il le tenait et il était inutile de lui poser la question. Un instant plus tard, Espy reprenait place à son bureau.

— Voilà. Le patron n'a jamais entendu parler de ces gens.

— C'est peut-être leurs noms qui ne lui disent rien, suggéra Danziger. Il s'agit d'affiliations récentes. Pourrions-nous consulter les registres ? Section 359 du Syndicat de la poissonnerie, si je ne me trompe ?

Espy les observa d'un sale œil. Il allait répondre non quand Cain perdit patience. Ils risquaient de repartir bredouilles et Danziger paraissait s'y résigner. Pas lui.

— Votre patron pourrait nous apprendre ce qu'il sait d'un certain Red Haffenden, tant qu'on y est ? Vous affirmerez sans doute que lui non plus ne vous dit rien, seulement on a la certitude que Haffenden a joint Lanza au téléphone dans son bureau ici.

Cain jeta un coup d'œil à Danziger, s'attendant à un hochement de tête approbateur. Au contraire, le vieil homme poussa un soupir manifestement embarrassé, comme si Cain venait d'utiliser le couteau à poisson pour découper sa viande au cours d'un dîner officiel. En face, rouge comme une écrevisse, Espy s'était presque levé de son fauteuil.

— Mais qui c'est, celui-là ? s'écria-t-il, penché au-dessus de son bureau. Qu'est-ce qu'il vient foutre ici, avec sa pétoire de flic et son accent péquenaud ? Et, par-dessus le marché, il connaîtrait mieux nos affaires que nous ?

— Mon collègue est impulsif et manque d'expérience, dit Danziger. Comme vous l'avez deviné, il n'est pas d'ici. Je regrette ses remarques impertinentes, mais je peux vous affirmer qu'il est tout ce qu'il y a de plus régulier.

La tirade, désobligeante envers Cain, parut momentanément calmer Espy. Les mains tendues en signe d'apaisement, Danziger poursuivit :

— Parlons franchement un instant, monsieur. Nous reconnaissons, comme vous, que la parole de M. Lanza fait autorité depuis le pont de Brooklyn jusqu'à Battery Park, et même au-delà. Pour pouvoir adhérer à un syndicat sur les quais, celui des dockers ou celui de votre patron, celui-ci doit donner son feu vert et…

— Hé ! hurla Espy. Vous trouvez que votre ami cause franchement, lui ? Pour commencer, mettez-vous ça dans le crâne : avant toute chose, le patron est un patriote. Les Allemands, on s'en occupe pas et, si c'est ce que vous croyez, vous vous fourrez le doigt dans l'œil jusqu'au coude. Je me permets d'ajouter qu'il soutient notre pays pour pas un rond. Cette affaire ne lui rapporte pas un penny. Le patron vit avec les soixante-quinze dollars que le syndicat lui paie chaque semaine, et il habite un petit appartement de trois pièces, parce que sa femme et lui n'ont pas les moyens de s'offrir

mieux. Et avec ça, vous mettez en doute son patriotisme ?

— En aucune façon, assura doucement Danziger,
étonné, comme Cain, par la tournure que prenait la
conversation.

À quelle « affaire » Espy faisait-il référence ?
Pourquoi mettait-il l'accent sur le civisme de Lanza ?

— Donc faut pas raconter d'histoires sur des gens
et des pays qui n'ont rien à voir avec lui.

— Certainement. Nous souhaitons seulement consulter les registres de la section. Cela ne durera qu'un
instant et nous ne dérangerons rien.

Espy observa encore les deux hommes avant d'accepter.

— OK. La deuxième porte dans le couloir. Vous
demandez Hal, il vous montrera ça. Mais vous trouverez
pas d'Allemands. Quand vous aurez fini, vous fichez
le camp. Vous ne remettez plus les pieds ici et vous
ne posez plus de questions sur M. Lanza, compris ?

— Bien entendu.

— Ça vaut spécialement pour lui, conclut Espy en
désignant Cain du pouce sans même le regarder.

Ce dernier se demanda ce qui était le plus
désagréable : subir ce mépris patent ou s'interdire de
réagir.

Espy les accompagna jusqu'à la bonne porte. Cain
et Danziger n'eurent pas besoin de chercher plus
de dix minutes. Un unique registre contenait toutes
les adhésions de la section 359 du Syndicat de la
poissonnerie, et il n'y figurait aucun Hansch, aucun
Schaller, parmi les adhésions du mois précédent ou
parmi celles des six années passées. Le dénommé Hal
escorta les deux hommes jusqu'au rez-de-chaussée, où

les sentinelles se moquèrent de Cain en lui restituant son arme de service.

— Pas mal comme pistolet à bouchon, gamin.

— De quoi je me mêle ?

Cain aurait poursuivi sur sa lancée, mais Danziger lui décocha une œillade assassine qui l'en dissuada. En retrouvant la rue, il eut toutes les peines du monde à contenir sa colère. Le marché atteignait maintenant sa pleine activité et, le soleil étant plus haut dans le ciel, les odeurs gagnaient en intensité. Les deux hommes ne dirent pas un mot avant de tourner dans Pearl Street, au troisième carrefour, et, là seulement, Danziger frappa d'un index noueux la poitrine de Cain, en appuyant chacun de ses mots.

— Ne refaites jamais ça.

— *Moi !* Et vous, alors ! Et qu'est-ce que c'est, un « régulier » ? Un flic véreux ?

— Quelqu'un de loyal, d'honnête, au contraire. C'était un compliment.

— Ouais, l'honnêteté chez les voleurs… Et leurs Lizzie Louses ?

— Les fourgons de la police. Il n'est pas inutile de parler leur langue. Mais je n'en ai pas fini avec vous : c'était une erreur de mentionner Haffenden. Mieux valait garder cela pour nous.

— Parfois, il faut attiser le feu avec ces gens, et…

— C'est ça, au risque d'incendier tout le bâtiment ! Et nous avec, par la même occasion ! s'emporta Danziger, furieux.

Cain ne l'avait encore jamais vu mécontent à ce point.

— Monsieur Cain, vous devez me laisser décider de la meilleure façon de traiter avec eux. Si vous tenez à vivre encore un moment, du moins. D'accord ?

— D'accord.

Cain attendit un instant qu'il se calme avant de poser sa question.

— Mais enfin, sa réaction ne vous a pas étonné ?

— Si. Bizarre autant qu'étrange.

— Tout ce charabia sur la patrie, et cette affaire qui ne rapporterait rien.

— Des indications précieuses, peut-être. À condition d'en apprendre davantage. Ce Haffenden joue sans doute un rôle clé. La marine doit cacher des choses dans ses tiroirs.

— Si Haffenden est officiellement chargé de mission, elle ne lui a pas loué un bureau à l'hôtel Astor pour la mener à bien.

— Vous avez raison. Ces arrangements, quels qu'ils soient, ne sentent pas meilleur que le poisson tout à l'heure.

— Alors, quelle est notre prochaine étape ?

— J'ai besoin de temps pour réfléchir. D'un jour ou deux pour interroger quelques personnes. Entre-temps, faites-vous oublier par les gens qui nous intéressent. Rasez les murs, comme dirait M. Espy.

— Je me tiens à carreau ?

— Exactement. Encore un petit effort, et vous serez bilingue, grâce à moi.

— Je parlerai comme la racaille et la canaille. Cela devrait ouvrir des portes.

— Séparons-nous ici, au cas où nous serions suivis. Il est plus difficile de filer deux personnes qu'une seule.

Aussitôt inquiet, Cain fit volte-face pour regarder derrière eux. Quel genre d'individu Espy lancerait-il à ses basques ? Un voyou en costard ? Un pêcheur soudoyé ? Un vendeur de journaux, pour un nickel ou deux ? Cela pouvait être n'importe qui.

Il se retourna pour demander conseil à Danziger, mais celui-ci avait disparu au loin dans la foule qui faisait tranquillement ses courses par un beau matin de printemps dans Pearl Street.

21

DANZIGER

Je me suis hâté de quitter M. Cain à son insu, notamment parce que je voulais éviter d'autres questions. Il risquait de me faire avouer une chose, à savoir que mentionner Haffenden, sans peut-être qu'il s'en aperçoive, était de sa part un trait de génie. Sans cela, nous serions revenus bredouilles de l'hôtel Meyer. Grâce à lui, l'irritable M. Espy, laissant bêtement sa colère prendre le pas sur ses mots, a entrebâillé une porte sur ses intérieurs.

Malheureusement, nous ne disposons pas de connaissances suffisantes pour les éclairer au-delà. J'aimerais mieux que M. Cain évite de céder à ses impulsions, tant qu'il n'aura pas appris à se comporter dans des environnements violents et sordides comme celui où nous nous trouvions. Non que je tienne à étaler mes compétences, mais il a failli rester sur le carreau et je suis certain qu'il ne s'en est pas rendu compte.

Après avoir lâché ce nom fatidique, il a remarqué comme moi que M. Espy a discrètement tendu le bras vers un tiroir ouvert de son bureau, à droite de ses genoux. Dans sa « caisse à outils », comme diraient les sbires de M. Lanza, il détient un pistolet chargé avec lequel il n'hésite pas, m'a-t-on assuré, à liquider les solliciteurs trop gênants de son seigneur et maître. Sans les mots apaisants que j'ai prononcés aussitôt, il serait allé plus loin. C'est qu'il s'énerve facilement, ce monsieur, bien que son casier judiciaire ne cite que des condamnations sans importance – vol d'automobiles, contrebande d'alcool ou escroquerie.

Le plus curieux dans cette révélation inopinée – comme quoi une sorte d'affaire aurait été conclue entre MM. Lanza et Haffenden – est que, pour l'instant, elle soit exempte de considérations financières. À en croire son second, M. Lanza offre sa contribution au pays, alors que, par tradition, les arrangements qui lient les fonctionnaires et les voyous procurent un gain appréciable à l'une des parties concernées, et bien souvent aux deux.

Une autre monnaie d'échange entre parfois en ligne de compte dans ces accords : la vie humaine. L'élimination, par exemple, de certains individus encombrants. M. Lanza aurait-il négocié pareille chose ? Cela fait froid dans le dos. Werner Hansch et Klaus Schaller étaient peut-être d'indignes personnages, mais si j'apprenais que notre marine, de concert avec le procureur de Manhattan, avait couvert leur disparition – voire celle de Lutz Lorenz – pour obtenir divers services de la part de telles gens (M. Lanza et, par extension, MM. Lansky et Luciano), je serais plus qu'alarmé par le caractère répréhensible de la transaction, que l'on soit en temps de guerre ou pas.

Comme je l'ai dit, si la porte s'est entrebâillée, le paysage derrière reste plongé dans le noir. Je formule, tout au plus, des conjectures, des hypothèses. Et donc

M. Cain et moi-même avons encore du pain sur la planche.

Je profite de l'occasion pour corriger l'impression inexacte que j'aurais donnée lors d'une conversation que j'ai tenue récemment, chez moi, avec M. Cain, afin que vous ne m'accusiez pas, plus tard, de me rendre plus important que je ne suis aux yeux de mes voisins.

Quand je regarde les casiers au-dessus de mon bureau, réservés à la correspondance de mes clients, ce sont en effet des vies que je vois. Mais ce n'est pas tout. J'y vois également des tombes, chaque mois plus nombreuses. Bien que j'aie prétendu le contraire lors de notre première rencontre, mes habitués vieillissent et mon métier est lui-même condamné. Les écoles de langues et l'enseignement public y veillent. Encore une génération, et mes compétences ne suffiront plus à gagner mon pain.

C'était sans doute prévisible. Cependant j'ai embrassé la profession à un moment de mon existence où j'avais besoin de me sentir utile, pertinent, efficace. Au regard des événements récents, il est appréciable que, compte tenu du déclin de mes activités, je trouve le temps de me consacrer au travail commencé avec M. Cain.

J'ai la conviction qu'il me faut redoubler d'efforts et faire preuve d'une vigilance constante si je veux protéger les plus exposés et les plus vulnérables. Je dois redevenir une présence attentive parmi les autres, par pure bienveillance, cette fois – ou du moins l'espéré-je.

Voici pourquoi, à la première occasion, j'ai faussé compagnie à M. Cain pour revenir à Rivington Street, où je vais m'efforcer de préparer le mieux possible la poursuite de notre entreprise, et pourvoir à notre survie.

22

Cain revint vanné du marché aux poissons, mais à l'heure pour commencer son service au commissariat, où il avala trois bonnes tasses de café pour se préparer au prochain saut dans l'inconnu. Celui-ci aurait lieu à onze heures, le moment où, selon les bavardages de ses collègues, Steele et Rose quittaient la 95 pour leur pause quotidienne au Royal.

Cain descendit l'escalier à onze heures. Naturellement, la porte était verrouillée. Il vérifia qu'il était seul dans le couloir et, à l'aide de son double, entra dans la pièce, plongée dans le noir. Il referma aussitôt derrière lui, alluma la lumière et regarda sa montre : onze heures et deux minutes. Au dire de tout le monde, Steele et Rose n'étaient jamais de retour avant la demie. Ce qui lui laissait moins d'une demi-heure pour faire ce qu'il avait à faire.

Les nombreuses étagères et meubles à compartiments, tous bourrés à craquer, avaient quelque chose d'intimidant. Des tonnes de fiches, preuves, témoignages. À Horton, les tâches administratives étaient réduites au minimum, et les méthodes de classement manquaient de rigueur. Contrairement au NYPD, qui déployait des quantités monumentales de paperasse.

Les flics avaient environ deux cent cinquante formulaires différents à leur disposition, des plus simples – le UF-7F, par exemple, pour les accidents mortels – aux plus obscurs – le UF-17A, notamment, qui signalait les réverbères hors d'usage.

Par chance, ses premières intrusions avaient appris à Cain qu'un index général était affiché au dos de la porte. De plus, la procédure était assez simple à comprendre. Chaque procès-verbal d'arrestation était consigné sur un formulaire UF-9, puis recopié dans le registre général du secteur, par ordre chronologique, avec un numéro d'enregistrement. Chaque mois, les formulaires UF-9 étaient reliés sous forme de cahiers. Les assignations, les décisions de justice étaient également rangées dans la 95, cependant Cain préféra se baser sur le registre général.

En consultant l'index, il trouva rapidement l'étagère correspondant au registre, un gros volume qu'il dégagea avant de le poser sur une table, sous les photos encadrées de cette partie de pêche qui faisait la fierté de Steele et Rose.

Cain feuilleta les pages à rebours jusqu'au mois de janvier, à partir duquel, selon Valentine, les choses avaient commencé à aller de travers. Il parcourut les noms, les dates, sans savoir exactement ce qu'il cherchait, jusqu'à ce qu'il tombât sur « Ericson, Stanley », inculpé le 17 janvier pour prise de paris illégale. Il se rappela les mots de Valentine : « un bookmaker qui poursuit tranquillement sa petite affaire, alors que j'ai plusieurs fois exigé qu'on le boucle ». Bizarrement, il restait sur la marge gauche la trace presque invisible d'une petite croix au crayon, qu'on avait voulu effacer. Cain mémorisa le numéro d'enregistrement, puis retourna à la porte pour localiser le cahier des arrestations du mois de janvier. Il dégagea celui-ci de l'étagère indiquée, feuilleta les différents PV, rangés par numéro, jusqu'à l'endroit où celui d'Ericson aurait dû se trouver. Or il n'y était pas.

Cain consigna dans son bloc le numéro d'enregistrement et s'en revint au registre général. Il étudia les pages du mois de janvier, en prêtant maintenant attention à ce qui figurait dans la marge de gauche. Il remarqua onze autres inscriptions, près desquelles une petite croix au crayon avait manifestement été gommée. Cain nota soigneusement les noms et les numéros correspondants et consulta à nouveau le cahier des arrestations de janvier. Le PV du premier des onze numéros avait lui aussi disparu. Celui du deuxième également. Le temps venant à manquer, Cain supposa qu'il en serait de même pour les neuf autres. Une fois de plus, il consulta le gros registre, au cas où d'autres croix auraient été effacées les mois suivants.

Onze heures dix-huit à sa montre. Encore douze minutes et il faudrait filer. Une goutte de sueur tomba sur le registre, faisant baver l'encre autour d'elle. Cain parcourut les pages de février et trouva au moins sept nouvelles croix gommées. Il allait si vite que quelques-unes, peut-être, lui échappèrent. Il y en avait encore six en mars, et il s'arrêta soudain sur une inscription datant du 19. Ici, la croix n'était pas effacée. Deux autres étaient bien nettes sur la page suivante. Dans ce cas, les PV d'arrestation correspondants se trouveraient-ils encore dans le cahier de mars ?

Cain se munit de celui-ci, l'ouvrit et tourna les pages si vite qu'il en déchira une. Le PV était bien là, daté du 19, et l'inculpé, Clarence Cohen, accusé de tenir un tripot dans 41st Street. On avait agrafé une note au PV avec un trombone. Cain tenta de déchiffrer l'écriture manuscrite, mais sursauta en entendant des voix dans le couloir.

Il referma le cahier et se raidit. Si quelqu'un entrait, il était cuit. Il observa la poignée de la porte tandis que les voix s'éloignaient. Cain poussa un soupir de soulagement et regarda sa montre : onze heures vingt-sept. Vite, en finir et foutre le camp. Il rangea les cahiers de mars et de janvier sur les étagères, avec le gros registre.

Puis il colla son oreille à la porte. Pas un bruit. Il ouvrit, éteignit la lumière et la ralluma aussitôt, se rappelant au dernier moment qu'il avait laissé son bloc sténo sur la table.

— Merde !

Cain récupéra son carnet, éteignit pour de bon, sortit, verrouilla rapidement la porte et se dirigea vers l'escalier. Des voix retentirent au bout du couloir. Il ne s'attarda pas pour vérifier si c'était celles de Steele et Rose.

Il restait beaucoup à accomplir, mais au moins suivait-il maintenant une piste sérieuse. Le système paraissait assez simple. Les petites croix supposaient un traitement particulier de certaines affaires, pour lesquelles des pots-de-vin étaient à l'évidence versés. Et on les effaçait après avoir jeté les PV d'arrestation.

Pourquoi ne pas les jeter tout de suite, plutôt que laisser des traces compromettantes qu'une gomme ne supprimait pas totalement ? La réponse s'imposa. Le PV restait en place tant que le client n'avait pas payé. Le procédé était laborieux et, à condition de pouvoir accéder à la 95, facilement décelable par toute personne un minimum lucide. D'un autre côté, les gars affectés à cette pièce n'étaient pas des lumières, et l'on comprenait pourquoi Mulhearn, ainsi que d'autres gradés du secteur, peut-être, fermaient les yeux. Même s'ils ne partageaient pas les gains, le taux de criminalité dans le 14ᵉ diminuait chaque fois qu'un PV disparaissait, ce qui leur profitait. Grossier, mais efficace et probablement infaillible, tant que l'on respectait la règle de conserver sous clé toute trace écrite. Les copies des PV d'arrestation ne partaient au quartier général qu'en fin de mois, et ceux qui bénéficiaient d'un traitement particulier s'étaient évaporés.

Cain avait toujours en tête la fiche du 19 mars lorsqu'il entra dans la salle de brigade. *Clarence Cohen.* Il ouvrit son bloc sténo et se planta devant les avis de recherche affichés au mur. Il était là, ce monsieur, parmi les « associés connus » de Mendy Weiss, soupçonné de faire partie de Murder Incorporated. Quiconque avait mis au point la combine protégeait un associé d'une des plus célèbres entreprises criminelles de New York.

Ce qui engendra l'idée suivante : ceux qui se proposaient d'assister des assassins en avaient probablement un à leur service. Il y avait d'autres modes de corruption que l'argent. Cain sentit sa gorge se serrer. Il mit une main dans sa poche et palpa son double de la clé comme une patte de lapin, en espérant que ses pouvoirs ne s'usent pas trop vite. La prochaine fois qu'il visiterait la 95, il ferait bien de ne pas s'attarder comme aujourd'hui.

Il était si ébranlé par ce qu'il venait de découvrir qu'il ne réussit à manger qu'un seul des pirojkis que Zharkov lui apporta, une heure plus tard, enveloppé d'un papier graisseux. Sans doute cette sorte de malversation était-elle inévitable, pensa-t-il. Pas étonnant que le département accorde tant d'importance à ses registres. Une chance pour lui : ces bricoleurs peu inspirés employaient des outils dignes de l'âge de pierre.

Cela ne durerait pas. Le jour où Maloney et sa bande d'hommes des cavernes seraient jetés en prison, un nouveau groupe les remplacerait, muni d'outils plus modernes qui laisseraient moins de traces.

Embrumé et fatigué, Cain passa le reste de l'après-midi à remplir ses propres papiers. Pour finir en beauté, Mulhearn l'envoya ensuite dans la partie la plus éloignée du 3ᵉ district, au fin fond de West 83ʳᵈ Street, interroger le témoin d'une affaire suivie par Simmons. Évidemment, le type avait déjà vidé les lieux.

Lessivé, affamé, Cain ne demandait qu'à retrouver les maigres conforts de son humble domicile. Il se donnait l'impression d'un père infect. Eileen était à son service depuis quelques jours à peine et il lui imposait déjà de nombreuses heures supplémentaires. Ce matin, elle avait été obligée de prendre un bus bien avant l'aube et, comme si cela ne suffisait pas, Cain n'avait pas accompagné sa fille pour sa première journée dans sa nouvelle école. Olivia n'était guère enthousiaste à l'idée de faire irruption dans une classe pleine d'inconnus.

Abattu, il se faufila dans la cohue sur le quai du métro. Lorsqu'il atteignit enfin son arrêt, il se trouva bloqué au bout du couloir par un petit groupe de personnes, collé au dos d'une femme, assez près pour sentir la laine humide de sa jupe et le coton blanchi de son corsage. Derrière lui, deux hommes en costume le serraient également, pendant que le groupe, devant, se déportait pour laisser passer d'autres voyageurs en train de descendre l'escalier. Pendant un court instant, tout le monde était immobilisé. Coincé, essoufflé, Cain repensa au récit que lui avait fait Danziger, la veille, de ces malheureux entassés dans des wagons comme du bétail, avec un mince espoir de survie.

271

Finalement, la foule se remit en mouvement et il se retrouva à l'air libre. Une délivrance. Aussitôt, il heurtait un vendeur de journaux qui lui cria à la figure :

— Regardez où vous allez, m'sieur !

Autour de lui, les visages défilaient trop vite pour revêtir un sens – une dame âgée arborant un élégant collier de perles ; un clochard qui sentait l'urine ; un épicier en salopette, au front perlé de sueur, qui balayait le trottoir devant sa boutique. Puis, brusquement, Cain devina un regard braqué sur lui, comme lorsqu'il se promenait, la veille, avec sa fille. Une impression étrange qui lui fit monter le sang à la tête, le plongea dans un état de conscience aigu. Une fois encore, il ressentait cette pointe de froid, comme une cible, au milieu du dos.

Il se figea instantanément et deux personnes butèrent contre lui. Il se retourna en titubant presque, scruta les environs sans rien remarquer de suspect. Pas de Linwood Archer. Ni encore de Maloney, de Steele, de Rose. Pas de voyous de l'écurie Lanza. La liste des candidats s'allongeait de jour en jour. Sans doute suffisait-elle à déclencher ces crises d'angoisse.

Cain resta sur le qui-vive un certain temps. Un chariot à hot-dogs, tout près, lâcha un nuage de vapeur qui l'enveloppa comme un fantôme. Mais personne ne lui prêtait la moindre attention, hormis les piétons mécontents, contraints de le contourner.

Les nerfs, donc. L'épuisement. Forcément. Il éprouva un vif soulagement lorsque, en arrivant devant son immeuble, le portier le fit courtoisement entrer.

— Bonsoir, monsieur Cain. Mlle Eileen m'a demandé de vous dire qu'elle a emmené votre fille au square et qu'elles reviendront bientôt.

— Merci, Pete.

Il monta les marches deux par deux, comme pour se détacher d'une chose qu'il n'arrivait pas à identifier. Une fois sa porte refermée, goûtant le réconfort de la solitude, il respira profondément. La sueur lui coulait dans le dos. Il sortit du réfrigérateur une bouteille de bière et but à grandes gorgées, debout dans la cuisine. Les bruits de la rue se faufilaient par la fenêtre – le coup de sifflet d'un policier, les klaxons, le brouhaha de la foule. Pas réellement la paix, mais le mieux qu'il pût trouver dans ces circonstances. Il aurait volontiers lâché quelques dollars pour écouter le chant des grillons, le trille d'une grive des bois, agrémentés d'une odeur de chèvrefeuille pour faire bonne mesure.

Ou peut-être avait-il surtout besoin d'une oreille compatissante, de la chaleur d'un corps contre le sien. Cain décrocha le téléphone, composa le numéro. Une femme avec un fort accent décrocha, et il dut répéter plusieurs fois avant qu'elle comprenne à qui il souhaitait parler. Beryl répondit un instant plus tard.

— J'aurais voulu rappeler plus tôt, lui dit-il. J'espère que tu reviendras quand même, bien qu'il y ait du monde chez moi.

— Si cela ne dérange pas Olivia.

— Oh, tu vas lui plaire, je pense.

— Le problème, c'est de savoir où se coucher.

Cain se réjouit qu'elle ne le voie pas rougir. Il ne tenait pas à aborder le sujet aussi vite, cependant il aurait pu se douter que Beryl, elle, n'attendrait pas.

— Tu peux toujours me rendre visite ici. Je ne m'offusquerai pas si tu ne restes pas dormir.

— J'avais surtout envie de parler de ma journée.

— À t'entendre, ça a dû être pénible.

— Pas banal, non. Et long, beaucoup trop long.

— Tu veux aller boire un verre, quelque part ?

Derrière Cain, la poignée de la porte pivota dans l'entrée et les pas d'Olivia résonnèrent sur le plancher. Il se retourna avec un sourire gêné, puis fondit en apercevant sa fille. Enfin, il n'allait pas faire semblant de téléphoner en cachette ? Elle rentrait de son premier jour d'école à New York et elle avait sûrement des tas de choses à raconter. Olivia se précipita vers lui et il dut poser le combiné sur la table de la cuisine pour lui ouvrir les bras. Elle sentait l'herbe du parc, le sable du terrain de jeux. Elle était encore davantage une petite fille qu'une adolescente. Du moins pour le moment.

— Allô ? Tu es là ?

La voix de Beryl, dans le combiné, était à peine audible. Olivia jeta un coup d'œil alerte au téléphone.

— C'est maman ?

— Non, ma chérie. Une amie.

— Ah.

Son visage s'assombrit.

À la porte, Eileen baissa la tête. Cain reprit le combiné.

— J'ai été interrompu.

— J'ai entendu. Je vais peut-être te laisser.

Une fois de plus, il se révélait maladroit.

— Je crois que... commença-t-il, essayant de choisir ses mots, avant de se rendre compte que Beryl avait raccroché.

Eileen l'observait attentivement. Combien de temps allait-elle mettre pour rapporter la situation en détail à Harris Euston ?

— J'ai fait dîner la petite, rapidement, dit-elle. J'espère que cela ne vous dérange pas. Je ne savais pas quand vous rentriez et j'ai pensé qu'il valait mieux.

— Merci, Eileen. C'était bien, au square ?

De nouveau, elle baissa les yeux.

— Très bien, monsieur.

Olivia et elle échangèrent un regard, comme deux coupables surprises en flagrant délit. Cain supposa qu'Eileen avait fait preuve d'indulgence, laissant Olivia manger trop de sucreries, peut-être. La belle affaire.

— Je peux avoir un dessert ? demanda la petite. Du pain avec du beurre, et du sucre par-dessus ?

— Oui, mais tu te laves les mains d'abord.

Pas de sucreries, donc. Eileen et Olivia échangèrent encore un regard et Cain était sur le point de les interroger quand il s'aperçut que sa fille portait un cordon autour du cou, sur lequel un disque blanc était attaché, avec son nom et sa classe inscrits en lettres majuscules.

— Qu'est-ce que c'est ?

— Un badge avec son identité, monsieur. Les écoliers sont tous obligés d'en avoir un, en cas de… *dérangement* à cause de la guerre.

Pendant qu'Olivia allait à la cuisine ouvrir la boîte à pain, Eileen se rapprocha de Cain pour lui parler à voix basse.

— On leur fait faire des exercices d'alerte. Ils doivent se cacher sous leurs pupitres. Enfin, vous l'apprendrez bien assez tôt. Alors, à demain. De bon matin, encore ?

— Non, pas si tôt, Dieu merci. À l'heure habituelle, répondit Cain.

— Très bien, monsieur.

Eileen partit. Elle en avait au moins pour une heure de métro et d'autobus avant d'arriver chez elle. Quoi qu'il pensât d'Euston, elle se révélait indispensable.

Olivia vint s'asseoir près de son père sur le canapé, avec ses tartines sucrées et son verre de lait.

— C'est bon ?

— Mmm-mmm, fit-elle, la bouche pleine.

— Raconte-moi ta journée à l'école.

Elle haussa les épaules.

— Pas grand-chose à dire.

— Comment ils sont, les autres enfants ?

De nouveau, Olivia haussa les épaules, silencieusement. Elle parut un instant perdue dans ses pensées.

— J'ai besoin de savoir une chose.

— Vas-y, demande.

— Les sous-marins, ils peuvent nous tirer dessus quand ils sont à terre ? Benny Stern, il dit que oui. Aussi qu'ils peuvent envoyer des « sabatteurs » partout dans la ville.

— Un sous-marin ne se rapprochera jamais assez près pour ça. Et ton copain devait parler de *saboteurs*, qui est un mot français. Il ne faut pas t'inquiéter non plus. Le premier saboteur était un ouvrier qui a jeté son sabot – un gros soulier en bois – dans une machine de son usine, pour la casser.

— Alors je pourrais abîmer toute une usine avec mes sandales ?

— Ou tes chaussures de claquettes. Comme ça, on accusera Shirley Temple.

Cain espérait un rire. Olivia fronça les sourcils.

— Elles ne me vont plus, ces chaussures. Et on l'a oubliée, Shirley Temple. Elle a eu quatorze ans, cette année.

— Ah oui, c'est une grande, maintenant.

Olivia hocha la tête, et peut-être voyait-elle juste. En temps de guerre, cela n'était plus si jeune, pour elle et ses camarades de classe. On envoyait des garçons de dix-huit ans se battre en Europe et dans le Pacifique.

— Je n'ai plus faim. Tu veux le reste ?

Elle avait bu son verre de lait sans terminer ses tartines.

— Non, merci. Pas mon style de dessert.

— Chacun ses goûts, comme disait la vieille dame avant d'embrasser la vache[1].

Cain resta interloqué. C'était une des expressions favorites de Clovis.

— Longtemps que je n'avais pas entendu ça, dit-il, s'attendant à un commentaire.

Mais Olivia se détourna comme s'il l'avait surprise en train de mentir. Elle bâilla, s'appuya contre lui et s'endormit bientôt ou fit semblant – une ruse qu'il avait lui-même employée, enfant.

Qu'elle se détende. Elle aurait peut-être l'esprit plus tranquille pour dormir. Trop penser à la guerre avait de quoi vous faire passer des nuits blanches. De plus, elle citait sa mère, comme pour trouver refuge dans un passé plus heureux. Cain lui donna un petit coup de coude.

— Mets ton pyjama, ma jolie.

Elle rouvrit les yeux. Il alla ranger son assiette à la cuisine avant de la coucher. Puis il éteignit la lumière dans la chambre et revint prendre une bière au frigo. Il pensa à dîner d'un œuf brouillé, mais l'énergie lui manquait. Cain avait surtout besoin d'un peu de compagnie. Il regarda son téléphone et repoussa l'idée.

Il emporta sa bière au salon, se déshabilla, s'assit sur son petit lit déplié. Il écouta Chelsea dans la nuit par les fenêtres ouvertes. Pourtant épuisé, il savait qu'il ne s'endormirait pas avant des heures.

1. Référence aux *Aventures de M. Pickwick*, Charles Dickens.

23

— Inspecteur Cain ?

La voix semblait monter des profondeurs du Hudson et traversait des couches de sommeil.

— Ho ! on se réveille !

Le jour naissait à peine. Pieds nus, Cain avait en main le combiné en bakélite. Le téléphone avait dû sonner, et il s'était donc levé pour répondre à la cuisine.

— Comment ?

— Debout, connard !

Sûr de lui, autoritaire, le type parlait comme un flic. Cain entendit derrière lui un rire et une corne de brume.

— Qui est-ce ?

Il commençait à avoir les idées plus claires.

— Votre copine est en manque, inspecteur Cain. À Harlem, figurez-vous. Il lui faut sa dose. Pas de la brune, vous bilez pas. De la bonne blanche, comme vous l'aimez dans le Sud.

Cain allait raccrocher quand la voix reprit brusquement, sur un ton plus officiel :

— C'est Larsen, du 25ᵉ, andouille ! Pointez-vous avant qu'elle fiche le camp.

— Où ça ? Qui ?

Cain tâtonna à la recherche de son bloc, dans la poche de sa veste, suspendue à une chaise.

— Au bout de 137th Street.

— Quel côté ?

— Près de la Harlem River, au coin de Madison Avenue. Regardez votre plan, bouseux ! C'est pas votre secteur, mais paraît que vous aimez braconner ailleurs.

Le type raccrocha.

— Merde.

Cain enfila son pantalon, et où étaient ses chaussures ? Il n'avait même plus une chemise propre mais, à cette heure, qui le remarquerait ? Dieu merci, Olivia dormait à poings fermés. Il se sentit coupable d'appeler Eileen et de la réveiller. Elle promit de se dépêcher, cependant il ne pouvait laisser Olivia seule alors qu'il n'y aurait personne à la porte, en bas, pour surveiller l'entrée, pendant deux heures encore.

À qui Larsen faisait-il allusion en parlant de sa « copine » ? Pas à Beryl, tout de même ? Cain sentit la panique le gagner. Lui était-il arrivé quelque chose ? Il composa son numéro et le téléphone sonna douze fois avant qu'on réponde. Puis quelques minutes s'écoulèrent et elle était finalement là, au bout du fil.

— Woodrow ? Un problème ?

— Je m'inquiétais pour toi. Je t'expliquerai plus tard. Cela m'embête de te demander ça, mais pourrais-tu venir aussi vite que possible ? On m'appelle à Harlem, et Eileen ne sera pas là avant au moins une heure pour s'occuper d'Olivia, et…

— Donne-moi un quart d'heure.

Vingt minutes plus tard, elle frappait à la porte. Entre-temps, Cain s'était rasé, habillé et préparé une tasse de café. Il s'agenouilla près du lit d'Olivia et lui tapota gentiment l'épaule.

— Chérie ?

Elle entrouvrit les paupières.

— Il faut que j'aille quelque part. J'ai téléphoné à Eileen et elle ne tardera pas. Mais, pour l'instant, Beryl, que tu as rencontrée l'autre soir, est là avec toi, d'accord ?

— D'accord, répondit Olivia d'une voix hésitante.

Elle avait maintenant les yeux grands ouverts.

— Tu peux te rendormir, si tu veux.

— Qu'est-ce qui se passe ?

— Je ne sais pas encore. Je verrai sur place.

— C'est les Allemands ?

— Non, non, ma jolie. On m'appelle pour le travail. Il ne faut pas te faire de souci.

— OK.

Elle s'assit dans le lit, pas rassurée. Cain comprit à son expression qu'elle ne se rendormirait pas. Il aurait peut-être mieux valu ne pas la déranger, mais l'idée qu'elle se réveille brusquement en compagnie d'une presque inconnue lui était insupportable.

Beryl s'était servi une tasse de café.

— Eileen sera là dans moins d'une heure, l'assura-t-il. Je ne sais comment te remercier.

Elle sourit.

— Heureuse de pouvoir t'aider. Tu m'as étonnée. Je n'aurais pas pensé que...

— ... j'aurais le courage de te demander ? Parce que je suis trop timide ?

— Eh bien, oui.

— J'apprends vite. Il faut juste me donner un peu de temps...

Elle lui caressa la joue.

— Tu as l'air fatigué.

— Je ferai une sieste dans le métro.

— C'est grave ?

— On me le dira là-bas.

Il vérifia qu'il avait son insigne sur lui. Puis son bloc sténo, et enfin son arme de service.

Harlem était pour lui un territoire inconnu. Il n'en savait que ce que rapportaient les journaux, ou ses collègues, plutôt méprisants. « Que des négros là-bas ! » avait jeté Maloney, pour ne surprendre personne. De fait, la presse n'était guère plus élogieuse.

« New York, ville nègre ! »

Cain avait retenu ce commentaire du *Daily News*. Ceux du *Times* ne valaient pas mieux. Les deux quotidiens décrivaient le quartier comme un pays étranger, aux coutumes archaïques, et leurs chroniques faisaient état de crimes bizarres.

Quand Cain sortit du métro, il y avait déjà partout des hommes et des femmes en route vers leur travail. Leurs voix, leurs accents, parsemés d'expressions du Sud, étaient un baume pour ses oreilles. Il n'avait qu'à fermer les yeux pour se croire chez lui. Devant un restaurant, ouvert pour le petit déjeuner, flottait une odeur agréable de toasts et de bacon.

Il monta dans un bus en direction de la Harlem River et trouva à s'asseoir vers le milieu du couloir. Il faisait chaud à l'intérieur, les passagers s'éventaient avec leurs journaux. La moitié des fenêtres étaient coincées en position fermée, comme si la régie des transports avait réservé ses véhicules délabrés à cette partie de la ville. Cain était le seul Blanc à bord. Il paraissait ne gêner personne, cependant tout le monde l'avait remarqué.

À Horton, les Blancs révélaient leur statut social par les mots qu'ils choisissaient pour désigner les Noirs. Au bas de l'échelle, des gens comme Tom Strayhorn,

l'ivrogne qui avait tué Rob, vous donnaient du « négro »
à tout bout de champ. Même dans la prétendue bonne
société, où l'on préférait « personnes de couleur », ou
« nègres », plus courants, les termes péjoratifs n'étaient
pas dédaignés, comme aurait dit Danziger. La grand-
mère de Cain avait toujours employé « négro », en
croyant que cela n'avait rien de répréhensible. Un
de ses oncles préférés, un gars jovial, oscillait entre
« noiraud » et « moricaud », selon son humeur. D'autres
habitants du Sud considéraient, comme Cain, qu'un
Blanc cultivé ne s'abaissait pas ainsi, qu'il fallait
témoigner à ses semblables un minimum de respect.
Une attitude qui leur permettait de se distinguer : ils
étaient des hommes civilisés, passés par l'université.
Depuis son arrivée à New York, il n'avait pas une
fois repensé à ces choses, jusqu'à aujourd'hui et cet
autobus, où son statut social n'avait aucune importance.
Il lui vint soudain à l'esprit qu'un grand nombre des
autres passagers – du moins ceux qui avaient conservé
l'accent du Sud – s'étaient réfugiés ici après avoir fui
des endroits comme Horton et des gens comme lui. En
soi, une petite leçon d'humilité. Il avait aussi vaguement honte. Il jeta un coup d'œil derrière lui, croisa
le regard pénétrant d'un vieux monsieur, et reprit sa
position initiale.

Quand un autre flic blanc, celui-là en uniforme,
monta à l'arrêt suivant, il y eut un net changement
d'atmosphère. Quelques hommes le dévisagèrent,
presque avec suspicion. D'autres se détournèrent vers
la fenêtre ou baissèrent les yeux. Le flic ne s'assit pas,
ignorant ostensiblement la place qu'une femme libérait
pour lui en se décalant sur sa banquette. Il se planta
près de la porte, une main sur la rambarde et l'autre
sur le pommeau de sa matraque, avec une expression

à mi-chemin entre « Venez pas m'emmerder » et « Ce que j'en ai à foutre ? ».

Il aperçut Cain et lui fit un signe discret, auquel celui-ci répondit de même, avant de s'apercevoir qu'il se rendait complice de cette étrange mise en scène. Ce qu'il se reprocha amèrement, avec l'impression de trahir les autres passagers. Quelqu'un, à proximité, fit une remarque qu'il n'entendit pas bien, suivie par un rire étouffé et quelques hochements de tête.

— Si, si, dit un homme âgé, que le flic en uniforme observa méchamment.

Par bonheur, ce dernier descendit au prochain arrêt.

Cain se détendit un peu, mais contempla la fenêtre pendant le reste du trajet. Lorsqu'il descendit à son tour, il sentit les regards braqués sur lui – il avait montré, en définitive, de quel bord il était. Finalement, certains jours, New York et Horton ne se distinguaient pas tant que ça.

Au bout de 137th Street, près des quais, d'autres flics en uniforme étaient groupés en cercle comme autour d'une tombe. Voyant Cain approcher, l'un d'eux avertit ses collègues, qui reculèrent, exposant les jambes nues d'une femme, légèrement pliées. Sa culotte noire, satinée, était déchirée à hauteur de la cuisse. Cain avait déjà vu une peau blanche et diaphane comme celle-ci. Une boule dans la gorge, il reconnut bientôt Angela Feinman, dont la tête dessinait un angle improbable, affreux, avec son cou. Il comprit qu'elle avait la nuque brisée. Il s'arrêta un instant pour respirer à fond et se ressaisit.

Les uniformes affichaient de petits sourires narquois. Un policier en civil vint à sa rencontre.

— C'est vous, Cain ?

Il confirma.

— Il était temps, l'amoureux. Elle vous demande depuis le lever du soleil.

Le gars lui tendit un papier plié – la page que Cain avait arrachée de son bloc, quelques jours plus tôt au cinéma, et sur laquelle il avait noté son nom et le numéro de téléphone du commissariat.

— Vous devez être Larsen.

— *Sergent inspecteur* Larsen.

Cain s'accroupit près d'elle. Non qu'il eût envie de la toucher, mais il aurait aimé la consoler. Un sentiment désolant de solitude se dégageait de ce corps blanc et froid, de ces yeux rivés sur le néant. Elle avait un bleu sur le front, un autre au bras gauche. Pas de traces de balle, apparemment, ni de brûlures de cigarette. Seulement cet horrible cou tordu.

De petites croûtes de sang, au-dessus du sein droit, attirèrent son regard. Elles entouraient une incision au couteau, récente et en forme de *L* – la marque des Silver Shirts, leur carte de visite. À croire qu'un des Allemands disparus était encore bien vivant, ou qu'ils étaient plus nombreux que Danziger et Cain l'avaient escompté.

— Une idée de qui a fait ça ? demanda-t-il à Larsen.

— On pensait que vous le sauriez peut-être. Elle avait votre nom et votre téléphone sous une jarretelle, comme si elle ne possédait rien de plus précieux.

Quelques rires fusèrent derrière eux.

— Ça vous inspire quoi, cette entaille ? poursuivit Larsen. Fait exprès, non ?

— Sans doute. C'est l'emblème d'un groupe de nazis, les Silver Shirts. J'ai quelques noms à vous donner.

— Commencez par le sien.

— Angela Feinman. Elle travaillait dans un cinéma au coin de 3rd Avenue et de 96th Street. Elle a un frère, Joel, c'est le propriétaire.

Larsen fit signe à un flic en uniforme, qui se dirigea vers la voiture de patrouille pour rapporter l'information au central.

Ils prièrent Cain d'attendre l'arrivée de Joel, ce qui lui convenait très bien puisqu'il avait des questions à lui poser. Larsen s'adoucit quand il lui confia les noms de Dieter et Gerhard, les deux autres Allemands dont Cain ne connaissait que le prénom. Larsen parut franchement de meilleure humeur lorsqu'il évoqua ensuite un lien éventuel avec les assassinats de Werner Hansch et Klaus Schaller. Si, à cause de ses révélations, les deux affaires devaient atterrir au Bureau des homicides, eh bien, tant pis. À l'évidence, même avec l'aide de Danziger, Cain n'avait guère progressé dans son enquête et Angela Feinman avait payé pour ses insuffisances. Cain rapporta l'essentiel de sa conversation avec la jeune femme.

— Et vous bossez sur les deux meurtres ?

— Celui de Hansch. Pour Schaller, c'est le 19e qui s'en occupe.

— Curieux qu'ils n'aient pas balancé les deux à l'arrondissement.

— Ça ne tardera peut-être pas. Notre capitaine sera content.

— Compliqué, donc ? Je crois que le mien le sera aussi. Voilà le frangin. Je vous laisse un instant avec lui ?

— Oui, très bien, merci.

Chauve, mal rasé, Joel Feinman portait un costume gris trop étroit pour ses larges épaules. Il descendait la rue tel un homme promis au peloton d'exécution. Cain l'arrêta avant qu'il puisse distinguer le corps.

— J'ai déjà identifié votre sœur, au cas où vous préféreriez ne pas la voir.

— Bien sûr que je *veux* la voir. Je suis son frère, merde !

Feinman s'agenouilla près d'Angela. Il faillit perdre l'équilibre en se couvrant le visage d'une main. Il sanglota brièvement, puis essuya ses yeux. Tout le monde s'écarta. Plus question de rire. Les uniformes lui tournèrent le dos et allumèrent une cigarette. Des volutes de fumée s'élevèrent que le vent emporta vers le fleuve. Joel resta encore un instant près de sa sœur, posa une main sur son épaule puis sur son visage. Quand il se redressa, les revers de son veston étaient imbibés de larmes.

Il s'adressa à Cain.

— Qui l'a trouvée ?

— Il faudrait le demander à l'inspecteur Larsen. J'ai parlé à votre sœur, il y a quelques jours, au cinéma. Elle avait mon numéro de téléphone sur elle, c'est pour ça qu'on m'a convoqué. Elle avait une drôle de clientèle, là-bas. Vous croyez que ça a un rapport ?

— Ces cons de nazis. Ça lui plaisait de les exploiter, répondit Feinman.

Il s'interrompit et hocha la tête.

— D'accord, moi aussi, admit-il.

Il sortit un mouchoir de sa poche et se moucha.

— Quels connards.

— Expliquez-moi une chose. Votre anglais est meilleur que le sien, semble-t-il ?

— Elle n'était pas ici depuis très longtemps. Je l'ai fait venir il y a quelques années seulement. Je croyais lui avoir sauvé la vie.

De nouveau, il hocha la tête.

— Pour ces crétins au cinéma, elle se faisait appeler Sabine. Sabine Heinz, comme le ketchup de merde. Un nom assez aryen pour donner le change.

Voilà qui résolvait le mystère de Werner Hansch et de son grossier tatouage. Évidemment, Angela n'avait rien voulu dire à propos de « Sabine ».

— Vous en connaissez un qui s'appelle Hansch ?

Feinman fit signe que non. Impossible de savoir s'il était sincère.

— Et Klaus Schaller ?

Il releva les yeux.

— Le type qui s'est fait tuer, pas très loin ?

— Pas très loin d'où ?

— De chez moi. C'était dans le journal.

— Oui. Hansch est mort également. C'était aussi dans le journal, sans son identité. Il avait le nom de « Sabine » tatoué sur le bras. On l'a repêché dans le Hudson quelques jours avant le meurtre de Schaller. C'est pour ça que j'ai interrogé votre sœur, avant qu'on sache qui c'était. Elle avait sûrement compris que c'était lui, quand j'ai mentionné ce tatouage, mais elle a préféré se taire.

Feinman gonfla les joues, puis soupira bruyamment. Il s'essuya les yeux et rangea son mouchoir dans sa poche.

— Elle a dû m'en parler une fois, de ce Werner. Un pauvre type. Mais elle ne m'a jamais dit qu'il était mort. Je n'aimais pas la façon dont elle embobinait ces gens.

— Il aurait peut-être mieux valu qu'elle ne travaille pas là.

Feinman se mit en colère.

— Elle se droguait et elle buvait ! Qui, à part moi, l'aurait engagée où que ce soit ? Sans le spectacle, elle aurait fait le trottoir. Et sans moi, elle était coincée à Berlin !

— Vous êtes admirable, mais ce n'est pas le propos. Renseignez-moi plutôt à propos de Lutz Lorenz.

Feinman se calma instantanément.

— Connais pas, murmura-t-il en baissant la tête.

— Selon Angela, c'est lui qui a maquillé vos papiers. Pour vous et un certain...

Cain feuilleta son bloc.

— ... Albie Schreiber. Comme quoi le titre de propriété serait au nom de Gerd Schultz.

— Angela racontait des tas d'absurdités.

— C'est ça, oui... Sans doute qu'ils intéresseraient la répression des fraudes, ces papiers.

— Hé, là ! Ces connards de bundistes me tailleraient en pièces si ça s'ébruitait.

— Comme votre sœur, par exemple ? Ce n'est pas en m'aidant comme vous le faites que la démocratie va sauver le monde[1].

Cain y allait fort, mais la provocation semblait le seul moyen d'arracher quelque chose à ce type. Feinman changea de stratégie et se moucha une fois de plus.

— Que voulez-vous que je vous dise ?

— Il a disparu !

— Oui, je sais, mais c'est tout. Paraît que le FBI est venu le cueillir.

— Le FBI ? Ça ne serait pas plutôt un gars de chez le procureur, un dénommé Gurfein ?

Joel Feinman fronça les sourcils.

— Celui qui combat le racket ? Qu'est-ce qu'il irait faire avec les gens de l'Immigration ?

1. Phrase célèbre du président Woodrow Wilson : « *The world must be made safe for democracy* » (La démocratie nécessite la paix dans le monde), 8 janvier 1918.

— De l'Immigration ?

— C'est ce que j'ai entendu. Et Lorenz est citoyen américain, alors allez comprendre. À en croire certains, il serait devenu une sorte d'ennemi intérieur, ou un espion. Il risque même d'être… comment ils disent ? *Dénaturalisé*. Et expulsé. Aux dernières nouvelles, ils ont envoyé toute sa famille dans le port, à Ellis Island.

— Là où débarquent les immigrants ?

— Ça, c'était avant. C'est de là que l'Oncle Sam les fait repartir, aujourd'hui. S'ils ont emmené Lorenz là-bas, sûrement qu'ils veulent le renvoyer. Ils ont arrêté pas mal d'Allemands autour de chez moi. Ceux qui collent des portraits de Hitler sur leurs murs. Qui cachent une radio à ondes courtes dans leur cave…

Cain prit note. Puis il inscrivit son nom et son téléphone sur une page qu'il détacha de son bloc pour la donner à Feinman, comme il avait fait pour Angela. Il posa une main sur son épaule.

— Je suis navré pour votre sœur. Dommage qu'elle m'ait mal informé.

— Ça aurait changé quoi ? Vous autres flics, vous n'avez jamais levé le petit doigt pour nous aider. On n'a qu'à s'entretuer à Yorkville, comme les Chinetoques à Chinatown, ou ces pauvres diables à Harlem, ça vous va très bien.

Feinman jeta le papier et tourna les talons. Larsen se lança à ses trousses. Une rafale de vent souleva la feuille et la posa sur la Harlem River qui l'emporta vers la mer.

Cain alluma une cigarette et la regarda disparaître au loin.

24

Cain eut le cafard pendant le reste de la journée. Il tenta d'appeler Danziger, sans succès. Puis il téléphona à Beryl et l'invita à dîner, en espérant que sa présence le mettrait de meilleure humeur. Ils emmenèrent Olivia et choisirent un restaurant doté de tables, où ils ne formeraient pas une rangée de trois au comptoir.

Comme Olivia les accompagnait, il était impossible d'évoquer dans le détail les événements de la matinée, ce qui n'était pas plus mal. Chaque fois qu'il fermait les yeux, Cain revoyait la froide pâleur du corps d'Angela Feinman, à moitié nue sous la brise salée, avec ce minuscule *L* incisé dans sa peau.

— As-tu vu Danziger récemment ? demanda Beryl.

— Hier. Nous avons rendu visite ensemble à quelqu'un.

— Qui est Danziger ? s'enquit Olivia.

Elle les observait attentivement, comme si elle tentait de savoir à quel point Beryl comptait pour son père. Ce repas se révélait plus compliqué que Cain s'y était attendu.

— Elle ne le connaît pas ? s'étonna Beryl.

— Non. On croirait pourtant qu'il sait tout d'elle…
qu'il savait, même, le jour où je l'ai rencontré. Jusqu'à
l'origine de son prénom.

— Tu veux parler de la pièce de théâtre ? dit Olivia.

— Oui, ma chérie, répondit Cain.

Puis, à Beryl, qui l'interrogeait du regard :

— Shakespeare. *La Nuit des rois*. Clovis aimait bien
le personnage d'Olivia, car elle était belle, bien née,
et elle avait beaucoup de prétendants.

Olivia se renfrogna, soit parce qu'il était question
d'elle, soit parce que son père parlait de sa mère en
présence d'une autre femme et que, à son avis, il n'en
avait pas le droit. Ou peut-être encore parce qu'il
n'avait toujours pas répondu à sa question.

— J'ai demandé : qui est Danziger ?

— Un monsieur avec qui je travaille, très intelligent et très mystérieux. Beryl le connaît, elle aussi et,
parfois, elle l'appelle Sacha. Mais elle ne veut pas trop
en dire à son sujet.

Cain sourit pour montrer à Beryl qu'il plaisantait.
Pas sûr qu'elle l'entendait de cette oreille.

— Pourquoi vous ne voulez pas en parler à mon
papa ?

— Parce que M. Danziger est l'ami de mon oncle,
et mon oncle aime que je sois discrète à propos de
ses amis.

Elle se tourna vers Cain et l'observa. Il fit de même,
et ils gardèrent la pose assez longtemps pour contrarier
Olivia, qui poussa un soupir et souffla dans sa paille.
Il restait au fond du verre quelques gouttes de son
milk-shake, qui firent des glouglous.

— Cela n'est pas très poli, ma chérie, lui reprocha
son père.

— Sacha garde l'avantage, alors ? dit Beryl. Il en sait toujours plus long sur toi que l'inverse.

Cain mentionna sa requête aux Archives municipales, qui détenaient la fiche d'Alexander Dalitz, décédé. La disparition de celui-ci ne sembla pas étonner la jeune femme.

— Damon Runyon avait écrit un article sur lui. Je le tiens d'oncle Fedya.

— Damon Runyon[1] ? Sur Danziger ?

— Sur Dalitz. Je ne l'ai jamais lu. Fedya affirme que c'était un vrai article, pas une brève dans un coin de journal. Il doit en conserver un exemplaire quelque part, mais je doute qu'il me le montre, surtout maintenant que je pactise avec l'ennemi.

Beryl rougit et jeta un coup d'œil à Olivia.

— C'est une image, bien sûr.

— Comment ça, une image ? demanda Olivia.

— Cela veut dire qu'il ne faut pas le prendre au pied de la lettre.

— Prendre quoi ?

— Aucune importance.

Olivia fit la moue. C'est ce que disaient les adultes lorsqu'on n'avait pas compris quelque chose d'important.

— Qui est Damon Runyon ? demanda-t-elle ensuite.

— Un écrivain célèbre, qui tient une rubrique dans le journal. Il fait souvent le portrait de gens très intéressants, mais ce n'est pas toujours flatteur.

— C'est du sabotage ?

— Pas exactement. Et M. Danziger est un type bien, qui aide beaucoup papa. Seulement, j'aimerais bien savoir ce qu'il faisait dans sa jeunesse.

---

1. Journaliste et auteur célèbre, notamment pour ses chroniques de la Grande Dépression et de la prohibition.

Combien de temps faudrait-il à la bibliothèque municipale pour déterrer une copie de l'article de Runyon ? Cain se posa la question.

— Encore quelqu'un qui connaît mieux vos affaires que les siennes, commenta Olivia.

— Bien formulé, ça, approuva Beryl.

Cain était moins enthousiaste. La formule en question était une des expressions favorites de Clovis – et Olivia venait de citer sa mère pour la deuxième fois en quelques jours. Cherchait-elle à attirer son attention ? Sur le fait qu'il était encore marié ou que, malgré son absence, elle avait toujours une mère ? Probablement, comme lui, Olivia pensait-elle davantage à Clovis, maintenant qu'elle habitait dans la ville où elle avait grandi.

— Si c'était un mauvais homme, pourquoi aurait-il changé depuis ?

Question intelligente. Cain n'avait pas la réponse et Beryl tenta d'en apporter une.

— Peut-être qu'il n'était pas si mauvais. On peut ne pas respecter les lois, mais avoir de bonnes raisons pour ça.

Olivia fronça les sourcils.

— C'est le genre de chose que dirait Benny dans ma classe à l'école.

— Je sais qu'il a été interprète pendant un temps, affirma Beryl. À Ellis Island, au service de l'État.

— Tu plaisantes ? s'étonna Cain. C'est ton oncle qui raconte ça ?

Elle hocha la tête.

— Un rabbin l'avait recommandé pour cette place. Sacha n'avait que seize ans.

Un vrai rabbin, traduisit Cain intérieurement, pas un protecteur dans les hautes sphères.

— Qui était-ce ?

— Le rabbin Kaufmann. Il était célèbre à l'époque. Un philanthrope qui se donnait du mal pour garder ses jeunes étudiants sur le droit chemin.

— Il n'aura pas toujours réussi.

— Avec Fedya, si. Kaufmann l'a fait engager comme coursier par un petit cabinet de Delancey Street. Il y est resté trente ans. Sacha a eu moins de chance. Apparemment, il a été remercié dès la première semaine.

— Pourquoi, il n'était pas bon ?

— Plutôt qu'il aurait menti à l'embauche.

— À propos de son âge ?

— Non. Il avait prétendu parler couramment le grec et le turc.

Cain rit.

— Tiens donc ! Danziger, version mythomane... Dommage, pourtant, qu'il ne travaille plus à Ellis Island.

— Pourquoi ?

— Il y a quelqu'un qui est retenu là-bas et que nous aurions besoin de voir. Si j'ai bien compris, on parque maintenant dans l'île les gens qu'on a l'intention d'*expulser*.

— Oui. Les ennemis de l'intérieur. Pourtant certains vivent ici depuis des années sans embêter personne. Des immigrés que nous avions secourus se retrouvent là-bas.

— Tu y es allée ?

— Plusieurs fois. Une société de bienfaisance y envoie un bateau toutes les semaines. Figure-toi que six cents personnes environ vivent sur place, dans une grande caserne, sans rien à faire. Alors on leur apporte des livres, des magazines, leur courrier, des vêtements...

— Elle pourrait m'emmener ? Ou toi ?

Beryl fit la grimace et Cain, modérant son enthousiasme, précisa :

— Pas en tant que flic. Du moins pas officiellement. Cela ne rentre pas dans mes attributions, de toute façon.

Beryl demeurait sur ses gardes. Sa résistance habituelle à l'autorité, supposa-t-il. Olivia, elle aussi, semblait gênée. Elle devait sentir que son père tentait de se servir de son amie. Cependant, le jeu en valait la chandelle, et Cain pensa à lui rappeler sa phrase de tout à l'heure. On peut ne pas respecter les lois, mais avoir de bonnes raisons. Il la regarda et renonça.

— Oublions cela, dit-il. Qu'y a-t-il comme dessert ?

Ce qui lui valut un sourire d'Olivia et tous trois se posèrent la question de savoir si la tarte aux pommes était meilleure seule ou avec une boule de glace. Ils choisirent la deuxième solution et se jetèrent dessus comme une volée de pigeons sur un quignon de pain.

La serveuse débarrassa la table, puis leur apporta le café et la note.

— C'est pour moi, offrit Cain. Tu n'as pratiquement rien mangé. Enfin, à part la tarte...

Beryl prit un air solennel et se pencha vers lui.

— À propos d'Ellis Island... Sacha t'accompagnerait ?

— Bien sûr. Il me faut de toute manière un interprète. Pour l'allemand. Et ça, il connaît.

Elle but une gorgée de café et réfléchit.

— Il y a un bateau qui part demain. Ça ne laisse pas beaucoup de temps, mais si je passe quelques coups de téléphone, nous devrions pouvoir monter à bord. Tu arriveras à joindre Sacha, d'ici là ?

— Oui.

— Parce que, s'il ne vient pas, toi non plus.

— Tu as ma parole, assura Cain.

Elle soutint son regard un instant, puis saisit l'addition.

— Dans ce cas, je paie ma part. Je ne suis pas un indic, on ne m'achète pas.

Cain s'abstint de sourire car elle ne plaisantait pas. À regret, il fit le compte pour chacun.

25

DANZIGER

Je m'étais attendu à un grand bateau, solide et massif, mais, par sa forme et sa taille, leur prétendu ferry ressemblait plutôt à un remorqueur. Il a tangué légèrement quand je suis monté à bord, réveillant en moi une myriade de peurs et d'hésitations.

— Ça va ? m'a demandé M. Cain. Vous n'avez pas l'air très à l'aise.

On ne le différenciait plus des vrais New-Yorkais.

— Il y a longtemps que je n'ai pas pris la mer.

— La mer ? Nous traversons le port, c'est tout. Il y en a pour un quart d'heure au maximum. Retournez-vous, notre destination est derrière nous.

Je savais à quoi il faisait référence. Le long toit rouge du Grand Hall et ses quatre tours, coiffées chacune d'un dôme et d'une flèche, et qui, tels des minarets, dominent toute l'île. Depuis l'embarcadère de Battery, le bâtiment apparaissait nettement dans la lumière du matin. Il est, de toute façon, imprimé dans ma mémoire aussi profondément qu'une inscription dans le marbre d'un monument. Certes, j'y étais retourné entre-temps, mais ce souvenir date d'un jour, il y a quarante ans, où il était flambant neuf, et moi, un jeune garçon sous l'aile protectrice de mes père et mère, Solomon et Anna. Nous l'avions vu, pour la première fois, depuis le pont supérieur du vapeur transatlantique qui nous menait aux États-Unis, où nous étions impatients de débarquer.

L'équipage a largué les amarres, le moteur a vrombi et nous avons reçu en pleine figure un nuage de fumée. Le ferry s'est élancé dans le port et je me suis retenu à la rambarde pour garder l'équilibre.

— Vous devriez peut-être vous asseoir, a suggéré M. Cain.

Beryl était montée avant nous pour montrer aux responsables nos laissez-passer de la Croix-Rouge.

— Non. Allons à l'avant, nous installer à la poupe.

— La proue, vous voulez dire ?

— Oui, la proue. Je ne suis pas très amateur de bateaux.

Il y a de bonnes raisons à cela, que je ne tenais à révéler ni à M. Cain ni à Beryl, ni aujourd'hui ni jamais.

J'ai proposé de nous placer à la proue car j'avais décidé de confronter mes angoisses en les regardant en face. Nous nous sommes appuyés au bastingage où, en rebondissant sur l'eau, la coque projetait sur nous des gerbes d'écume. La coque – ce mot-là, je connais. Bravant mes appréhensions, je me tournais vers Ellis Island au moment où M. Cain est revenu vers moi.

— J'ai une chose à vous dire avant que Beryl nous rejoigne.

— Oui ?

— Les deux Allemands qu'on croyait envolés sont sans doute réapparus. Je me demande si l'un d'eux n'a pas tué la dénommée Sabine. Le tatouage, vous vous souvenez ? Sauf qu'il n'y a pas de Sabine. Il s'agit d'Angela Feinman.

— La jeune femme du cinéma ?

Cain confirma.

— Quelle horreur ! Ils ont probablement découvert qu'elle était juive.

— Ou ils ont voulu la punir pour ce qui est arrivé à Hansch et à Schaller.

— Deux mobiles suffisants pour des gens de leur sorte. Êtes-vous sûr que c'est eux ?

— Je n'ai aucune certitude. Mais ils ont laissé une trace, le petit *L* incisé au couteau, au-dessus du sein droit. Je n'ai pu réprimer un frisson.

— Raison de plus pour mettre rapidement la main sur eux. Peut-être que Lorenz saura où ils se cachent, ai-je observé.

Je me suis rappelé le but de notre mission, cependant le spectacle de cette île, dont nous nous rapprochions, n'avait rien pour m'encourager.

Beryl, notre ange gardien, représentait officiellement son employeur, la Croix-Rouge américaine. Mais à bord étaient également présents des membres du Conseil national des femmes juives, des Filles de la Révolution américaine, de l'Union chrétienne des femmes pour la tempérance et de l'Association des jeunes femmes chrétiennes. Des organisations caritatives qui avaient rempli les soutes de cartons de courrier, de livres et de vêtements de seconde main, destinés aux personnes bloquées sur l'île.

Beryl nous avait donné des consignes à respecter, une fois arrivés sur place.

— Ne vous éloignez pas de moi, sinon vous risquez de tout rater, avait-elle dit. On n'accède pas partout, mais je connais quelques astuces qui devraient vous permettre de circuler plus facilement.

J'ai décelé dans son attitude une sorte de pied de nez aux autorités locales – une manière pour elle, sans doute, d'oublier qu'elle participait finalement à une enquête de police. Cela établi, elle était prête à nous assister dans notre entreprise, qui consistait à localiser et à interroger Lutz Lorenz, si possible à l'abri des oreilles indiscrètes.

Elle avait offert de nous servir d'intermédiaire. Son argument – fort raisonnable – étant que M. Lorenz irait vite se terrer quelque part s'il apprenait qu'un policier cherchait à le rencontrer. M. Cain trouva sa proposition excellente, bien qu'il me parût évident qu'il accepterait n'importe quelle suggestion de Beryl, tant celle-ci le charme. Par bonheur, Fedya n'était pas là pour les voir échanger leurs œillades complices.

Elle nous rejoignit à la proue où l'écume continuait de nous fouetter le visage. Beryl remarqua aussitôt ma gêne.

— Ça ne va pas, Sacha ?

— Si, très bien, lui ai-je assuré d'un air que je voulais déterminé.

— Il n'aime pas beaucoup les bateaux, dit M. Cain.

— Il n'y a peut-être pas que ça. J'imagine que de vieux souvenirs remontent à la surface. Quand as-tu débarqué en Amérique, Sacha ? Au début du siècle ?

Je les ai étudiés, tous les deux. Il est des choses que je peux révéler sans difficulté, d'autres pas. Le récit de mon arrivée fait partie des premières.

— C'était en 1902. Le Grand Hall venait juste d'être reconstruit, le précédent ayant été dévasté par les flammes. Nous étions probablement trois cents personnes sur le pont, ce jour-là. Toutes épuisées par la traversée, mais euphoriques à l'idée de toucher au but. Mon père m'avait juché sur ses épaules et ma mère me tenait la main.

Tandis que je parlais, la statue de la Liberté se dressa en arrière-fond. Nous en étions moins proches que ce jour de 1902 – car, venant du large, nous nous dirigions droit sur elle –, mais assez pour réveiller des sentiments endormis depuis des lustres.

— Cela devait être fantastique de la voir pour la première fois, a dit M. Cain, qui avait surpris mon regard. Après un si long voyage. Vous étiez tous enchantés, non ?

L'amour de son pays se lisait dans ses yeux, et j'en étais ravi pour lui. J'ai préféré dire la vérité – à ce sujet, du moins.

— J'étais terrifié, au contraire.

Il prit un air déconfit.

— Par la statue ? Je croyais que les gens hurlaient de joie en l'apercevant.

— Mes parents étaient contents. Mon père m'a soulevé aussi haut qu'il pouvait, pour que je la distingue bien par-dessus la foule. Et j'ai eu une crise d'angoisse. Elle paraissait si sévère, si menaçante. Observez-la, monsieur Cain, et essayez de vous mettre à la place d'un enfant, face à ces yeux vides, indifférents, qui surveillent l'océan. Et cette torche, qu'elle brandit comme une arme !

Je savais qu'il ne verrait pas la même chose. Même Beryl était perplexe, bien qu'elle hochât poliment la tête pour me faire plaisir.

— Quand nous sommes passés devant elle, je me suis mis à pleurer. J'étais certain qu'elle allait baisser le bras et embraser le navire avec sa torche. J'ai crié pour que mon père me repose par terre.

Cain a ri.

— Mon père a ri, lui aussi. Il était si heureux ce jour-là qu'il versait des larmes de joie. Ma mère s'est tue brusquement devant mon expression. Je crois qu'elle a compris sur le moment.

— Compris quoi ? demanda Beryl.

— Que ma peur était un présage.

— Un présage ?

Nous avons gardé le silence un instant. La coque rebondissait de plus belle sur les vagues et une volée d'écume, plus puissante que les autres, nous claqua au visage tel un barbier qui vous flanque un coup de serviette froide après le rasage. Beryl et M. Cain se dévisageaient d'un air intrigué.

— Cela n'est pas une histoire pour aujourd'hui, ai-je conclu en me détournant de lady Liberty et de ses yeux, plus insensibles que jamais. Regardez l'île ! Il y en a qui sortent dans la cour.

Affublée de vêtements sombres et informes, une foule quittait le Grand Hall par une porte et se dispersait sur un terrain aux abords du débarcadère – une langue de terre grisâtre, un espace stérile, dépourvu de végétation. Un grillage élevé interdisait tout accès à la mer, mais la vue sur Manhattan y était préservée. Un groupe de jeunes hommes s'en alla à un bout entamer une partie de football. Certains se réunirent ailleurs, rigides, en petit comité, et, à mesure que nous approchions, j'ai remarqué qu'ils étaient japonais. J'ai reconnu ensuite quelques bribes d'italien que m'apportait le vent, expressives, animées, et j'ai aperçu trois hommes qui conversaient en faisant de grands gestes. Cette langue me mettra toujours du baume au cœur. J'ai aussi entendu de l'allemand, avec ses consonnes sourdes et gutturales.

— Vous le voyez ? m'a demandé Cain, à droite derrière moi.

Comprenant qu'il parlait de Lorenz, j'ai scruté la foule qui continuait de sortir du bâtiment pour sa promenade de l'après-midi.

— Non. Je suppose qu'il est resté à l'intérieur.

— Je me suis renseignée auprès des autres associations, dit Beryl. Apparemment, il s'est bâti une réputation de tricheur et de manipulateur. Et il n'est ici que depuis quelques jours.

— Cela pourrait bien être lui.

Le bateau s'engageait dans le bassin central qui divise l'île en deux secteurs. Le bâtiment et les terrains n'avaient pratiquement pas changé depuis 1902. Un frisson m'a parcouru l'échine. Pareillement incommodé, je n'avais pas eu le courage d'y travailler quand, par la suite, le rabbin m'y avait gentiment décroché une place. J'avais tenu trois jours et n'étais pas revenu. J'avais raconté à Kaufmann que je m'étais disputé avec un surveillant. Pour mes amis, j'avais concocté une version plus amusante, comme quoi, lors de mon inscription, j'avais menti en prétendant que je maîtrisais parfaitement le turc.

Si le rabbin m'avait trouvé un emploi ailleurs, sans doute aurais-je suivi la voie qu'il m'avait tracée et aurais-je évité celle qui allait s'imposer – avec ses événements heureux et malheureux. Mais, une fois nos rendez-vous pris avec le destin, il doit être impossible de nous dérober. Peut-être est-ce la raison pour laquelle je retourne ici aujourd'hui, dans l'intention de terminer un travail qui m'attend depuis trop longtemps.

Le bateau s'est approché de son emplacement à quai, et l'équipage s'est préparé à jeter les amarres. Mon cœur battait. M. Cain m'étudiait attentivement, comme un scientifique examine quelque spécimen. Visiblement, cette promenade sur l'eau l'avait réjoui. Il était soulagé d'être un moment débarrassé de Manhattan, de ses foules, de ses odeurs entêtantes et des chaleurs naissantes qui, l'été venant, se transformeront en canicule et feront fondre le bitume. Il devait regretter de ne pas avoir emmené sa fille, ce qui lui aurait fait une sortie.

Pour moi, tout cela n'était que souvenirs, un navire plein de fantômes. Des témoins silencieux défilaient à mes côtés en répandant l'odeur des semaines passées en mer, du monde en ruine qu'ils avaient fui.

Le bateau a heurté le quai. Nous étions arrivés.

26

Beryl entraîna les deux hommes à l'arrière du bateau.

— Vous êtes censés m'assister et il faut mériter votre passage. Venez m'aider à transporter ces cartons.

— Bien sûr, dit Cain.

Il ne demandait qu'à lui faire plaisir. Danziger réagit plus lentement. Depuis qu'il l'avait rencontré, Cain ne lui avait jamais vu ce teint livide et cet air abattu, qu'il attribua au mal de mer. Mais il se rendit compte que Beryl avait raison : Sacha était hanté par ses souvenirs, pas seulement par l'indifférence de lady Liberty. Il se demanda ce qui avait bien pu se passer mais, après tout, cela n'était pas ses affaires.

Ils se munirent chacun de deux cartons et gagnèrent la passerelle, qu'empruntaient déjà les autres passagers.

— L'équipage s'occupera du reste, dit Beryl. Posez les vôtres là-bas avec ceux qui y sont déjà.

— C'est à cet endroit précis qu'on avait déchargé nos malles et nos valises, se rappela Danziger, les yeux vides.

Sentant sur lui le regard de Cain, il se détourna. Depuis les quais, ils ne voyaient qu'une partie du terrain devant le Grand Hall et il n'y avait toujours pas trace de Lutz Lorenz.

— Suivez-moi, continua Beryl.

Ils se dirigèrent vers une entrée, sur la gauche du bâtiment, montèrent un petit escalier de marbre menant à une double porte, derrière laquelle plusieurs hommes et femmes à la mine compassée étaient assis à différents bureaux, dotés de classeurs à courrier, de buvards et de tampons – l'obstruction administrative personnifiée. Mais ils semblaient connaître Beryl et lui firent signe d'approcher. L'un d'eux lui sourit même.

— Ces deux-là m'accompagnent, annonça-t-elle en lui retournant son sourire.

Ils franchirent une nouvelle double porte et se retrouvèrent dans une pièce partagée en deux par une série de longues tables en sapin verni qui formaient un grand *L*. Les tables elles-mêmes, garnies de chaises, étaient surmontées par des cloisons basses qui empêchaient de passer d'un côté à l'autre.

— Le parloir, expliqua Beryl.

De leur côté, des visiteurs assis attendaient déjà. Cain remarqua les soldats postés ici et là. L'idée d'être écouté ne lui plaisait guère.

— Pour plus de sécurité, nous pourrions demander aux gardes de nous mener à Lorenz. Mais j'ai le droit de monter à l'étage, et on vous laissera probablement m'accompagner. Dans ce cas, vous devrez le repérer parmi les autres.

— Je ne sais si je le reconnaîtrai, dit Danziger. Il y a des années que je ne l'ai pas vu. Maintenant, s'il s'est fait une réputation, les autres nous aideront peut-être.

— Allons-y.

Elle les conduisit en haut de l'escalier, vers une immense salle au plafond élevé où résonnait un brouhaha. En atteignant la porte, Danziger parut essoufflé, terrassé.

— Vous avez besoin de vous reposer ? s'inquiéta Cain.

— Votre question ne manque pas d'à-propos. Pour les nouveaux arrivants, ces marches servaient de premier examen de santé. Ma mère ne se sentait pas bien, mais elle a monté l'escalier sans broncher. Il y avait un inspecteur assis ici, en retrait, qui tentait de déceler les éventuels symptômes d'une maladie. Nous ne l'avons appris que plus tard, évidemment. S'il vous désignait, on vous envoyait de force chez les médecins et vous n'étiez pas sûr d'en revenir. Je me souviens bien de ce qu'il avait dit, sur notre passage, car il parlait un très mauvais allemand : « D'abord à l'étage, le bétail. Ensuite on vous mène à l'enclos. »

Beryl prit gentiment Danziger par le bras et l'aida à se remettre en mouvement. Cain se demanda si ses propres ancêtres avaient transité ici. Il ignorait à quelle date et à quel endroit sa famille avait débarqué en Amérique. Il savait tout au plus qu'elle s'était installée en Caroline du Nord, à la campagne, vers la fin du XVIIIᵉ siècle.

Ils avancèrent vers le centre de la pièce. Cain craignait à tout moment de se faire arrêter par un garde. Des tables, des chaises, des canapés étaient rassemblés ici et là. Le gros de la troupe étant sorti, trente ou quarante personnes seulement occupaient l'immense salle. Dans un angle, six enfants, tous plus jeunes qu'Olivia, se poursuivaient en criant joyeusement entre les tables. De vieux messieurs lisaient journaux et magazines en fumant. Quelques femmes cousaient ou discutaient par groupes de trois ou quatre. À l'autre extrémité, des hommes jouaient aux cartes, assis autour de deux tables rondes. Avec leurs cigarettes, ils produisaient autant de fumée qu'une cheminée d'industrie.

— Le gars, là-bas à gauche, entouré de sa cour ? Avec les joueurs de cartes ? Cela devrait être lui, avança Danziger.

Cain vit tout de suite de qui il s'agissait. Il se dégageait de ce Lorenz une certaine autorité, ou plus exactement une certaine assurance. Même de loin, on remarquait son air résolu, ses gestes précis lorsqu'il distribuait les cartes. Un de ces hommes privilégiés, pensa Cain, qui, dix minutes après être entrés dans un bar, ou arrivés à une réception, s'y sentent parfaitement à l'aise, s'attirent les bonnes grâces du barman ou de la maîtresse de maison, et l'attention bienveillante des autres convives.

— Ils sont suspendus à ses lèvres, nota Danziger.

— C'est aussi lui qui a le plus gros tas de jetons, ajouta Cain. Il est sûrement en train de les plumer, les doigts dans le nez.

— Tel père, tel fils.

— Voulez-vous que je l'aborde ? proposa Beryl. C'est le genre de bonhomme susceptible de se méfier.

— Allons-y ensemble, décida Danziger. Mais parle la première. S'il est bien comme son père, il ne résistera pas au sourire d'une femme.

En se rapprochant, Cain entendit quelques phrases, prononcées à voix basse en allemand, tandis que les hommes glissaient des jetons vers la pile au milieu de la table. Lorenz lâcha un commentaire qui les fit rire. Voyant la jeune femme et ses deux compagnons marcher vers lui, il posa ses cartes et s'adressa à eux dans un anglais parfait.

— Je n'ai rien contre la dame si elle souhaite nous voir jouer. Mais pour les messieurs, désolé, il est trop tard pour se joindre à nous et je ne tiens pas à montrer nos cartes. Donc, si vous voulez bien...

Cain et Beryl marquèrent un temps, mais Danziger poursuivit sur sa lancée et se plaça derrière l'épaule droite de Lorenz. Ce qui ne laissait guère le choix à celui-ci sur la conduite à adopter, à moins qu'il ne tînt à avoir le vieil homme dans son dos, à l'affût comme un oiseau de proie.

Lorenz fit grincer sa chaise sur le sol et se leva. Il n'avait plus rien d'aimable et ses yeux bleus étaient glaçants. Il ne sembla pas reconnaître Danziger, et pourtant leurs fronts se touchaient presque. Aucun ne souffla mot. Quelqu'un, derrière eux, frottait deux jetons l'un contre l'autre en produisant un crissement agaçant comme une toux persistante.

— Regarde-moi bien, Lutz, dit calmement le vieil homme.

Lorenz fronça les sourcils. Il devinait une chose sans y croire encore.

— C'est moi, Lutz, Max Dalitz.

Lorenz ouvrit la bouche et la referma sans qu'aucun son n'en sorte. Puis il la rouvrit.

— Que...

— Ton père m'a été très utile. Mais cela sera pour une autre fois. Ce qui importe pour l'instant, c'est que j'ai une dette morale envers lui. C'est la raison de ma présence. Je suis là car, à certains égards, je suis la seule personne capable de t'aider. Suis-je assez clair ?

— Allons nous mettre à l'écart.

Lorenz se tourna vers les autres joueurs, qui avaient posé leurs cartes et l'observaient. À l'évidence, ils n'avaient pas l'habitude de le voir embarrassé.

— Messieurs... dit-il, avant de rectifier : *Meine Herren*...

Il poursuivit ses explications en allemand, jeta ses propres cartes sans toucher à ses jetons. Pas rassurés, ses compagnons émirent un vague commentaire. Cain,

Danziger, Beryl et Lorenz s'en allèrent vers l'extrémité opposée de la salle, à un endroit où trois chaises pliantes avaient été disposées en triangle. Assise en face sur un canapé, une femme était en train de broder un ouvrage visiblement complexe à la lumière d'une fenêtre. Elle fit la grimace en apercevant Lorenz, rassembla ses affaires avec un murmure désapprobateur et partit sans demander son reste. Danziger la suivit du regard avec intérêt.

Beryl tapota le bras de Cain.

— Je vous laisse travailler, dit-elle à voix basse. Je surveille les alentours au cas où vous attireriez un peu trop l'attention.

— Merci.

— Bonne chance.

Les hommes prirent place. Danziger parla le premier.

— Tu sembles t'être fait une sacrée réputation, pour quelqu'un qui n'est pas là depuis très longtemps.

— Dans ces lieux, il vaut mieux s'imposer tout de suite, sinon on vous ignore complètement...

Lorenz étudia la pièce et hocha la tête avant de poursuivre :

— ... et on finit par vivre comme un moine. Une sonnerie vous réveille à six heures vingt. Le petit déjeuner est servi, trois quarts d'heure plus tard. Les Allemands et les Italiens mangent ensemble, les Japonais à l'autre bout de la table. Pour ceux qui aiment faire de l'exercice, c'est à huit heures. À midi le déjeuner, gymnastique à trois heures si on veut recommencer, dîner à cinq heures et quart, extinction des feux à dix heures. Et au moment où on arrive à vraiment dormir, la sonnerie gueule à nouveau.

— Et le poker, c'est toute la journée ?

Lorenz haussa les épaules.

— Tes nouveaux amis sont du même bord que toi ?

— Pff, tous des admirateurs du Führer. Des crétins et des vantards, surtout. Mais j'évite le sujet, et l'Allemagne en général. Ce qui nous réunit est d'ordre plus pragmatique. Après tout, même Ellis Island vit à l'ère du capitalisme et j'ai justement de quoi investir un peu.

— Faut-il comprendre que tu es arrivé ici les poches pleines ?

Lorenz sourit sans répondre.

— Où est ta famille ?

Lorenz baissa les yeux, dévoilant que sa belle assurance n'était qu'une façade.

— Laissons ça de côté. Ils sont sur le continent, assez loin de Yorkville. Ce n'est pas eux qu'on voulait, de toute façon, moi seulement.

— Qui exactement en a après toi, Lutz ?

Celui-ci se détourna.

— Ne le prends pas comme ça... Nous savons que tu es ici sur ordre de Gurfein, même si l'Immigration s'est chargée du transport.

Lorenz plissa les paupières.

— Qui est ce type avec toi ? Qu'est-ce qu'il vient faire ?

Danziger et Cain échangèrent un regard. Ils avaient débattu de l'opportunité de révéler que Cain était flic, sans parvenir à une conclusion. Ce dernier pensa qu'il valait mieux jouer cartes sur table.

— Je suis inspecteur de police et je n'ai rien à voir avec Gurfein. Je l'aurais plutôt dans le collimateur, celui-là. Lui et quelques autres individus louches, impliqués dans le meurtre de gens que vous connaissez : Werner Hansch et Klaus Schaller.

De nouveau, Lorenz baissa les yeux. Il posa les mains sur les genoux. Il était assez proche de Cain pour que celui-ci sente son odeur – celle, familière, d'un homme retenu prisonnier. Comme si la détention vous rentrait dans la peau et finissait par se mêler à votre transpiration. Lorsqu'il releva les yeux, Lorenz avait pâli.

— On aurait pu aussi me repêcher dans le fleuve. Je dois ça à Gurfein, il n'est pas allé jusqu'à me truffer de brûlures de cigarette ou me coller une balle dans la bouche. Rien que pour ça, je lui dois le silence.

— Ce sont ses hommes qui ont procédé aux assassinats ?

Lorenz hocha la tête.

— C'est un oui ou un non ?

— Je ne peux rien dire de plus et je ne dirai rien.

Il croisa les bras. Cain étudia Danziger, qui plaça une main sur le genou de Lorenz et, se penchant vers lui, lui parla comme à un vieil ami.

— Allons, Lutz. Tu sais comment ça marche, tout ça. Je ne doute pas que M. Gurfein, quel que soit son rôle dans l'histoire, soit décidé à veiller sur toi. C'est certainement lui qui a insisté pour qu'on mette ta famille en lieu sûr.

Lorenz releva les yeux sans confirmer.

— Mais nous sommes convaincus qu'il ne pourra pas éternellement garder l'endroit secret. Et, si d'autres que lui souhaitent que tu leur obéisses, ils feront pression sur toi par ce moyen, que tu sois encore ici ou pas. Non ?

— Comme si tu étais en mesure d'y faire quelque chose.

— Peut-être bien que oui. Pourquoi serions-nous venus, sinon ? Ton père m'a donné un fier coup de main, il y a longtemps, et c'est pour ça que je suis ici. Quand ces gens chercheront où se trouvent ta femme, ta mère et tes enfants, tu n'auras pas trop d'atouts dans ton jeu. Certes, M. Gurfein a promis de te défendre, mais ces gens-là ont la mémoire courte, ce que tu n'ignores pas. Il est chargé de veiller sur toi et ta famille, mais il n'a rien juré à personne. Et qui sait combien de temps il gardera son poste ? C'est l'État qui décide, Lutz, ses agents vont et viennent. Son remplaçant sera-t-il aussi fiable ? En revanche, tu pourras toujours compter sur tes amis – tes vieux amis, surtout. N'est-ce pas ?

Lorenz décroisa les bras. Il détacha une peluche de son pantalon et regarda Danziger.

— Je les ai vus, la première fois, il y a quatre mois. En décembre, une semaine environ après Pearl Harbor.

— Qui ça, Lutz ?

— S'il te plaît ! jeta Lorenz, énervé. Laisse-moi raconter comme je veux.

— Bien sûr, excuse-moi.

Cain offrit une Lucky à Lorenz, qui l'accepta, mais dédaigna les allumettes qu'il lui tendait et sortit de sa poche un Zippo étincelant, qui impressionna Cain.

— Je l'ai gagné hier au poker. Ces idiots, là-bas, comprennent aussi mal les cartes que la politique.

Il alluma sa cigarette, aspira une longue bouffée et, d'une chiquenaude, fit tomber la cendre sur le sol de marbre.

— Des Italiens, pour répondre à ta question. *Un* Italien, en fait. Il ne m'a pas dit son nom, mais il suffisait de le voir. Le costume, le chapeau, la bosse sous le veston, l'accent… Le mafioso dans toute sa splendeur. Au cas où je serais idiot, il a achevé de me convaincre en me payant en liquide – un gros paquet de fric. En échange, j'étais censé lui recommander quatre résidents allemands dignes de confiance. Et me taire, évidemment.

— C'est tout ? demanda Cain.

— Cela n'est jamais tout, pas vrai, Sacha ?

Danziger ne réagit pas. Lorenz poursuivit :

— Mais ils ne voulaient pas n'importe quels Allemands, de préférence des partisans du régime de Berlin. Mon rôle se limitait à celui d'intermédiaire. Ils m'ont assuré que, par la suite, ils trouveraient quelqu'un de plus en vue à Yorkville, quelqu'un de plus riche, en phase avec leurs convictions politiques.

— Un nazi, donc, supposa Danziger. Ou un bundiste, peut-être.

Lorenz acquiesça, tira une nouvelle bouffée de sa cigarette.

— Pour me faciliter la tâche, on m'a dit d'indiquer à ces quatre hommes qu'ils seraient syndiqués et qu'on leur fournirait un emploi rémunérateur sur les quais du West Side.

— Quel syndicat ? jeta Cain.

Lorenz le regarda de travers et tapota sur sa cigarette. La cendre tomba sur les genoux de Cain.

— Celui des dockers. Quelle section, je ne sais pas. Pour nous couvrir, l'Italien et moi, j'ai suggéré que de faux noms soient utilisés pour les adhésions. L'idée lui a plu. Il l'a transmise à ses supérieurs et, lorsqu'il est revenu, ils avaient décidé quels noms employer. Curieux, comme choix, mais c'est ainsi.

— Comment ça, curieux ?

— Eh bien, ce sont des poètes et des écrivains allemands. J'ai eu l'impression qu'un de ces messieurs se croyait malin, qu'il voulait étaler sa culture. Ou bien que c'était une plaisanterie. Enfin, voilà : Heinrich Heine pour Werner Hansch. Friedrich Schiller pour Klaus Schaller. Wolfgang Goethe pour le troisième, Dieter Göllner. Et Thomas Mann pour le quatrième, Gerhard Muntz.

— Épelez-moi les deux derniers, dit Cain. Leurs vrais noms – pour les écrivains, ça ira.

La requête fit sourire Lorenz, qui se tourna vers Danziger.

— Je constate avec plaisir que tu travailles avec des gens instruits, maintenant. Pas étonnant que tu aies décidé de…

— Suffit ! Inutile de fouiller le passé.

Lorenz pencha la tête et observa ses deux interlocuteurs, l'un après l'autre. Il sourit en devinant des zones d'ombre dans leurs relations.

— Vous ignorez tout de cet homme, n'est-ce pas ? demanda-t-il à Cain.

— Sans doute pas.

Lorenz lâcha un petit rire. Un jet de fumée sortit par ses narines.

— Autant vous mettre au courant : le FBI a placé des agents en civil, ici, dans notre petite collectivité. Des mouchards, qui parlent parfaitement allemand. Comme je n'ai aucun mal à les repérer, je la ferme au besoin. Mais vous ? Je parie qu'à la fin de la journée, leurs chefs sauront que vous êtes venus, et pour voir qui. En ce moment même, un de ces messieurs est en train de nous épier.

Préférant ne pas mordre à l'hameçon, ni Cain ni Danziger ne chercha à vérifier l'affirmation. D'ailleurs, même si c'était vrai, que pouvaient-ils faire ?

— Tu affirmes qu'ils voulaient trouver à Yorkville quelqu'un de plus en phase avec leurs convictions. Un autre Allemand, mais attaché au Bund, en somme. Les as-tu aidés dans leurs recherches ?

— Ils ne me l'ont pas demandé, je ne l'ai pas proposé. Moins j'avais affaire à eux, mieux c'était. Ils ne m'ont pas dit qui c'était.

Cain :

— Et vous ne l'avez pas su ?

Lorenz tira une bouffée de sa cigarette.

Danziger :

— Et l'Italien, qui était-ce ?

— On ne m'a pas dit non plus.

— Je ne parle pas du messager, mais de son patron.

— Tu crois que le messager aurait été assez bête pour me donner son nom ?

— Évidemment pas. Mais tu ne l'es pas assez pour marcher dans la combine sans te renseigner à son sujet.

Lorenz pâlit un peu plus. Il hocha la tête, écrasa son mégot par terre. Danziger attendit une réponse, et Lorenz de nouveau croisa les bras.

— Bien, trancha Cain. Ces quatre Allemands, que devaient-ils faire ?

— On ne m'a pas mis au courant, je n'ai pas posé de question. L'autre Allemand de Yorkville était peut-être mieux informé, mais je n'en suis pas sûr. Après mon intervention, je n'ai pas eu de nouvelles.

— Jusqu'à ce que vous appreniez la mort de Hansch et de Schaller.

— Oui.

— Pourquoi sont-ils venus vous cueillir ?

Lorenz parut sincèrement étonné.

— Vous ne savez pas ? Ce n'est pas pour ça que vous êtes là, avec les mêmes questions pénibles, les mêmes accusations ? Comme quoi j'aurais su dès le départ ce qu'on allait leur faire faire ? Je n'ai pas dit autre chose à ce connard de Gurfein. J'ai eu vent de l'histoire par les journaux, comme tout le monde ! Un crétin d'Irlandais, je crois, avec son chalumeau. Une étincelle, et le bateau a pris feu comme une chandelle romaine.

— Le bateau ?

Cain regarda Danziger, lui aussi interloqué.

— Le *Normandie*, espèces d'andouilles. Au quai 88.

Cain eut l'impression de manquer d'air. Il inspira profondément. Les coudes sur les genoux, il se pencha vers Lorenz :

— Vos hommes ont été engagés pour du sabotage ?

Lorenz s'efforça de ne pas hausser le ton.

— Ce n'était pas *mes* hommes ! Je vous le répète, j'ignorais ce qu'ils allaient faire ! J'ai servi d'intermédiaire, c'est tout. Donné quelques coups de fil, rempli des papiers, et ensuite au revoir ! Motus et bouche cousue. Si l'un de ces quatre imbéciles a trempé là-dedans, je n'y suis pour rien, je vous le garantis. Ce que j'ai confirmé à Gurfein. Interrogez l'Italien, si vous le trouvez. Enfin, évitez-le plutôt, si vous avez un peu de cervelle…

— Luciano ? avança Danziger. Lucky ?

— Celui-là est en prison. À des kilomètres d'ici et de tout ça.

Lorenz plissa les paupières.

— À moins que vous en sachiez plus que moi.

— Qui alors, si ce n'est pas lui ?

— Je vous l'ai dit, je n'en sais rien ! Arrêtez avec vos questions ! jeta Lorenz.

Cain lut la peur dans ses yeux. Lorenz détenait l'information mais ne lâcherait rien, ni devant eux ni sans doute devant Gurfein. Cain se demanda si, justement, ce n'était pas la raison pour laquelle il était là, condamné à l'exil jusqu'à ce qu'il accepte de parler. Dans ce cas, Lorenz jugeait que le silence et la détention lui procuraient, pour l'instant, une relative sécurité.

L'affaire commençait à prendre des dimensions alarmantes. Le meurtre de deux Allemands, deux pauvres bougres dont presque personne ne se souciait, s'intégrait à présent dans un canevas assez vaste pour attirer l'attention de toutes sortes de gens, notamment le trio improbable dont Danziger avait suivi la conversation lors d'un petit déjeuner au Longchamps.

Les trois hommes se turent, comme si la gravité de la situation les réduisait au silence. Un silence bientôt interrompu par un bruit de pas pressés derrière eux. Surpris, Lorenz leva la tête.

— Sacha ! Woodrow !

Beryl avait quitté son poste de guet et s'avançait vers eux. Elle fit un geste vers deux hommes en uniforme qui approchaient. L'un d'eux portait des galons d'officier.

— Vous deux, là ! lança ce dernier. Vous quittez l'île ! Vous avez abusé de la confiance de cette jeune femme pour vous introduire ici avec des intentions douteuses. Quoi qu'il en soit, je vais donner l'ordre qu'on vous fouille intégralement. Après quoi, nous allons vous reconduire sur les quais.

Cain et Danziger obtempérèrent. Beryl, les mains derrière le dos, baissa la tête derrière les deux soldats. Lorenz afficha un sourire coupable. Il alluma une autre Lucky et Cain constata qu'il avait gardé son paquet.

Après une fouille en bonne et due forme – Dieu merci, Cain réussit à conserver son bloc sténo lorsqu'il eut brandi son insigne –, les militaires raccompagnèrent les deux hommes vers la sortie. Penaude, Beryl fermait le cortège. Dans le Grand Hall, tous les visages étaient tournés vers eux. Aux tables de poker, quelques-uns des Allemands s'amusaient de les voir.

Cain était gêné, contrairement à Danziger qui, curieusement, paraissait indifférent. En fait, il avait surtout

318

l'air soulagé, comme s'il avait hâte d'en finir avec cet épisode.

Les soldats les escortèrent à bord du ferry et les firent asseoir dans la cabine. Un militaire resta sur la passerelle jusqu'à ce que l'équipage largue les amarres. Le moteur démarra et, quelques secondes plus tard, le bateau quitta le petit port.

— C'est plus grave que nous ne le pensions, dit Cain, regardant droit devant lui.

— Ou autant que je le craignais.

— Que fabrique le FBI ? S'il y avait une enquête pour sabotage, ils seraient sur les dents, mais ils sont hors du coup. C'est un gars de chez le procureur, leur monsieur racket, qui mène la danse. Et de sa propre initiative, pour autant qu'on sache. Associé à un chargé de mission de la marine qui joue les francs-tireurs à l'hôtel Astor, et aux pires gangsters en état de nuire.

Danziger hocha la tête.

— C'est la guerre. J'ai déjà connu ça en 1918. Trop de gens haut placés négligent ce qui leur tient à cœur en temps de paix. Cela ouvre des perspectives à ceux qui ont un peu d'imagination.

— Des perspectives criminelles, vous voulez dire.

— Qui se terminent par des noyades, pour certains.

Cain étudia la surface de l'eau. Qui d'autre la mer cachait-elle, à l'heure qu'il était ? Manhattan se dressait devant eux. À droite, lady Liberty montait la garde. Il ne la verrait sans doute plus jamais de la même façon.

Puis il observa Danziger. Le vieil homme avait les yeux rivés devant lui, comme s'il n'osait pas se retourner. Son regard brillait. Il n'avait pas remis son chapeau et ses cheveux blancs flottaient au vent.

Il avait l'air terrifié.

27

— Vous avez une heure de retard, Cain.

Mulhearn n'avait pas ouvert les journaux du matin et il était déjà sur le sentier de la guerre. Cain ne pensait qu'à cette tentative de sabotage dont Lorenz avait parlé mais, à l'évidence, il n'aurait guère le temps d'approfondir le sujet aujourd'hui.

— Je suivais une piste sur l'affaire Hansch.

— Ben, voyons. Le Bureau des homicides veut étudier ça de près, alors ne vous croyez pas tout permis. On a eu deux cambriolages, cette nuit, dans 39th Street, et l'équipe est au complet là-bas. Ils auront besoin de vous pour remplir la paperasse.

Encore une vexation, tout simplement.

— Oh, et à propos de papiers, quelqu'un a rempli de travers le UF-9 de Kannerman, le gars que vous avez coincé.

— Ce n'est pas moi qui l'ai coffré.

— Oui, mais c'est vous qui avez fourni son adresse. Chez le procureur, on pense qu'il n'a pas été arrêté selon la procédure. On veut que vous alliez expliquer deux ou trois choses. Tenez. Vous avez rendez-vous à midi.

Mulhearn tendit un bout de papier à Cain, sur lequel étaient griffonnés un nom, Ben Revis, et celui d'un restaurant dans Bleecker Street. Une fois ses corvées terminées, il aurait bien de la chance s'il lui restait une seconde à consacrer au dossier Hansch en fin d'après-midi. De son côté, peut-être que Danziger trouverait un moyen de vérifier si les pseudonymes littéraires du groupe d'Allemands avaient laissé une trace du côté des syndicats. Il fallait espérer aussi que le Bureau des homicides ne lui retire pas l'affaire en son absence. Si l'on découvrait un lien avec le *Normandie*, le FBI était capable de s'en emparer. Alors ce serait fini. Compte tenu de son manque d'intérêt jusque-là – Lorenz était mis à l'écart à Ellis Island, et un obscur agent du renseignement naval tirait certaines ficelles –, le FBI avait peut-être surtout envie de ranger ça sous le tapis. Si seulement Cain savait pourquoi…

Ce formulaire UF-9, prétendument bâclé, lui donnait un prétexte pour retourner à la pièce 95, ne serait-ce qu'un court instant. Linwood Archer avait encore laissé un message et, plus vite Cain serait débarrassé de lui, plus vite il pourrait s'occuper de ses Allemands.

Il descendit l'escalier à onze heures et une minute. Steele et Rose étaient partis pour leur pause quotidienne. Se croyant seul dans le couloir, Cain cherchait la clé dans sa poche quand la voix du capitaine résonna soudain derrière lui.

— Hé, l'andouille, encore en train de fouiner ?

Le cœur battant, Cain lâcha la clé et sortit la main de sa poche.

— J'ai besoin de récupérer ce UF-9, mais ces flemmards ont déjà fichu le camp.

Mulhearn le rejoignit et se dressa devant lui.

— Ils ne sont jamais là à cette heure, imbécile, vous devriez le savoir. Et vous feriez mieux de ne plus vous aventurer ici, à moins que vous ayez envie de refaire un tour en taxi. Sauf que, la prochaine fois, vous n'irez pas manger avec votre rabbin.

Cain se faufila pour lui échapper et sortit du commissariat. Il avait besoin de respirer et de réfléchir. La paperasse pouvait attendre, mais pas ce rendez-vous avec Ben Revis, l'assistant du procureur. Il se détendit un peu en marchant dans 30th Street. En passant devant le Royal, il aperçut Steele et Rose, hilares, devant leur café et leur beignet, en train de compulser le *Racing Form*[1] du jour. Il restait tant à faire et tant d'emmerdeurs sur son chemin.

*

Cain s'était calmé lorsqu'il parvint à l'adresse indiquée dans Bleecker Street. C'était un restaurant tranquille à proximité de 6th Avenue. Isolées les unes des autres par des banquettes à haut dossier, les tables en acajou étaient disposées de chaque côté d'une allée carrelée. Au moins, Cain allait pouvoir manger un morceau.

Il était en avance de quelques minutes et Revis n'était peut-être pas encore arrivé. Cain examinait les tables depuis l'entrée lorsqu'un homme bien habillé, sans doute le patron, le rejoignit d'un pas vif, comme pour protéger ses fidèles clients d'un passant égaré.

— J'ai rendez-vous avec M. Revis.

L'homme fit une grimace embarrassée, puis un sourire entendu.

1. Journal hippique.

— Oui, par ici.

Il confia un menu à Cain et l'escorta jusqu'à un box, au fond à gauche, près des portes battantes de la cuisine. Deux hommes étaient assis. L'un d'eux avait le visage caché par le *New York Times*. Ne dépassaient que ses sourcils, un grand front bombé, des cheveux noirs grisonnants et la fumée de sa cigarette. Le second, qui tournait le dos à Cain, fumait également. Il avait terminé une assiette de pâtes. Cain ne le connaissait pas, mais le type s'anima dès qu'il le vit. Il releva un coude et plia les phalanges pour donner un coup sec sur la table.

— Le voilà, patron.

L'autre rangea calmement son journal, se leva et tendit sa main. Sa tête avait quelque chose de vaguement familier. Il devait mesurer un mètre soixante-quinze et il accusait un léger embonpoint autour de la taille. Les arcs parfaits de ses deux sourcils lui donnaient un air étonné. Il portait un costume sobre, impeccable, de fonctionnaire bien payé.

— Ben Revis ? demanda Cain en lui serrant la main.

L'homme sourit aimablement.

— Non, Frank Hogan, procureur de Manhattan. Ben, faites un peu de place pour notre invité.

Le Ben en question – Revis, selon toute vraisemblance – se leva et s'écarta. À contrecœur, Cain se glissa sur la banquette avec la vive impression d'être manipulé.

— Pardonnez-moi d'avoir utilisé son nom, dit Hogan. Si je me sers du mien quand j'organise ce genre de réunion, les gradés des commissariats s'activent sur leur téléphone et, à la fin du déjeuner, la moitié des flics de New York racontent des tas de choses sur ce que je suis en train de faire. Ils sont en général à côté de la plaque.

Hogan indiqua le menu.

— Choisissez quelque chose, je vous invite. Les *spaghetti alle vongole* sont fameux.

Un serveur se présenta.

— J'ai déjà mangé, dit Cain.

Malgré les protestations de son estomac, il posa le menu sur la table.

Hogan sourit.

— Comme vous voudrez.

— S'agit-il vraiment de Kannerman ?

— Une bonne chose qu'il soit arrêté. Mais du menu fretin, n'est-ce pas ?

— Ce que j'ai pensé, monsieur.

— Je vous en prie, appelez-moi Frank.

Hogan était cordial. Il avait les manières détendues de la bonne société et vous mettait à l'aise sans que vous soyez sûr de ses intentions. Les jurys l'adoraient probablement. Cain se méfiait déjà.

— Vous souhaitez discuter d'une autre affaire ?

Hogan leva brusquement la tête, car quelqu'un arrivait. Cain se tourna et reconnut Murray Gurfein – trapu, fine moustache et paupières bouffies, cela ne pouvait être que lui. Il avait, de plus, un air maussade à faire cailler le lait.

— Prenez place, Murray. Nous faisons tout juste connaissance.

Cain était-il victime de son imagination ou le type à sa droite s'était-il rapproché de lui au point de pratiquement le coincer contre le mur ? Le couple assis plus loin dans la salle paya son addition et s'en alla. Toutes les tables du restaurant étaient maintenant vides, à l'exception de celle de Cain. Gurfein s'installa à côté de Hogan.

— Murray, voulez-vous commencer ?

— À vous l'honneur, monsieur. Il écoutera plus facilement si cela vient du patron.

— Veuillez excuser le ton péremptoire de mon assistant, inspecteur Cain.

— Appelez-moi Woodrow, offrit Cain ironiquement, histoire qu'on ne le prenne pas trop pour un imbécile.

Hogan garda son sourire figé sur ses lèvres.

— Entendu. Voilà le problème, Woodrow : nous avons appris que vous êtes allé provoquer un témoin important d'une enquête qui se révèle des plus délicates.

— Nous parlons toujours de Kannerman ?

— Vous savez de qui nous parlons. Et nous vous demandons de renoncer. Plus de promenades en bateau dans le port. Plus d'investigations, officielles ou officieuses, concernant le sujet qui nous intéresse. Et, bien sûr, vous ne mettez plus les pieds à l'hôtel Astor.

Cain ne s'attendait pas à cette dernière injonction. Il ne s'étonna pas, cependant, qu'un agent du renseignement soit en mesure de surveiller ceux qui le surveillaient.

— Pourquoi ?

Hogan regarda Gurfein, qui répondit à sa place.

— Parce que nous maîtrisons la situation.

— Si bien que deux hommes et une femme ont été assassinés, et que deux autres individus, au moins, encourent les mêmes dangers. Non qu'ils ne l'aient pas cherché, d'une façon ou d'une autre. Et il y a ce monsieur que vous gardez au chaud, autant que je puisse juger. Que vous traitez comme un ennemi intérieur, alors qu'il est citoyen des États-Unis.

— Dans un bon livre de droit, vous trouverez mention d'une loi fédérale, votée en 1909, qui établit la procédure de dénaturalisation, objecta Hogan. Nous agissons en toute légalité.

Avant de poursuivre, il donna un instant à Cain pour méditer la chose.

— Et le garder « au chaud », comme vous dites si joliment, est une façon de le protéger. Au cas où vous n'auriez pas remarqué, d'autres organismes d'État ont placé des hommes sur les lieux pour assurer qu'on n'attente aux jours de personne.

— Ce qu'il prétendait, oui. Ces gens vous auront rapporté que je lui ai rendu visite.

Hogan sourit avant de boire une gorgée de son café.

— Il y en a de très efficaces, parmi eux.

— Lorenz est convaincu que toute l'affaire tourne autour du *Normandie*. D'une mission de sabotage.

Hogan se figea. Son sourire disparut, il reposa sa tasse sur sa soucoupe avec un tremblement. Voilà qu'il perdait contenance. Il échangea un regard avec Gurfein. Ni l'un ni l'autre ne parvint à masquer sa surprise.

— C'est réellement ce qu'il pense ? lâcha Hogan.

— Oui.

Hogan hocha lentement la tête.

— Il est mal informé.

— À quel propos ?

— À tout propos.

— Alors ça tourne autour de quoi ? insista Cain.

Gurfein se pencha au-dessus de la table, tel un boule-dogue décidé à lui mordre le cou.

— Secret-défense. Largement au-dessus de vos compétences.

Malgré ses paupières bouffies, les yeux lui sortaient presque des orbites.

Cain le dévisagea. La moutarde lui montait au nez.

— Et si je vous demande pourquoi vous fréquentez des énergumènes du type Meyer Lansky, et l'avocat de Lucky Luciano, c'est toujours au-dessus de mes compétences ?

Hogan parut si horrifié que Cain regretta sa question.

— Voilà ! Je vous avais prévenu, dit Gurfein à son patron. Il en sait beaucoup trop. Lui et le vieux bonhomme, beaucoup trop.

Peut-être Cain était-il influencé par les films d'espionnage, mais il n'ignorait pas ce qui arrivait à ceux qui en savent trop, surtout s'ils avaient en face d'eux quelques hommes de pouvoir dans un restaurant italien désert à New York. Puis il se rappela que ces types étaient là pour faire respecter la loi, non pour la violer. À moins, évidemment, qu'il s'agisse d'individus douteux, comme ce Haffenden qui dirigeait des opérations secrètes depuis un bureau anonyme.

Hogan observait Cain d'un air manifestement déçu. Cain envisagea une seconde de pousser brutalement Revis pour tenter de s'échapper. Mais des violences étaient à craindre pour un résultat incertain. La mine sombre, Hogan et Gurfein se consultèrent silencieusement et reprirent les hostilités.

— Woodrow, commença le premier sur un ton glacial, dans les circonstances présentes, poser ce genre de question peut se révéler dangereux pour beaucoup de gens.

— Moi y compris ?

À son tour, Hogan se pencha vers Cain, projetant son front bombé comme une balle de bowling.

— Tout le monde, dans cette ville et ailleurs. Cette affaire vous dépasse, me dépasse, dépasse ces quelques meurtres sans importance. Je vous conseille vivement d'en rester où vous êtes, c'est-à-dire bien trop loin.

— Et si l'arrondissement s'empare de l'enquête ?

— Nous ferons le nécessaire. Ce n'est pas mon intérêt que je défends. Je vous mets en garde dans celui de notre pays.

Le patriotisme, à nouveau. La dernière fois, c'était Lanza. Un argument sincère ou une échappatoire commode. Impossible de savoir ce que fomentaient Hogan et ses associés, toutefois, certains participants étaient prêts à tuer pour étouffer l'affaire. Cependant, éliminer quelques Allemands illettrés, même une malheureuse toxicomane, était une chose. Supprimer un flic allait chercher plus loin. Cain avait au moins cela pour lui.

— Mettons que je préfère exercer mon métier ?

Hogan soupira, plaça ses deux mains sur la table et se détourna. Un mauvais sourire aux lèvres, Gurfein répondit.

— Nous nous sommes renseignés, nous aussi, monsieur Cain. Il apparaît, entre autres, que Valentine s'est adjoint vos services.

— Où avez-vous pêché ça ?

— Je me trompe ?

Cain haussa les épaules, feignant l'indifférence.

— Je suis flic. Nous sommes tous à son service.

Poursuivant adroitement le discours de Gurfein, Hogan s'exprima lentement, posément, telle la voix de la sagesse.

— Messieurs, je suis certain que les mêmes motivations nous unissent. Que l'on rende justice aux victimes, quel que soit leur pays d'origine, et que le nôtre soit défendu aussi bien que possible en temps de guerre.

Pour l'instant, je ne vois pas ce qui s'y oppose, à la condition que tout le monde coopère.

— En refusant d'agir, vous voulez dire.

— Woodrow, pendant mes études de droit, j'ai fait toutes sortes de petits boulots, l'été, dans des endroits très différents. J'ai été plombier, contrôleur de train, j'ai même tenu les comptes d'une compagnie minière au Guatemala et, croyez-moi, j'ai croisé un certain nombre de voyous et de durs à cuire. Permettez-moi d'affirmer une chose à propos de cette sorte d'hommes. Il n'en est pas un seul qui n'ait du bon en lui. Je ne tiens pas à être plus explicite, mais, parmi ceux que nous combattons la plupart du temps, certains sont capables d'œuvrer pour le bien public si on leur en donne l'occasion. Me fais-je bien comprendre ?

Ça recommençait. L'amour de la patrie. Hogan brandissait le drapeau américain, dans l'espoir que Cain prête serment et ferme les yeux.

— Écoutez, ajouta Gurfein, au cas où son supérieur n'aurait pas été assez convaincant, faites ce qu'on vous dit et, quand tout cela sera terminé, je serai ravi de vous fournir assez d'informations sur les flics corrompus du 14e pour que Valentine vous couvre d'éloges jusqu'à votre départ à la retraite.

Bonne stratégie. Enfin on mettait sur la table un argument valable. Par la même occasion, ils confirmaient à Cain qu'ils étaient au courant du type de mission – pourtant confidentielle – que le divisionnaire lui avait assignée. Épatant. Une preuve supplémentaire qu'il y avait des espions partout dans la police et, bien sûr, chez le procureur. Si ces trois hommes savaient qu'il recevait des ordres d'Archer et de son chef, ils n'étaient sûrement pas les seuls.

— N'ayez crainte, dit Gurfein, lisant dans ses pensées. Nous garderons votre secret. À condition que vous gardiez le nôtre.

Voilà. Le bâton après la carotte. Continuez de fouiner et on vous balance dans tous les commissariats. Cain savait où ça le mènerait.

— Il y a matière à réfléchir. Pour l'instant, on m'attend au travail, conclut-il.

Personne ne répondit, personne ne bougea. L'espace d'un instant, il se demanda s'ils avaient l'intention de le retenir jusqu'à ce qu'il accepte. Finalement, après quelques secondes de silence, Hogan fit un signe à Revis, qui se leva sans un mot.

Cain se leva à son tour, un peu flageolant, et les salua.

— Messieurs.

Ils ne bronchèrent pas davantage. Cain sortit du restaurant et, arrivé dans la rue, il sentait encore leurs regards braqués sur lui.

Cette fois, il ne parvint pas à se calmer. Plus il ruminait leurs paroles, plus il était en colère – puisque, en définitive, Hogan et Gurfein n'avaient pour objectif que de tout enterrer avec sa bénédiction. S'il refusait, ils le dénonçaient à tous les Mulhearn et les Maloney de la ville. À moins que…

À moins qu'il les prenne de court, en terminant ses recherches dans la pièce 95, avec des résultats à fournir à Valentine avant qu'on lui retire l'affaire. Alors, avec le soutien de celui-ci, il pourrait continuer d'enquêter sur le meurtre des Allemands, même si cela devait le conduire à révéler, par exemple, que le *Normandie* avait été la cible d'un complot que le FBI s'efforçait de camoufler. Gurfein et Hogan n'avaient aucune idée des preuves de corruption qu'il venait de mettre au jour dans le 14ᵉ secteur et, revenu au commissariat, Cain était bien décidé à en ajouter d'autres.

Pour commencer, il s'acquitta consciencieusement, tranquillement, des corvées que Mulhearn lui avait imposées. Puis, avant la relève des équipes, il descendit à la 95, où il n'y avait personne. Fidèles à leurs habitudes, Steele et Rose avaient terminé leur service en avance sur l'horaire.

Cain inséra sa clé, se glissa à l'intérieur et verrouilla la porte. Il alluma la lumière et se mit au travail sans perdre de temps. Il avait une demi-heure devant lui, qui se révéla l'une des plus productives de sa journée. La prochaine fois que Linwood Archer lui rendrait visite, il aurait bien des choses à lui apprendre.

28

DANZIGER

Il y a une heure, ce coup de téléphone m'a mis en alerte. Un homme demandait à parler à un certain Alexander Dalitz. Le ton était grossier, sarcastique, et je ne connaissais pas cette voix.

— Il n'y a personne de ce nom ici, monsieur.

— Vous êtes sûr, l'ami ?

— Absolument.

— Bon, eh bien, si vous le croisez, vous lui direz que je le cherche.

— Qui est à l'appareil ?

L'homme a coupé la communication sans répondre.

Je suis monté sur le toit de l'immeuble, depuis lequel, entre les fientes des pigeons et les déchets amassés par le temps, j'ai scruté les rues à la recherche d'un suspect, de quiconque surveillerait ou approcherait de ma porte. Si je n'ai rien remarqué d'anormal, je savais que, pour la première fois depuis longtemps, je ne pouvais plus me considérer en sécurité ici. Inexorablement, la nouvelle vie que je me suis fabriquée il y a bien des années arrivait à son terme. La question étant de savoir si elle prendrait fin de manière violente et si, comme pour la précédente, il y aurait une réincarnation.

Maigre consolation au vu de ce pénible intermède, j'ai tout de même avancé dans notre enquête. J'ai réussi, ce matin, à obtenir de précieux renseignements, concernant les quatre ouvriers allemands recrutés par Lutz Lorenz. Muni de leurs pseudonymes – Heinrich Heine, Friedrich Schiller, Wolfgang Goethe et Thomas Mann –, il m'a été plus facile de vérifier, auprès de quelques relations fiables au Syndicat des dockers, qu'ils avaient bien adhéré en décembre à la section des quais du Hudson. En s'inscrivant, ils avaient mentionné ce qui sera leurs derniers domiciles connus, lesquels m'ont conduit à d'autres découvertes, tout à fait préoc-cupantes.

Afin de communiquer ces informations à M. Cain dans les meilleurs délais, je lui ai téléphoné il y a un instant pour prendre rendez-vous dans un lieu que j'ai choisi avec soin, car mon bureau ne garantit plus une sécurité suffisante. Nous nous retrouverons donc dans un endroit public où la foule anonyme fera un paravent convenable. Je m'attendais à ce que M. Cain y soit opposé ou, du moins, qu'il s'enquière de mes motivations. Mais il a accepté sans hésiter et j'ai cru discerner, derrière son empressement, qu'il était égale-ment inquiet.

— Un problème ? lui ai-je demandé. Qu'est-ce qui vous tracasse ?

— Rien, m'a-t-il répondu, sans pour autant me convaincre.

Il m'a rapidement salué avant de raccrocher.

Sans doute est-il fatigué. Je l'ai appelé à la fin de son service, et peut-être n'est-il pas enchanté à l'idée de prolonger sa journée. Mais j'ai pensé à autre chose.

Aurait-il, lui aussi, des raisons de se sentir menacé ? Au point qu'il ait jugé préférable de ne pas en parler sur son lieu de travail ?

Une idée qui ne cesse de me perturber, d'autant plus que sa fille l'a rejoint à New York. Comme je me le proposais récemment, je dois redoubler d'attention et de vigilance pour ne pas exposer les autres autour de moi. À l'évidence, je n'y suffirai pas et je sais qui est le mieux à même de me seconder : Beryl Blum. Elle sera mes yeux et mes oreilles dans différentes situations dont je ne pourrai être le témoin, même lointain. Malgré les protestations et les objections de Fedya, j'ai décidé de tout faire pour l'encourager à rester proche de M. Cain. Notamment, bien sûr, parce qu'ils paraissent heureux ensemble. Mais aussi parce qu'ils s'épauleront et se protégeront mutuellement.

C'est donc un homme tourmenté, aux aguets comme moi, que je vais retrouver sur un banc à l'extrémité nord du parc Tompkins, un square fréquenté par des tribuns de tout poil – politiques ou saints hommes, juchés sur une caisse en bois – et où jouent les enfants. Il y aura suffisamment de bruit et de mouvement pour masquer nos gestes et nos paroles. J'avoue que mon choix cache une arrière-pensée, qui émergera bien assez tôt.

Je vais remiser mes habituelles frusques, qui ne semblent plus donner le change. Je dois, de toute façon, m'adapter aux circonstances. Il ne m'est plus possible de poursuivre à l'identique la paisible existence que j'ai menée autour de Rivington Street, pendant de nombreuses années. En route ! Je me fais l'impression d'une caille effrayée, chassée de son abri. Il me faut garder une longueur d'avance si je veux glisser entre les mailles du filet.

29

Cain faillit ne pas reconnaître Danziger lorsqu'il fit une première fois le tour du square. Son compère avait entièrement changé d'allure : chevelure, barbe, vêtements... Non qu'il parût plus jeune, mais plus distingué, raffiné. Transformé, en tout cas. Cain était sidéré.

— Beau manteau, dit-il en prenant place près de lui sur le banc.

— Poil de chameau.

— Une couleur claire. C'est nouveau chez vous.

— Pas vraiment.

Cain perçut une petite odeur de naphtaline. *Exit* la nouveauté, donc. Le manteau n'avait plus été porté depuis quelque temps. Mais avait-on besoin d'un manteau par une journée aussi belle et aussi douce ? D'un autre côté, sans manteau, Danziger ne serait plus Danziger.

— Vous êtes bien coiffé, aussi. Et vous n'avez pas votre bonnet de laine. On dirait même que vous vous êtes servi d'un rasoir. Enfin, un petit peu. Comment appelle-t-on ce style de barbe que vous laissez pousser ?

— Une Van Dyk.

Danziger tapota ses joues glabres, comme pour vérifier qu'elles l'étaient. Cain remarqua une ou deux coupures, masquées d'un coup de crayon hémostatique.

— C'est une tâche que je confie généralement au barbier, dit l'écrivain public, comme pour justifier sa maladresse.

— Vous aviez l'air perturbé, au téléphone.

— Vous aussi.

Cain hocha la tête. Pendant quelques secondes, chacun des deux attendit que l'autre prenne la parole.

— Commencez, proposa Cain.

Danziger mentionna le coup de fil anonyme de cet homme qui avait demandé à parler à Alexander Dalitz.

— D'où le coup de rasoir et le changement de tenue, je suppose.

— Et ce point de rencontre. Où vous attend également une leçon.

— Une leçon ?

— Elle vous regarde, pour ainsi dire, droit dans les yeux.

Cain étudia les alentours, les pigeons, les enfants, la petite fontaine de marbre. Une nourrice promenait un bébé dans un landau.

— Je ne la vois pas.

— Nous y viendrons dans un moment. À votre tour, maintenant. Que se passe-t-il ?

Cain relata son entretien avec Hogan. Stupéfait, Danziger réfléchit un instant.

— Je comprends qu'ils veuillent surveiller Lorenz. Mais que Hogan défende les convictions patriotiques d'une bande de crapules est totalement absurde.

— Ou alors il est mouillé.

— Vous vous rappelez que Lanza est sous le coup d'une inculpation ? J'ai appris que Hogan continue les poursuites, plutôt activement d'ailleurs. Lanza serait même sur écoute. Dans ce cas, il sait que Haffenden lui téléphone. Pourquoi voudrait-il les couvrir en vous écartant de l'affaire ?

— Dans l'intérêt de Luciano, peut-être ? suggéra Cain.

— Non. Sa peine de prison n'a pas été commuée. Aucune requête n'a été déposée dans ce sens. Cependant, et il en était déjà question au Longchamps, son transfert est toujours d'actualité. Mais à la prison de Great Meadows, pas à Sing Sing.

— Great Meadows est plus près de New York ?

— Oui, beaucoup moins que Sing Sing, quand même. Great Meadows se trouve à proximité d'Albany. Impossible de faire l'aller et retour dans la journée. Comme quoi, M. Luciano n'a pas obtenu entière satisfaction. Alors donc, monsieur le procureur, notre rempart contre le crime organisé, aimerait que vous fichiez la paix à ces nobles individus et que vous renonciez à votre enquête ?

— Avec trois meurtres sans coupable. Et sans explication de sa part.

Danziger prit un air affligé.

— Vous avez travaillé, dites-vous ? demanda Cain.

— Oui. J'ai recontacté pas mal de gens, et il se peut très bien que l'un d'entre eux soit à l'origine de ce coup de téléphone inquiétant. J'ai tout de même avancé, et j'ai du neuf sur nos « littéraires ».

Danziger rapporta l'inscription des quatre Allemands – sous les noms de Heine, Schiller, Goethe et Mann –, le même jour de décembre au Syndicat des dockers, à la section des quais du Hudson.

— Bonne pioche.

— Oui. J'ai aussi relevé leurs dernières adresses.

Il indiqua celles des deux hommes encore vivants – Dieter Göllner pour Goethe, Gerhard Muntz pour Mann. Sous l'œil attentif de Danziger, Cain les nota dans son bloc sténo.

— Puis-je vous l'emprunter une seconde ? demanda ce dernier.

— Bien sûr.

— Avec votre stylo ?

— Tenez.

Danziger biffa l'adresse de Dieter Göllner.

— Il est parti ?

— Décédé. Battu à mort, il y a deux jours, dans un bar des quais, par trois types qui ont disparu dans la nature.

Cain accusa le coup et pensa aux conséquences.

— Dans ce cas, Hogan a un sacré culot d'exiger que je renonce. Ça nous fait quatre assassinats et, certainement, il le savait déjà quand il m'a convoqué.

— Il y en aura bientôt cinq. Au moins, Gerhard Muntz a eu la présence d'esprit de vider les lieux. Selon l'hôtelier, il a filé la semaine dernière avec trois jours de loyer en retard.

— Trois jours ?

— Il résidait dans un établissement miteux, le Comet, dans le Bowery. Trente cents la nuit.

— Pourquoi Hogan ferme-t-il les yeux ? Si l'on en croit Lorenz, ces quatre gars étaient mêlés à une affaire de sabotage, sous les ordres d'une bande de gangsters. Donc Hogan devrait tous les arrêter et les interroger. Haffenden aussi, c'est son boulot. Mais non, il les laisse se faire démolir, et ceux qui les persécutent seraient des patriotes. Je n'oublie pas cette jeune femme qui est morte, elle aussi.

— Je ne sais quoi en penser, sinon que tout ça est compliqué et que nous sommes en danger.

— On dirait que vous avez envie de laisser tomber, lâcha Cain.

Danziger le regarda de travers.

— Absolument pas. C'est votre intention ?

— En aucune façon. Mais je me pose des questions. Pour avoir la paix, les flics d'ici suivent le troupeau. Ils imitent leurs collègues. Pas seulement ceux qui empochent des pots-de-vin, qui sont à la solde des partis, mais les pauvres types comme moi. Il n'est pas un instant où je n'ai pas l'impression de lâcher du lest si je veux arriver à quelque chose. En quoi cela serait-il si différent pour moi, finalement ? Après mes déboires à Horton, je me suis incliné devant mon beau-père pour travailler à New York. Les compromis, il n'y a pas moyen d'en sortir.

Danziger plissa les paupières.

— Peut-être. Mais il est temps que vous sachiez pourquoi je vous ai donné rendez-vous ici. Faites-moi plaisir. Regardez dans la même direction que tout à l'heure, et dites-moi ce que vous voyez.

Cain s'exécuta.

— Pas de changement. Des enfants et des pigeons. Et une espèce de prêcheur en pleine exaltation, là-bas. Quoique, n'importe quel dimanche à Horton, je trouverais facilement deux ou trois excités qui pourraient lui en remontrer.

— Rien d'ornemental ?

— Vous voulez parler de cette stèle, de forme arrondie ?

— Oui. Décrivez-la-moi.

— Eh bien, elle se compose d'une fontaine, avec un bas-relief par-dessus – des visages, semble-t-il, sous une inscription.

— Pouvez-vous la lire ?

— Pas d'ici, non.

— Alors, je vous en prie, fit Danziger avec un geste de la main. Allez jeter un coup d'œil.

Une bien curieuse invitation, mais Cain s'approcha de la stèle. Il s'attendait à découvrir une citation, un message évocateur, voire le nom d'un New-Yorkais célèbre, associé à un genre de parabole. En réalité, le bas-relief représentait deux visages d'enfants, de profil, la tête levée vers le ciel. Dessous, une tête de lion, en marbre, crachait de l'eau dans un bassin. Sur un côté de la stèle, qui mesurait à peine plus de trente centimètres de large, était de fait gravée une inscription : « Jeunes et beaux, ils étaient les enfants les plus purs de la Terre. »

Cain retourna s'asseoir sur le banc, la répéta à son compagnon et ajouta :

— Cela donne l'impression d'une pierre tombale.

— Il s'agit d'un monument, expliqua le vieil homme. Je doute cependant qu'une personne sur dix, dans ce square, sache ce qu'il commémore.

— Mais vous le savez.

— Oui. Et puisque mon passé éveille en vous un intérêt particulier – le vrai Danziger étant celui d'autrefois, comme vous semblez le croire –, c'est le moment de m'écouter. Vous avez devant vous le symbole d'un événement qui a mis fin à mon enfance en juin 1904. Une des plus grandes pertes humaines que cette ville ait eues à déplorer. Plus d'un millier de personnes ont péri ce matin-là, parmi lesquelles Solomon et Anna Dalitz.

— Vos parents ?

— Le 15 juin. Jour où je suis devenu orphelin.

— Un millier de personnes ? Grands dieux ! Un immeuble qui est parti en fumée ?

— Un bateau. Le *General Slocum*, pendant une promenade sur le fleuve. Elles sont mortes brûlées ou noyées. Un spectacle plus horrible que l'incendie du *Normandie*, et auquel des milliers d'autres personnes ont assisté depuis les deux rives de l'East River. J'ai survécu grâce à quelqu'un qui m'a tendu un râteau pour me sortir de l'eau, au moment où le courant allait m'emporter.

— Seigneur ! Il ne reste que cette stèle pour s'en souvenir ?

— Elle est dédiée aux enfants. Il y en avait tant ce jour-là, et beaucoup de femmes aussi. Les pères, pour la plupart, travaillaient. Presque toute la paroisse de l'église évangélique St. Mark était à bord. De fidèles luthériens.

— Des luthériens ? Mais vous…

— Mon père tenait les comptes de l'église. Il était comptable de métier. Et il s'était si bien débrouillé, à St. Mark, pour remettre en ordre les papiers laissés par son prédécesseur goy que le révérend Haas, un homme très bien, l'avait invité à cette sortie avec toute sa famille.

— L'enfer est pavé de bonnes intentions.

— Un sale coup du destin, oui. Nous débordions de joie à l'idée de cette promenade. Une journée sur le fleuve, nous mangerions à bord, il y aurait une fanfare. Un merveilleux programme pour nous trois. On avait insisté pour que je prenne un bain, la veille au soir. Ma mère avait consacré des heures à sa toilette. Un corset, un jupon de flanelle, une jupe, un chemisier… Qui seraient tellement imprégnés d'eau, tellement lourds, qu'ils l'enverraient par le fond. Hélas, d'autres femmes, d'autres filles subirent le même sort. Je portais une culotte de golf et ma plus jolie veste. Mon père, un costume et une cravate.

« C'était une belle matinée d'été. Quand nous sommes montés à bord, l'orchestre jouait des cantiques, et l'on m'a donné la permission de me promener sur le pont, avec deux nickels en poche : le premier pour un sandwich à la langue de bœuf, l'autre pour une part de tarte. Tout Kleindeutschland était rassemblé et heureux sur le bateau.

— La petite Allemagne ? Mais je croyais...

— Il n'y avait pas encore de Yorkville, cela viendrait après. Sans cette terrible journée, Yorkville n'aurait jamais existé, et les chemises brunes, lorsqu'elles ont défilé il y a quelques années, auraient paradé dans 3rd Avenue, entre Houston et 14th Street.

— Un incendie s'est déclaré sur le bateau ?

Danziger hocha la tête, les yeux dans le lointain, un autre temps, un autre espace.

— Près de la salle des machines. De la paille et de l'essence, quelque chose comme ça. Je n'ai pas retenu les détails. C'était dans les journaux, mais je n'ai pas eu le courage de les lire. Je me rappelle seulement l'épaisse fumée noire, puis les flammes qui, surgissant de nulle part, ont déferlé comme une vague sur le pont. Et les cris, bien sûr. J'étais en train de manger, et impossible de retrouver mon père et ma mère. Je ne les ai jamais revus.

Il s'interrompit, s'affaissant un moment avant de se ressaisir.

— Les gens ont commencé à sauter par-dessus bord. Certains ont couru chercher des gilets de sauvetage, mais ils n'avaient pas été utilisés depuis quatorze ans et le liège était émietté. Les canots avaient été repeints tant de fois sur leurs cales qu'ils étaient collés dessus.

— Bon sang !

— Oui. Nous étions impuissants et, comme le feu se propageait, les passagers se sont précipités du côté de la rive la plus proche. Du coup, le bateau a sérieusement donné de la gîte et ils ont été projetés sur la rambarde. Quand celle-ci a cédé, je suis tombé dans l'eau, assez profondément. Juste avant, j'ai entendu ma mère qui m'appelait. Quand j'ai refait surface, j'ai tenté de la reconnaître sur le pont, mais entre ceux qui étaient dévorés par les flammes et ceux qui sautaient dans le fleuve, c'était impossible. Je me souviens d'une jolie jeune femme dont les cheveux brûlaient. Autour de moi, les gens s'efforçaient de garder la tête hors de l'eau pour ne pas suffoquer. L'île North Brother n'était pas très loin et des hommes, là-bas, essayaient de rapatrier des corps sur le rivage. Lorsque le courant m'a entraîné vers le fond, une femme m'a poussé vers la surface. Je me suis accroché à un râteau, de toutes mes forces, et on m'a tiré sur la berge. La dame qui m'a sauvé s'est noyée. Elle criait derrière moi et j'ai eu le temps de la voir couler, les yeux fermés. Une autre pauvre malheureuse, victime de ses vêtements gorgés d'eau. Pendant des jours, ensuite, à chaque moment de silence, j'entendais à nouveau ses cris.

Les yeux embués, Danziger se tut. Cain se rappela leur expédition à Ellis Island, la description que le vieil homme avait faite de la statue de la Liberté, de la torche qu'elle brandissait dans les cieux.

— Vous aviez parlé d'un présage, l'autre jour. À propos de lady Liberty.

— Un présage, oui.

— Voilà pourquoi vous n'étiez pas dans votre assiette.

— Ce genre de pressentiment ne vous quitte jamais. Ce jour-là a marqué la fin de Kleindeutschland, son heure avait sonné. Mille personnes sont mortes et les survivants n'ont pas eu le courage d'y rester. Ils se sont établis ailleurs, dans différents quartiers. Beaucoup sont partis à Yorkville, des goys comme des juifs, bien qu'un certain nombre de ces derniers aient plutôt choisi l'Upper West Side. D'autres, après, sont venus grossir leurs rangs. Aujourd'hui, en lisant le courrier de mes clients, je constate que ce type de catastrophe touche peu à peu toutes les villes du Vieux Monde, quoique à plus grande échelle. Des communautés entières disparaissent littéralement en fumée.

Danziger posa sur Cain un regard implorant.

— Comprenez-vous : en tant qu'interprète, que conservateur, j'entretiens le peu qui subsiste. J'ai choisi ce métier d'écrivain public par opportunisme et parce qu'il me procurait un revenu, si minime soit-il. Mais, depuis quelques années, je le considère plutôt comme une mission, comme une obligation, envers tous ceux qu'on ne reverra pas.

Cain se rendit compte qu'en racontant son histoire, Danziger pensait à la postérité. Non seulement au patrimoine de ses clients, mais au sien propre, au cas où lui aussi disparaîtrait.

— N'ayez crainte. Je ne vous abandonne pas.

— C'est bien de vouloir continuer, à condition de tenir bon. Si vous flanchez, je suis perdu. Ce que j'abrite chez moi sera perdu aussi, au détriment des morts comme des vivants.

344

— Je vous suis. Et je ne flancherai pas. Mais nous avons besoin d'avancer. Sans trop attirer l'attention, si possible.

— Je ne vous ai pas tout dit. Nous devrions pouvoir situer le quatrième Allemand.

— Gerhard Muntz ?

— J'ai réussi à établir que, contrairement aux autres, il est originaire de Bavière. Beaucoup de Bavarois sont catholiques et il y a donc des chances qu'il le soit aussi. Or il est une église dans cette ville où les catholiques les plus pauvres, les indigents – ceux qui ont peur de se montrer au grand jour – se rassemblent parfois très tôt. L'église St. Andrew, dans Chambers Street. On y célèbre une messe chaque dimanche à deux heures et demie du matin, spécialement pour les travailleurs de la nuit. J'ajoute qu'elle est assez proche du Bowery.

— Ce serait tout de même un coup de chance.

— Pas tant que ça. Je crois avoir tapé dans le mille, comme on dit.

— Vous l'avez trouvé ?

— O'Connor, le vicaire de St. Andrew, fait partie de mes relations. Il affirme que, depuis peu, un type solitaire et timide, répondant au nom de Gerhard, assiste régulièrement à cette messe.

— Ce serait le nôtre ?

— Peut-être bien que oui. Le père Cashin, qui est le curé de la paroisse, donc son supérieur, affirme que ce Gerhard loge dans un hôtel miteux du Bowery.

— Alors pourquoi ne pas faire la tournée des hôtels, là-bas ? Commençons tôt demain matin, si vous voulez, quand tout le monde dort encore.

— Vous rendez-vous compte de ce que vous dites ? Connaissez-vous le Bowery ?

— Combien y en a-t-il, là-bas, des hôtels ? Cinq, six ?

Danziger leva les bras, comme s'il était impossible de les compter.

— Des dizaines ! De mémoire, je peux au moins vous en citer huit : l'Alabama, le Marathon, le Crystal, le Owl, le White House, le Grand Windsor, le Palace, le Newport… Les clients paient à la nuit et le choix est tel que, s'ils se sentent menacés, incommodés, ils en changent aussitôt, ce qu'a dû faire Gerhard Muntz. Tenter de le débusquer ainsi ne ferait que l'effrayer et il irait se cacher pour de bon. Attendons dimanche. Plutôt samedi soir tard. Nous assisterons à la messe avec les ouvriers.

— Et s'il n'y est pas ?

— Nous reviendrons le dimanche suivant.

— Il sera peut-être mort, d'ici là. Ou l'on m'aura retiré l'affaire. Si je ne suis pas déjà viré, d'ailleurs. Hogan a sans doute passé des coups de téléphone, pendant ce temps. S'il se montre, ce Gerhard Muntz, comment le reconnaîtrons-nous ?

— Le père O'Connor m'a promis qu'il le désignerait. Muntz va toujours communier à l'autel. O'Connor nous fera signe lorsqu'il recevra l'hostie.

— Ça vaut la peine d'essayer. Je doute que Mulhearn se soucie beaucoup de ce que je fabrique, les samedis soir.

Cain se ravisa.

— Oui, mais il y a Olivia. Impossible de la laisser seule.

— Il vous faudra la faire garder.

— C'est beaucoup demander à Eileen, mais je ne vois pas d'autre solution.

— Bien, prenez vos dispositions pour me retrouver à l'église à deux heures et demie. J'arriverai en avance et je m'assiérai à gauche dans les premières rangées.

Danziger se leva et, chancelant, mit un instant pour se dresser sur ses deux jambes. Pourtant rasé, mieux vêtu que d'habitude, il paraissait plus vieux. Ses yeux le trahissaient – leur éclat bleu terni d'un voile gris, les traits tirés par l'effort. Il traversa le square vers le sud, posa une main sur la stèle en passant.

*

Il faisait presque nuit quand Cain arriva à Chelsea. Pete, le portier de nuit, lui apprit qu'Olivia et Eileen étaient retournées au parc. Il crut sentir une odeur de cigarette en montant l'escalier. Lorsqu'il entra chez lui, Linwood Archer était assis devant la fenêtre ouverte, un gros revolver posé sur ses genoux.

— Fermez lentement et, ensuite, pas un geste.

— Par où êtes-vous passé ?

— Comme il y a un moment que vous m'évitez, Cain, je me suis dit que je vous trouverais peut-être à votre domicile.

— Très bien. J'ai justement quelque chose pour vous.

Cain glissa une main sous son manteau et, aussitôt, Archer braqua son arme sur sa poitrine.

— Non, non. Sortez gentiment votre main de votre poche et gardez-la bien visible. N'oubliez pas que c'est moi qui donne les ordres.

On entendait, par la fenêtre ouverte, une radio allumée quelque part. Une fois de plus, Red Barber commentait un match de base-ball.

— *Newsom aurait encore une chance, mais il a l'air de s'endormir.*

— Intéressant, ironisa Archer en se levant, le doigt sur la détente. Si vous aimez le sport, vous n'avez pas besoin d'acheter une radio. Mais je suis plutôt fan des Yankees, moi. Je déteste les Dodgers.

De sa main libre, il ferma la fenêtre sans se retourner, son arme toujours braquée sur Cain.

— Voilà. Je ne voudrais pas déranger vos voisins si je devais faire du bruit.

Cain recula doucement vers la porte.

— Non, non, pas par là. Allez dans la cuisine et asseyez-vous.

Cain obéit en prenant soin d'éviter tout mouvement brusque. Archer le suivit.

— Il paraît que vous avez rendu visite au procureur, cet après-midi ?

Même en empruntant des chemins détournés, les nouvelles allaient bon train, semblait-il. Cain se demanda si Gurfein était l'auteur de cette désagréable plaisanterie.

— Hogan souhaitait que je lui parle d'un escroc, un certain Kannerman.

— Pas ce qu'on m'a rapporté.

— Ah bon ? Que vous a-t-on dit ?

— Des choses et d'autres.

Sans lâcher son revolver, Archer fit un geste vague de la main. Cain pressentit qu'il bluffait, qu'il cherchait à se renseigner.

— Le divisionnaire n'aime pas apprendre ce genre de bricole par la bande. Il en déduit que Hogan en sait plus long que lui sur vos activités. Combien de temps êtes-vous resté dans son bureau ?

Cain faillit répondre que l'entrevue n'avait pas eu lieu dans son bureau, mais la question confirma son intuition : Archer avait une vue incomplète de la situation. Il lui manquait certains éléments, voire l'essentiel.

— Pas longtemps. Et je peux vous annoncer avec plaisir qu'il s'est montré coopératif. Il devrait bientôt avoir quantité d'informations à me fournir sur les flics corrompus du 14e.

— Quand ça, bientôt ?

— Si je vous disais que ça n'a aucune importance ? Archer plissa les yeux.

— Comment ça, aucune importance ?

— Eh bien, si vous aviez l'obligeance de me laisser vous montrer ce que j'ai dans mon manteau…

— D'accord, mais pas de blague !

Archer maintint son arme pointée sur Cain pendant que celui-ci retirait d'une poche intérieure les onze PV d'arrestation qu'il avait prélevés dans les cahiers de mars et d'avril, l'après-midi même, dans la 95. Tous étaient marqués d'une petite croix dans le registre général et, plutôt que de recopier les noms et d'attendre que les PV disparaissent – soit les preuves manifestes du système –, il avait décidé de les emporter. Les noms étaient ceux des « contributeurs » qui arrosaient le secteur. De plus, les flics impliqués dans la combine étaient tellement sûrs d'eux qu'ils avaient épinglé sur les PV des notes manuscrites avec le numéro de téléphone des intéressés, à des fins ultérieures d'encaissement. Cain avait souri car l'écriture qui ornait deux de ces notes ne lui était pas étrangère – c'était celle de Maloney qui lui avait rédigé un petit mot, le jour où il lui avait restitué son arme de service, quand Cain était revenu d'un déjeuner forcé avec Harris Euston.

Visiblement impressionné, Archer écouta attentivement ses explications. Il fronça les sourcils avec intérêt quand Cain lui rapporta qu'un certain Clarence Cohen, accusé de tenir un tripot, était un des associés présumés de Weiss, soupçonné de faire partie de Murder Incorporated.

En revanche, il ne lui dit pas qu'un des numéros de téléphone figurant sur deux autres notes lui était familier. Il l'avait lu récemment sur les messages qu'avait laissés pour lui la secrétaire de Willett & Reed. Cain avait relevé les noms des deux suspects correspondants, pensant qu'il s'agissait vraisemblablement de clients d'Euston. Archer et Valentine feraient le lien assez tôt par eux-mêmes.

— Si vous voulez savoir qui a payé pour ne pas être gêné, poursuivit-il, il vous suffit de consulter les registres des arrestations et de chercher les croix au crayon qui ont été gommées. J'en ai compté au moins vingt-cinq. Ericson, le bookmaker, en fait partie et Valentine avait raison. Cela date bien de janvier.

Archer hocha la tête.

— Quelle bande d'imbéciles ! Laisser des petits cailloux comme ça...

— Cela vous étonne tellement ? Ces types ont tous au moins quarante ans et ils ne sont pas encore sergents.

— Qu'ils se sucrent n'est pas étonnant, non. Valentine sera content en ce qui concerne Ericson, et les autres aussi. Ça va beaucoup lui plaire, même.

Archer consulta quelques PV parmi ceux que Cain venait de lui remettre.

— Mais ceux-là... Art Wheeler, Herman Keller, Frankie Dish. Qui sont ces types ?

— À vous de me le dire. Des anciens de Tammany Hall, certainement, vous les connaissez mieux que moi.

Sur le palier, dehors, retentirent des bruits de pas et de joyeux éclats de voix. Olivia rentrait. Archer sourit et éteignit son mégot sur la table de la cuisine – lentement, afin qu'il imprime un petit rond noir, semblable aux brûlures de cigarette sur le cadavre de Werner Hansch.

— Pas de problème, murmura-t-il. Je repars comme je suis venu.

Il ouvrit la fenêtre et descendit par l'escalier de secours.

— Vous devriez mieux fermer vos fenêtres, Cain. Avec tous ces crimes dans le quartier, ce serait plus prudent.

30

Eileen O'Casey avait plus d'une heure de retard quand le téléphone sonna enfin. Cain décrocha avec appréhension. C'était bien elle.

— Désolée, monsieur, mais je ne vais pas pouvoir venir.

— Comment, vous ne pouvez pas ? Mais il le faut !

— Cela ne dépend pas de moi… Il s'agit de ma famille.

— Qu'est-ce qui se passe chez vous ?

— Je suis vraiment navrée. Si c'était de mon ressort, je serais déjà là. Mais c'est impossible.

— Je peux peut-être vous faciliter les choses. Venir avec Olivia. Il y a encore le temps, dites-moi seulement comment…

— Non, c'est impossible, dit une Eileen anxieuse, à toute vitesse. Je serai là lundi à la première heure. Bonsoir, monsieur.

Elle raccrocha.

Il était minuit moins vingt et Cain devait trouver quelqu'un d'autre pour garder sa fille. Il avait rendez-vous avec Danziger dans moins de trois heures à St. Andrew, où ils espéraient mettre la main sur l'insaisissable Gerhard Muntz.

À Horton, il se serait simplement adressé à ses voisins – les Turner à gauche, les Whitcomb à droite. À n'importe quelle heure, les uns comme les autres n'auraient vu aucun inconvénient à s'occuper d'Olivia. À New York, Cain n'avait pas cette chance. Sa faute, pensa-t-il. Il avait également des voisins, au-dessus, en dessous et de chaque côté, mais leurs relations se limitaient à un bref salut dans l'escalier. Cela expliquait peut-être pourquoi, parmi des millions d'autres, tant de personnes étaient seules à New York.

Sans trop d'espoir, il tenta d'appeler Beryl. Olivia et lui avaient dîné avec elle, plus tôt dans la soirée, et Beryl était censée tenir compagnie à son oncle Fedya, chez qui elle resterait probablement jusqu'au matin. Cain ne savait pas où le contacter. Danziger aurait sans doute pu l'éclairer, mais il ne répondait plus au téléphone depuis qu'un inconnu avait demandé un certain Alexander Dalitz.

Peu avant deux heures du matin, au moment de partir, Cain regardait sa fille dormir dans son lit. Il avait pensé à bien fermer les portes et les fenêtres, à lui laisser un mot au cas où elle se réveillerait en son absence. Mais, à cette heure, il n'y avait plus de portier en bas et n'importe qui pouvait monter dans les étages sans être gêné. Cain se rappela Archer, assis devant une fenêtre ouverte, un sourire satisfait aux lèvres et un revolver sur les genoux.

Il fallait réfléchir. C'est à une église qu'il se rendait ; un lieu de culte situé à proximité du quartier général de la police. Il s'y trouverait une assemblée de fidèles, des prêtres, des cierges allumés, des voix étouffées. Si Muntz se montrait, cette nuit, il chercherait le réconfort, une atmosphère exempte de violence. Quels étaient les risques ? Cain s'accroupit, ébouriffa doucement les cheveux de sa fille.

— Excuse-moi, ma jolie, il faut te réveiller.

— Il fait noir... C'est déjà le matin ?

— Non, c'est encore la nuit. Eileen n'a pas pu venir, alors il faut que tu m'accompagnes.

— Où allons-nous ?

— À l'église.

— Maintenant ?

— Oui, c'est une messe pour les gens qui travaillent tard. Une messe catholique. Je dois parler à quelqu'un qui sera là. Allez, dépêche-toi !

Olivia s'assit dans son lit en bâillant. Puis, à la manière d'une enfant confiante, elle se leva et s'habilla comme son père le lui demandait. Elle ouvrit soudain de grands yeux.

— Catholique ? Ce sont ces gens dont parle grand-père, parfois ? Qui obéissent au pape ?

— Eileen aussi est catholique, ma chérie. Ce sont des gens comme toi et moi. Mis à part les cantiques et les prières, peut-être, ce sera une messe comme une autre, sûrement. Sauf qu'il y en aura en latin.

Du moins le présumait-il. Au juste, Cain n'en savait rien. Raleigh comptait bien quelques églises catholiques, mais Horton, aucune. Olivia hocha la tête et enfila une chemise. Cinq minutes plus tard, ils étaient dans la rue.

— Tout est différent à cette heure, observa la petite, à présent bien réveillée. Il n'y a pas de bruit.

« Tout est plus effrayant aussi », pensait-elle sans doute sans le dire. Même les odeurs étaient différentes. Dans le silence, on sentait mieux celle, boisée, de la grande scierie du West Side. Le vent avait chassé les gaz d'échappement des voitures. En outre, personne ne faisait la cuisine si tard. Personne n'étendait son linge non plus. Les enfants avaient rangé leurs ballons. Rares étaient les fenêtres illuminées.

Les horaires du métro avaient changé à cause du couvre-feu, mais il fonctionnait. Cain s'étonna que les passagers fussent aussi nombreux. Beaucoup semblaient aller à leur travail ou en revenir. L'effort de guerre, supposa-t-il, à l'évidence plus soutenu que quelques mois auparavant. Les usines d'aviation et les chantiers navals tournaient maintenant à plein régime, vingt-quatre heures sur vingt-quatre. Sans compter les fournisseurs, les entreprises annexes, les restaurants, les blanchisseries, etc.

— Regarde ! s'écria Olivia en indiquant la fenêtre. L'autre métro fait la course avec nous !

Elle s'amusait toujours qu'une deuxième rame, sur la voie parallèle, les rattrape en chemin. Ses wagons grinçaient et ballottaient en grignotant seconde après seconde. Cain observa les passagers de l'autre train – assoupis, lisant un journal ou étudiant leurs chaussures : une image inversée du leur.

— Il va nous dépasser ! dit-elle tandis que leur rame ralentissait dans un crissement de freins.

— Les express sont toujours plus rapides.

Cain s'attarda sur un visage de femme, de l'autre côté. Il eut du mal à le croire, mais Olivia confirma son impression.

— Cette dame, elle ressemble à maman !

C'était sa mère. Ou presque, car elle était dans l'ombre et de profil. Elle se tourna vers eux et l'illusion disparut.

— Non, ça ne peut pas être elle, se ravisa Olivia. Elle ne porterait pas ce manteau-là. Ni ce genre de chapeau.

— Tu as raison, admit Cain, qui n'avait remarqué ni l'un ni l'autre.

Sa fille avait meilleure mémoire que lui.

Le second train prit de l'avance et s'engouffra dans un autre tunnel, plus profondément sous terre, emportant avec lui cette femme qui n'était pas Clovis. Cain et Olivia se turent. Il jeta un coup d'œil vers sa fille et s'aperçut qu'elle baissait la tête. Cain était encore estomaqué, cette image fugitive lui avait coupé le souffle. À la station suivante, il s'étonna de voir le quai à nouveau bondé. Cain ne reprit tout à fait contenance qu'en atteignant Chambers Street, leur destination.

— Bien, ma chérie. C'est ici que nous descendons. Il va falloir marcher un peu. Reste bien près de moi.

Ici aussi, les rues étaient plongées dans le silence. Les bâtiments élevés, les ombres plus denses, avaient un aspect solennel et imposant.

— Ça me rappelle le soir où on est sortis chercher les chouettes, quand c'était la pleine lune, dit Olivia en serrant la main de son père.

— C'est un peu pareil, oui. Quelqu'un caché derrière une fenêtre peut nous voir, mais pas nous. Comme une chouette, perchée sur son arbre.

— Tu crois que des gens nous regardent ?

Pas rassurant, comme question, à une heure pareille, mais Cain était l'idiot qui l'avait suscitée.

— Sans doute pas, non. Je pense que tout le monde dort.

Olivia hocha la tête et serra de nouveau sa main. Il avait les paumes moites, ce dont elle se rendait sûrement compte.

Lorsqu'ils tournèrent à gauche dans Centre Street, ils entendirent quelques notes d'orgue, indistinctes et lugubres. Le quartier général de la police se trouvait à moins de trois cents mètres, pourtant au milieu de la nuit, il paraissait lointain comme une autre galaxie. La musique prit de l'ampleur dans l'allée étroite qu'ils empruntèrent, entre le bâtiment municipal de New York et le tribunal fédéral. Un passage qui ressemblait au chas d'une aiguille, pensa Cain en se rappelant la parabole d'un cours d'instruction religieuse.

Des paroissiens montèrent en même temps qu'eux les marches de marbre sales. Cain et Olivia les suivirent à l'intérieur, bientôt impressionnés par le spectacle qui les attendait. Une galerie longeait en hauteur trois murs du bâtiment, surmontée par des vitraux. Les fidèles, debout, étaient en train de chanter un cantique. Ils portaient pour la plupart des habits de travail : ouvriers en salopette, serveuses en uniforme et, ici et là, quelques clochards du Bowery, en hardes. L'encens, la cire liquéfiée et la sueur entremêlaient leurs odeurs. Au fond, un prêtre vêtu de blanc et d'or chantait avec l'assemblée.

Un verset de la Bible était reproduit en grandes lettres à droite de l'autel : « Je vous donne un commandement nouveau : Aimez-vous les uns les autres comme je vous ai aimés. »

Une intention louable, totalement ignorée par une planète en guerre.

Olivia tira sur la main de son père.

— Quand est-ce qu'on s'assoit ? murmura-t-elle.

— En même temps que tout le monde. Je cherche quelqu'un.

Le cantique toucha à sa fin. Les fidèles s'agenouillèrent tandis que le prêtre commença une prière. Cain baissa la tête pendant celle-ci.

— Qu'est-ce qu'ils font avec leurs doigts ? demanda Olivia.

— Le signe de la croix.

Elle fronça les sourcils, puis comprit.

— Comme s'ils la dessinaient sur la poitrine ?

— Oui. Je le vois. Allons-y. Il est là-bas à gauche. On va prendre l'allée sur le côté.

— C'est le vieil homme qui nous regarde ?

— M. Danziger, oui.

— Celui que tu trouves mystérieux ?

— Chut !

Ils se glissèrent sur le banc de bois, à gauche de l'écrivain public, Olivia entre les deux hommes. Curieuse association, cependant Danziger, après un moment de surprise, voire d'inquiétude, parut ravi de voir la jeune fille et lui sourit gentiment. Son sourire disparut lorsque, ensuite, il regarda Cain et chuchota :

— On a un visiteur.

Bien. Muntz était donc là. Il faudrait trouver un moyen de le retenir après la messe – sous les yeux d'Olivia, à moins que Cain réussisse à la mettre à l'abri quelque part.

Tous les visages se tournèrent vers le prêtre qui entama un prêche, pendant que Cain, tête baissée, étudiait le banc de la rangée en face de lui. Il trouva ce qu'il cherchait – une bible – et tendit le bras devant Olivia pour la saisir. Il plaça le livre sur ses genoux et posa la main sur la reliure de cuir noir. Cain, qui n'était pas entré dans une église depuis presque un an, ferma alors les yeux et commença à prier silencieusement.

31

DANZIGER

J'ai d'abord été consterné. Comment pouvait-il l'emmener dans un endroit aussi dangereux ? C'est une église, d'accord, mais nous y traquions un homme menacé de mort, et lui-même capable de la donner. M. Cain avait-il perdu la tête ? Plus probablement, c'est sa gouvernante qui s'était perdue, ce qui explique peut-être ce moment d'égarement.

En le reconnaissant alors qu'ils me rejoignaient, j'ai aperçu le visage de sa fille, tout baigné d'innocence, et, révisant aussitôt mon jugement, j'ai interprété sa présence comme un présage – positif celui-là –, un signe qu'elle allait nous protéger. Nous serions en sécurité grâce à elle.

Lorsqu'ils ont atteint le banc que j'occupais, la petite a devancé son père pour prendre place à mes côtés, telle une sorte d'interprète. Elle m'a étudié un instant. J'ai pensé alors qu'elle était arrivée dans cette ville à peine plus âgée que je ne l'étais en 1902, quand j'ai débarqué aux États-Unis. Les questions que j'ai lues dans ses yeux n'avaient rien de mystérieux pour moi. J'y ai vu aussi la confiance, qui m'est allée droit au cœur.

Je lui ai souri et elle m'a bien regardé. Comme je n'ai pas un visage très avenant, c'était de sa part une preuve de courage.

— Tiens, lui ai-je dit en lui tendant le recueil de cantiques. Au cas où tu voudrais chanter avec les autres. Les pages sont affichées sur le tableau là-bas. Le prochain porte le numéro trois cent vingt-sept.

— Merci.

Nous n'éprouvions guère d'intérêt pour les propos du prêtre. Olivia feuilletait les pages du recueil et je me rendis compte que Cain priait. Il marmonnait tout bas, les yeux fermés, la bible serrée dans ses mains comme si elle devait lui procurer le salut. Sans doute avait-il réellement conscience des risques qu'il prenait. Cette petite, mon Dieu, à quoi l'exposait-il ?

Peut-être l'ignorait-elle, mais elle verrait bientôt un condamné en route vers l'échafaud. Car, certainement, d'autres résidants du Bowery, présents dans cette église, iraient monnayer hors de celle-ci le récit de notre intervention. Selon toute vraisemblance, Muntz vivait sa dernière nuit de liberté, sinon sa dernière nuit tout court.

Je ne suis pas religieux et je ne vous l'apprends pas. Mais, comme bien des hommes qui ont renoncé à la foi, je reste fasciné par les dogmes et les rituels des croyants. Sous la voûte élevée de ce bâtiment sacré, peuplé de symboles chrétiens, l'idée m'est venue que Muntz serait notre agneau de Dieu. Son sang serait versé sur l'autel d'une vérité pour nous nécessaire. Tandis que l'assemblée se recueillait, j'ai fermé les yeux, je me suis concentré et j'ai demandé à quelque élément du cosmos – Dieu ou une autre entité – de bien vouloir pardonner la série d'événements que nous allions mettre en branle.

En rouvrant les paupières, j'ai constaté qu'Olivia m'observait et j'ai su qu'elle comprenait, qu'elle m'approuvait.

Les fidèles se levèrent pour communier. N'étant pas habilités à recevoir le Saint-Sacrement, nous nous sommes abstenus. Une trentaine de personnes se sont dirigées vers l'autel, certaines presque en haillons – les miséreux des hôtels malfamés. Évidemment, Cain et moi guettions un signe du prêtre.

Les six derniers communiants se placèrent devant lui. Le quatrième était un type au teint blafard, blond et mal coiffé, qui accepta l'hostie et but une gorgée de vin. Alors le père O'Connor regarda dans notre direction en hochant la tête.

— C'est donc lui, murmura Cain à mon intention. Mais êtes-vous sûr que ce soit le *nôtre*, de Gerhard ?

— Oui, je le crois. Il a tout l'air d'une proie sur ses gardes. Tenons-nous prêts à intervenir.

— Qui est Gerhard ? demanda Olivia.

— L'homme à qui nous avons besoin de parler, lui ai-je répondu, aussi gentiment que possible. Quand nous le ferons, il vaudrait mieux que tu attendes ici, peut-être avec un des prêtres, qu'on ait fini.

Elle consulta son père, qui confirma.

— D'accord, déclara-t-elle d'un ton solennel.

Assurément, elle avait déduit de notre attitude que nous avions une tâche difficile à accomplir – le travail d'un policier et du mystérieux inconnu que je suis. C'est une fille sage et intelligente.

32

Cain regarda Muntz regagner son banc et se détendit un peu quand l'Allemand se rassit et ouvrit une bible. L'orgue continua d'accompagner les communiants jusqu'au dernier, puis le silence se fit et l'assemblée se releva pour chanter un cantique. Olivia consulta le tableau, feuilleta le recueil et sélectionna la bonne page. Tout le monde – elle y compris – se mit à chanter, à l'exception de Muntz qui, tête baissée, s'agenouilla. Il semblait prier intensément.

— La prière, marmonna Danziger, le dernier refuge des crapules.

— C'est vrai, ça, papa ? demanda Olivia, étonnée.

Cain allait répondre que non, mais se ravisa en se rappelant ce qu'il faisait lui-même, un instant plus tôt.

— Parfois, murmura-t-il. On peut se cacher derrière des tas de choses.

« Le patriotisme », pensa-t-il, comme Hogan et Lanza.

— Comment on sait quand les gens se cachent derrière quelque chose ?

— C'est compliqué, ma chérie. Je ne sais pas toujours.

Fin du cantique. Le sacristain passa dans les rangs pour la quête. Cain déposa un peu de monnaie sur son plateau. Danziger s'abstint, ce qui parut scandaliser Olivia. Ou peut-être était-elle seulement étonnée. Même Muntz offrit une pièce. La messe se termina, les lumières se rallumèrent et les fidèles prirent le chemin des portes.

— Reste ici, dit Cain à sa fille. Ne bouge pas et ne parle à personne d'autre qu'aux prêtres. OK ?

— OK.

Elle fit la moue, mais il ne voyait pas d'alternative. Cain se glissa dans l'allée, suivi par Danziger, et les deux hommes se dirigèrent rapidement vers la sortie.

— Le père O'Connor sait que nous souhaitons lui parler, dit doucement Danziger. Il veut bien que nous l'emmenions dans la sacristie et, si besoin, il nous facilitera les choses. Il demande seulement que tout se passe dans le calme et qu'on ne dérange personne.

Ils se trouvaient maintenant à un mètre de Muntz, qui ne se doutait de rien et ne semblait pas pressé de partir. Danziger se plaça à sa gauche et Cain devant la porte, pour l'empêcher de fuir.

— Gerhard ? dit doucement Danziger, qui poursuivit en allemand.

Muntz se figea, effrayé, la bouche ouverte. Il leva les bras, sur la défensive, vacilla comme sous une rafale de vent. Pendant un court instant, il parut sur le point de s'affaisser. Il était blême, famélique, et Cain eut presque pitié de lui.

Il tenta alors de se sauver mais, avec une rapidité étonnante, Danziger le retint fermement et lui glissa quelques mots à l'oreille. Muntz chercha des yeux le jeune prêtre, qui lui fit un signe rassurant. Alors il se ramassa sur lui-même et poussa un soupir, comme s'il lâchait prise. À voix basse, tandis que les derniers fidèles quittaient les lieux, Danziger glissa à Cain :

— Il accepte de nous parler. Venez par ici, à la sacristie.

En file indienne, ils rebroussèrent chemin dans l'allée de droite, O'Connor fermant le cortège. La sacristie était une pièce isolée, lambrissée de bois sombre, dotée d'un petit bureau encombré de papiers et dominée par un grand crucifix sanguinolent. Au fond, se trouvait une penderie ouverte qui rassemblait des vêtements sacerdotaux de différentes tailles et couleurs. Il s'en dégageait une odeur d'encens.

Muntz se planta derrière une chaise pliante, les mains sur le dossier, comme s'il hésitait à s'asseoir, qu'il résistait encore. Cain se rapprocha lentement de lui. Ce n'était peut-être qu'une impression, mais il lui sembla que, entre les portes de l'église et la sacristie, l'Allemand avait réévalué ses options. Muntz étudia rapidement Danziger, puis la porte.

— Gerhard Muntz ? demanda Cain en le dévisageant.

L'Allemand écarquilla les yeux. Il recula et sortit un couteau de la poche de son pantalon. Cain entendit le prêtre pousser un hoquet de surprise.

— Demandez-lui s'il s'en est servi pour tuer Sabine, jeta Cain, prêt à réagir.

Danziger traduisit la question.

Le père O'Connor prit à son tour la parole en allemand, dans le but de rassurer Muntz, qui s'agita et répondit :

— *Nein ! Es war nicht mich ! Es war Dieter !*

— Il prétend que c'est Dieter.

— J'avais compris. Dites-lui que Göllner est mort. Et que, s'il refuse notre aide, il mourra lui aussi.

Danziger répéta rapidement, sur un ton apaisant. En apprenant la nouvelle, Muntz émit un gémissement sourd et réprima un léger tremblement. Il hocha la tête, puis rangea son couteau dans sa poche en regardant Cain. Il s'assit finalement et poussa un soupir.

— Je pense que nous maîtrisons la situation, mon père, dit Danziger à ce dernier. Merci pour votre assistance.

Hésitant, le prêtre étudia les trois hommes tour à tour et se rangea à l'avis de Danziger.

— Très bien. Je reste derrière la porte, si vous avez besoin de moi. Si vous ne l'arrêtez pas, ne l'importunez pas plus que nécessaire. C'est un enfant de Dieu.

— Bien sûr, mon père.

Ils attendirent que O'Connor s'éloigne pour continuer. Tout en observant Cain, Muntz s'adressa à Danziger :

— *Ist er ein Polizist ?*

— Il veut savoir si vous êtes flic, expliqua le vieil homme.

Puis à Gerhard :

— *Ja.*

Muntz croisa les bras et baissa la tête.

— *Dann werde ich nicht sprechen !*

— Vous aurez compris également, dit Danziger d'un air las.

— Il ne veut pas parler ? Bien, on a tout notre temps.

— Le père O'Connor sera peut-être moins patient que nous.

Comme si on lui avait injecté un calmant, Gerhard décroisa les bras et se pencha en avant avec une expression aimable. Il observait la porte. Cain se retourna et vit sa fille qui venait d'entrer.

— Chérie, je t'avais dit de ne pas bouger !

— Les lumières s'éteignaient, j'ai eu peur et je savais que vous étiez ici, alors…

Elle croisa le regard de Muntz et ne chercha pas à l'éviter. Sans la quitter des yeux, celui-ci marmonna quelques mots en allemand à Danziger qui répondit à voix basse. Le jeune prêtre arrivait derrière Olivia.

— Toutes mes excuses. J'aurais dû l'empêcher de vous interrompre. Mais je discutais avec mes paroissiens et… Est-ce votre fille ? demanda-t-il au policier.

— Oui, dit Cain, qui éprouva le besoin de se justifier. Je, euh…

— Voulez-vous que je veille sur elle jusqu'à ce que vous ayez fini ?

— S'il vous plaît. Ce serait très aimable de votre part.

Le prêtre tendit sa main à Olivia, qu'elle saisit à contrecœur. De son autre main libre, elle fit au revoir à Muntz qui, malgré sa situation, affichait un sourire béat, comme si un ange était apparu devant lui. Lorsqu'elle fut repartie, il sembla reconsidérer Cain et posa une nouvelle question. Danziger lui répondit aussi aimablement que possible, et ils conversèrent un instant.

— Que dit-il ?

— Il voulait savoir si c'était votre fille, ce que j'ai confirmé. Il a cité un vers de la Bible qui se termine par : « … et un enfant les conduira. »

— Isaïe, se souvint Cain.

Muntz ajouta quelques mots. Son visage exprimait une sorte de lassitude paisible.

— C'est bien le Livre d'Isaïe, poursuivit Danziger. Et il accepte de coopérer.

Cain était pour le moins surpris par ce revirement.

— Commençons par son rôle dans l'histoire. Qu'il nous parle de ses compatriotes, de Lutz Lorenz et de ce qu'ils voulaient faire.

L'Allemand hocha la tête pendant que Danziger continuait de traduire. Comme s'il lisait une déclaration écrite, il s'exprima calmement, sur un ton monotone, ne s'arrêtant qu'aux moments où le vieil homme levait la main pour relayer les informations à Cain, qui nota tout de bout en bout. Son récit – sincère, précis et d'une commode simplicité – correspondait presque exactement à la version de Lorenz.

En décembre, peu après Pearl Harbor, Lorenz avait contacté les quatre Allemands pour leur proposer un emploi. Ils auraient l'assurance d'être syndiqués et, s'ils acceptaient, quelqu'un viendrait faire leur connaissance à la Jägerhaus, une brasserie de Yorkville. Ils étaient intéressés. Le lendemain, un autre Allemand, qui ne révéla pas son nom, les rencontra dans l'arrière-salle de la brasserie. Un homme d'affaires, avaient-ils pensé, car il en avait les manières, froides et efficaces, et il portait un costume de marque. Il leur fit une offre séduisante. Contre la promesse d'une ample rémunération, à verser en deux temps, ils pouvaient aider leur patrie en portant un mauvais coup à l'ennemi. À ce stade, il s'agissait d'incendier un navire amarré au port. Ils n'en savaient pas plus et l'homme leur fournirait ses instructions ultérieurement.

Ils avaient reçu sans tarder un premier paiement, qui les avait mis en confiance. Ils avaient également reçu leur carte d'un syndicat, tous le même jour. Deux d'entre eux – Hansch et Schaller – avaient alors été recrutés par une société de construction navale qui procédait à des aménagements à bord du *Normandie*, le paquebot français réquisitionné par le gouvernement américain pour servir au transport des troupes. Le navire, leur avait-on dit, serait leur cible, et les ordres suivraient bientôt. Mais, la veille du jour où ils devaient se présenter à leur travail, ils avaient appris par les journaux que le *Normandie* avait brûlé et chaviré.

Ils avaient pensé qu'on s'était acquitté de la tâche avant eux et ils avaient attendu de nouvelles directives. Les semaines avaient passé sans un signe de personne. Pire encore, ils n'avaient pas reçu le deuxième versement promis. Faute de pouvoir retrouver l'homme d'affaires allemand, ils avaient repris contact avec Lorenz. Il ne voulait plus entendre parler d'eux, mais il avait tout de même accepté de faire part de leurs préoccupations. À Ellis Island, Lorenz n'avait pas mentionné l'intermédiaire en question, ce qui n'étonna pas Cain, car cela serait revenu à admettre qu'il était impliqué dans le projet de sabotage.

L'homme d'affaires avait dit à Lorenz de leur donner un autre rendez-vous à la Jägerhaus, où il avait recommandé aux quatre hommes de rester tranquilles, et promis de les payer bientôt. Ils ne devaient plus essayer de le revoir. Par la suite, ils pouvaient s'adresser à un M. D'Amico, qui résidait dans Saratoga Avenue, à Brooklyn. Il était censé être sur place tous les soirs de la semaine après dix-neuf heures.

Cain leva la main.

— A-t-il l'adresse exacte ?

Après un bref échange, Danziger répondit :

— Il n'a pas le numéro de la rue. Mais c'est une boutique au coin de Saratoga Avenue et de Livonia Street, juste en dessous du métro aérien. Sur la banne au-dessus de la devanture figurent les mots *candy*, *soda* et *cigars*.

— Noté.

Muntz poursuivit son récit. Les Allemands s'étaient demandé pourquoi des Italiens étaient mêlés à l'affaire. Ils avaient conclu que rien n'empêchait les deux pays, alliés en Europe, de collaborer pareillement de ce côté-ci de l'Atlantique.

Une autre semaine s'était écoulée sans qu'ils reçoivent de nouvelles, alors ils avaient chargé Werner Hansch d'aller se plaindre auprès de M. D'Amico à Brooklyn. Muntz avait pris le métro avec Hansch jusqu'à Saratoga Avenue, puis l'avait attendu dans un bar de la rue. Au bout d'une heure environ, Hansch n'étant pas revenu, Muntz s'était posté devant un kiosque à journaux en face de la boutique, d'où il avait gardé un œil sur l'entrée de celle-ci. À neuf heures du soir, un type bien mis en était sorti, qui fumait le cigare et parlait fort. Il était suivi par deux nervis, apparemment, qui encadraient Hansch. Meurtri, dépenaillé, ce dernier semblait effrayé. Une rutilante Packard noire s'était arrêtée devant eux. Ils l'avaient fait monter à l'arrière avant de prendre place à leur tour. La voiture avait redémarré et ils étaient partis.

Pendant ce temps, le kiosquier avait remarqué que Gerhard s'intéressait un peu trop à cette boutique. Danziger traduisit le conseil qu'il lui avait donné :

— Vaudrait mieux pas qu'ils s'aperçoivent que vous les surveillez. À moins que vous ayez envie de finir au fond de l'East River.

— Une minute, intervint Cain, levant la main. Je croyais qu'il parlait seulement allemand. Comment a-t-il su ce que disait le vendeur de journaux ?

Muntz sourit pour la première fois.

— Excellente question, admit Danziger. Comment avez-vous *su*, Gerhard ?

— Parler anglais pas bien. Mais comprendre un peu mieux, répondit Muntz avec un geste approximatif.

Il continua en allemand pour Danziger.

— Il explique qu'il saisit le sens général des phrases. Et que l'anglais du kiosquier n'était pas meilleur que le sien. Le vendeur lui a appris le nom du type au cigare.

— Le patron, donc ?

Danziger posa la question.

— *Ja*. Le Mad Hatter[1].

Danziger ouvrit de grands yeux.

— Le Mad Hatter ? Vous êtes sûr ?

— *Ja*.

Cain consulta son compagnon, mais celui-ci, réticent, fit la moue, comme si ce n'était pas le moment de s'attarder sur ce point.

— Bon. Et après ? demanda Cain.

Danziger continua de traduire.

— Muntz n'a jamais revu Hansch. Quelque temps plus tard, il a appris que son corps avait été repêché dans le fleuve. Quand Schaller est mort à son tour, Göllner et Muntz ont décidé de se cacher. Göllner croyait que Sabine les avait trahis et il s'est promis de la tuer. Dès lors, les deux hommes ont commencé à s'éviter. Muntz change d'hôtel tous les deux ou trois jours. Il a dormi les deux dernières nuits au Sunshine, dans le Bowery. Il est très vigilant et reste la plupart du temps dans sa chambre, sauf le dimanche lorsqu'il va à la messe. Il a fréquenté un moment l'église de la Transfiguration, dans Mott

---

1. Anastasia aurait été surnommé le Mad Hatter (chapelier fou), car il était amateur de chapeaux. On peut raisonnablement penser à un jeu de mots – *hatter* étant celui qui coupe les chapeaux, donc les têtes. Par ailleurs, le Mad Hatter est un personnage d'*Alice au pays des merveilles*, de Lewis Carroll.

Street, mais Chinatown ne lui plaît pas. Trop de Chinois, trop de chop suey.

— Pas assez aryen pour lui.

— Il aime les sermons du père Cashin, qui lui remontent le moral. Jusqu'à notre irruption ici, du moins.

L'Allemand interrogea Danziger, qui lui répondit, et baissa la tête en gémissant.

— Il voulait savoir comment Göllner a été tué. Je lui ai rapporté qu'il a été battu à mort et qu'on n'a arrêté personne.

Muntz releva la tête pour prononcer quelques mots.

— Il veut que nous l'aidions. Il s'est montré coopératif et il attend la même chose de nous.

Muntz les suppliait du regard.

— Expliquez-lui que c'est notre souhait, dit Cain à Danziger, mais que ce ne sera pas facile. Nous devons être prudents, nous aussi. Pour l'instant, nous n'avons pas d'abri sûr à lui proposer. Il serait même dangereux de l'emmener.

Muntz écouta la traduction d'un air affligé et se mit à vider ses poches – plusieurs billets de un dollar froissés et des pièces qui atterrirent bruyamment sur le sol de pierre.

— Il nous offre plus que ça si nous l'emmenons.

— Non, Muntz, cela n'est pas la question.

— Alors des informations. Il en a d'autres. Mais il faut l'aider.

— Nous allons essayer. À la condition qu'il nous dise *tout* ce qu'il sait.

Muntz hocha la tête et se pencha vers eux. Comme auparavant, Danziger traduisit simultanément. Cain écouta attentivement en prenant des notes.

— À propos de l'homme d'affaires allemand. L'intermédiaire. Après leur dernière rencontre à la Jägerhaus, il l'a suivi dans la rue et le type a hélé un taxi. Muntz a entendu l'adresse qu'il indiquait en montant. Alors il y est allé aussi. Pas en taxi, trop cher, mais en métro. C'était un bureau à Wall Street.

— Une banque ? coupa Cain. Une banque d'affaires ?

— S'il vous plaît, laissez-le parler !

Muntz reprit le fil de son récit.

— Pas une banque, non. Un vieux bâtiment, pas très grand, qui héberge une seule société. Au bout d'une heure et demie environ, l'homme est ressorti et monté dans un autre taxi. Cette fois, Gerhard n'a pas entendu l'adresse, alors il est entré. Il y avait une femme à la réception, qui lui a demandé ce qu'il désirait. Il a sollicité un rendez-vous. Mais il n'a pas voulu dire son nom, ni qui il souhaitait voir, et son anglais n'est pas très bon, alors elle l'a prié de revenir plus tard, en téléphonant d'abord, de préférence. Il est parti, mais il s'est arrangé, au dernier moment, pour jeter un coup d'œil sur le registre des visiteurs. Et il a noté le nom d'un autre Allemand encore. Herman Keller.

— Keller ?

— Oui. Prénom Herman.

Un nom vaguement familier, Cain ne parvenait pas à se rappeler pourquoi.

— C'était à quel numéro dans Wall Street ?

— Il ne sait plus, mais la réceptionniste lui a donné une carte de visite.

— Il l'a toujours, cette carte ?

Muntz fit signe que oui, fouilla dans ses poches, regarda les deux hommes pendant quelques secondes, puis la tendit à Cain. Lettres noires sur fond crème, avec le numéro de téléphone et l'adresse complète. Au milieu, l'emblème commercial de Willett & Reed.

— Un cabinet d'avocats, jeta Cain d'une voix rauque. Keller l'y avait précédé.

Il se souvint alors. Le nom de Herman Keller figurait sur un PV d'arrestation, destiné à un traitement particulier, dans la pièce 95. Une affaire de jeux illicites, et Cain savait sur quelle relation Keller comptait pour être sûr de ne pas être inculpé : Harris Euston, son avocat, l'homme qui comptait tant d'amis dans le 14e secteur. Quand les quatre Allemands, recrutés pour une mission spéciale, avaient menacé de ruer dans les brancards, Keller avait sans doute aussi sollicité le concours de Euston.

Cain avait la bouche sèche et les mains moites.

— Un cabinet que vous connaissez ? supposa Danziger.

Le policier hocha la tête et se détourna. Il eut un instant peur de vomir.

— Gerhard veut ajouter une chose à propos de ce Keller.

Danziger traduisit.

— Un employé de la Jägerhaus leur avait appris que Keller avait la réputation d'un affairiste.

— Un banquier ? C'est à ça qu'il pense ?

Danziger posa la question.

— Non. Selon lui, Keller collectait de l'argent pour l'Allemagne. Il invitait les habitants de Yorkville à acheter des reichsmarks contre des dollars. Herr Hitler a besoin de devises étrangères pour importer des produits malgré le blocus instauré contre l'Allemagne. Keller représentait une banque américaine, qui préfère rester anonyme pour qu'on ne l'associe pas au Reich.

Apparemment, il a été choisi comme intermédiaire puisqu'il embrassait la cause.

Cain devina de quelle banque il s'agissait : la Chase. Une autre raison pour laquelle cet homme recourait aux services de Harris Euston. C'était peut-être même la Chase qui s'était chargée des présentations.

— J'ai entendu des collègues parler de cette combine au commissariat. Avant qu'on entre en guerre, des bandes de voyous faisaient du porte-à-porte afin de recueillir des dons pour l'Allemagne. Ils extorquaient de l'argent à des personnes qui avaient encore de la famille là-bas. Que sait-il d'autre ?

— C'est tout. Et il insiste vraiment pour qu'on l'aide.

Interloqué, Cain digérait ce dernier chapitre en se demandant à quel point Euston était impliqué, sciemment ou pas.

— Dites-lui que j'ai besoin de vous consulter seul à seul. Nous devons aussi envisager avec le père O'Connor comment nous allons assurer sa sécurité.

Danziger traduisit.

— Il veut notre promesse que nous ne l'abandonnons pas.

— Nous sortons simplement de la sacristie et nous lui envoyons le père dès que possible. Pour l'instant, il est à l'abri ici.

Muntz acquiesça.

— *Ich verstehe.*

— Il comprend.

Cain suivit Danziger dans le sanctuaire. Ils s'isolèrent dans une chapelle latérale, dotée d'un petit autel et d'un support pour les cierges votifs. L'odeur de la cire chaude était omniprésente.

— Willett & Reed, c'est le cabinet de votre beau-père, non ?

— Oui. Harris Euston, un salopard qui a beaucoup de relations. Mais je n'aurais pas pensé que c'était aussi un traître.

— Keller n'aura pas dévoilé l'idée du sabotage à un Américain.

— Alors pourquoi serait-il allé le voir ?

— Parce qu'il se sentait menacé et que Euston était son avocat. Son conseiller financier, sans doute, dans cette histoire de reichsmarks.

— Au service d'Adolf Hitler, donc. Oui, je pense comme vous.

— Et si Keller sert de paravent à une banque, eh bien, l'argent a ses lois et ses servitudes, plus importantes pour eux que le respect de leur pays. D'autant plus, comme vous le rappelez, que ses activités ont précédé notre entrée en guerre, dit Danziger.

— Mais l'Allemagne était déjà en guerre, elle, et il n'y avait pas besoin d'être devin pour voir clair dans son jeu.

— Peut-être pas de quoi indisposer votre beau-père. Ni une banque américaine. Tant la Chase que des inter-médiaires comme Keller prélèvent de grosses commis-sions sur des transactions de ce genre. Immoral, sordide, mais cela ne devrait pas nous étonner. Laissez-moi vous raconter une chose. Il y a deux ans, pendant l'été, juste avant que la Wehrmacht occupe Paris, un dîner a été organisé au Waldorf Astoria par les dirigeants de General Motors, de Ford et de plusieurs compagnies pétrolières, en l'honneur d'un délégué du ministère des Affaires étrangères allemand. Ils ont célébré le début d'une nouvelle ère pour le libre-échange. Et ils ne se cachaient pas, il y a eu des articles dans tous les journaux. Leur idéologie commune était l'argent, pas le national-socialisme. Naturellement, aujourd'hui, ils ne se montreraient pas publiquement, mais je doute qu'ils aient mis de côté leurs ambitions commerciales. N'est-ce pas cette sorte de gens que représente votre beau-père ?

— C'est exactement ce que j'ai l'intention de mettre au jour.

— De quelle façon ?

— Directement. Je lui poserai la question en face. Je comprends mieux pourquoi il m'a forcé à déjeuner avec lui. Il voulait que je le renseigne au sujet du meurtre de Hansch.

— Quand cela ?

— Juste après l'article du *Daily News*. À son club.

— Que lui avez-vous dit ?

— Rien du tout. Mais il a ses informateurs. Maloney, Mulhearn. À l'heure qu'il est, ils ont dû amplement le renseigner sur mes recherches. Sur vous aussi, peut-être.

— Êtes-vous sûr de ne lui avoir rien dit ?

— Certain.

Cain s'interrompit.

— À part une chose. Lutz Lorenz. Euston prétendait avoir des relations à Yorkville, donc j'ai glissé son nom pour voir sa réaction. Il n'aurait jamais entendu parler de lui.

Danziger fit une moue dubitative.

— Assurez quand même vos arrières. Il y a la petite aussi.

Cain se retourna et aperçut sa fille, du côté de la nef, en train de tenir une conversation animée avec le père O'Connor, qui semblait captivé et hochait la tête en l'écoutant.

— Il ne toucherait pas à un seul de ses cheveux.

— Lui non, mais le Mad Hatter, oui.

— Vous savez qui c'est ?

— Vous le sauriez si vous aviez lu les journaux new-yorkais, quelques mois avant votre arrivée. Albert Anastasia, l'un des plus dangereux assassins de ce pays. Sa petite boutique de Brooklyn cache une autre entreprise.

— Murder Incorporated. Dont les membres ont même des amis au commissariat. Je croyais qu'ils étaient sous les barreaux, pour la plupart.

— La plupart seulement, dit Danziger. Le Mad Hatter lui-même a été traduit en justice. Mais chaque fois qu'il comparaît devant un tribunal, les témoins disparaissent les uns après les autres, ou alors ils se taisent, et il est systématiquement acquitté. Lutz avait de bonnes raisons de ne pas lâcher son nom. À sa place, j'en aurais fait autant. Il aimerait être encore vivant à la fin de la guerre, et dénoncer Anastasia reviendrait à signer son arrêt de mort.

— Surtout qu'Anastasia a déjà exécuté au moins trois des hommes que Lorenz a recrutés. Pour effacer toute trace de ses projets, je suppose.

— Je ne comprends toujours pas pourquoi il aurait préparé un sabotage.

— Il est italien, remarqua Cain.

— Ce n'est pas aussi simple que cela. Les mafiosi exècrent Mussolini. Le Duce a traqué impitoyablement leurs cousins en Sicile.

— Une tentative de chantage, alors ?

— Peut-être. Mais, dans ce cas, à quoi jouent les autres dans l'histoire ? Pas Luciano, ni Lansky. Mais Gurfein et Haffenden ? Quoi que nous décidions maintenant, il vaudrait mieux ne pas nous précipiter. Nous avons besoin de temps pour réfléchir et nous organiser.

— Réfléchissez de votre côté. Moi, je vais voir Euston.

— S'il le faut vraiment. Vous devez aussi veiller à sa sécurité, dit Danziger avec un signe de tête vers Olivia.

— Je m'en préoccupe chaque jour. Et, oui, je sais, je n'aurais pas dû l'emmener. Bien, partons d'ici.

— Et Muntz ?

— Je ne vois pas comment l'aider sans renseigner nos adversaires sur nos intentions.

— Vous avez raison. N'oublions pas, non plus, que c'est un salopard de nazi qui se ferait un plaisir de m'envoyer *ad patres*. Pourtant, j'ai pitié de lui. Mais, comme vous dites, c'est impossible.

Ils rejoignirent Olivia. Cain remercia le prêtre pour son assistance.

— Notre hôte est-il toujours là ? s'enquit ce dernier.

Cain et Danziger se consultèrent du regard.

— Oui, dans la sacristie. Le pauvre homme est sur les nerfs. Il serait bon de le laisser seul un moment. Entre-temps, nous aimerions sortir par ici.

Danziger indiqua une porte latérale.

— Des gens pas très recommandables ont importuné la jeune fille, tout à l'heure, devant l'entrée principale.

Il fit un clin d'œil à Olivia, qui tint sa langue.

— Bien sûr, je vous raccompagne.

Dans la rue, le petit groupe chemina silencieusement quelques centaines de mètres avant de s'arrêter un instant pour vérifier que Muntz ne les suivait pas.

— Bien joué, observa Cain.

— Il n'y a pas de quoi être fier, tout de même. Nous l'avons mené en bateau.

— Vous n'avez pas pu l'aider ? demanda Olivia.

Cain se tourna vers le vieil homme.

— Nous avons fait au mieux, assura celui-ci.

— De quoi a-t-il peur ?

Danziger s'agenouilla pour se mettre à la hauteur de la petite.

— Du monde, jeune fille. Un monde qu'il a créé, toutefois. Sa référence à la Bible, tout à l'heure, résume bien la situation. « Le loup habitera avec l'agneau », a écrit Isaïe. Pendant un moment, il était le loup. Maintenant, de son point de vue du moins, c'est lui, l'agneau.

— Et nous, qui sommes-nous ?

— Une question difficile, ma chère. Ce serait plutôt à ton père de trancher.

Danziger se redressa, les salua tous deux d'un signe de tête et s'éloigna. Olivia attendait une réponse. Cain n'avait pas encore décidé ce qu'il allait lui dire, mais une chose était sûre, il ne se donnait pas l'impression d'un loup.

33

C'était maintenant Harris Euston qui ne se donnait pas la peine de rappeler.

Dimanche soir, Cain avait laissé trois messages au portier de l'immeuble où il résidait dans l'Upper East Side. À neuf heures et demie, le lundi matin, il avait déjà composé cinq fois le numéro de Willett & Reed. Chaque fois, la secrétaire, polie mais sèche, lui avait répondu que M. Euston retournerait son appel dans les meilleurs délais.

Cain n'eut pas davantage de succès auprès de Herman Keller, dont la ligne avait été coupée et dont le bureau de 86th Street, fermé, était apparemment désert. Sans doute Keller se cachait-il quelque part. Peut-être craignait-il lui aussi des représailles de la part d'Anastasia. Cain pensa brièvement à contacter la Chase National Bank, histoire de se passer les nerfs sur quelqu'un, mais il ne savait qui demander ni quelles questions poser. Il n'était pas utile, à ce stade, de faire du tapage.

Entre deux coups de fil infructueux, il s'acquitta de nouvelles corvées imposées par Mulhearn et, profitant d'un moment d'inattention de ses collègues, demanda à l'identité judiciaire le dossier d'Albert Anastasia. Le rond-de-cuir de service promit de le lui faire livrer au commissariat, à midi le lendemain, ce qui impliquait que, d'ici là, tout le 14e secteur serait au courant.

Peu avant dix-sept heures, Cain tenta une dernière fois de joindre Euston et avertit la secrétaire :

— Puisqu'il ne veut pas répondre, dites-lui que j'appellerai chez lui, ce soir. N'oubliez pas, surtout.

— Entendu, monsieur. Sachez cependant qu'il sera occupé. Il se rend à un dîner de bienfaisance, donc vous ne le trouverez pas avant une heure avancée. Il vaudrait peut-être mieux que vous essayiez ici demain matin. Il vous contactera, de toute façon, dans les meilleurs délais.

— Je n'en doute pas. Peut-être même avant l'armistice.

Cain raccrocha brutalement. « Bienfaisance, mon cul », pensa-t-il. Mais une idée germa dans son esprit.

Des personnalités locales s'associaient à différentes œuvres caritatives pour collecter des fonds, afin de soutenir l'effort de guerre. Ces derniers temps, Cain avait aperçu, plusieurs fois par semaine, des annonces pour des dîners de cette sorte dans les pages mondaines des journaux. Le nom de Willett & Reed figurait souvent parmi les organisateurs.

Il se munit de l'exemplaire du jour du *New York Times*, que recevait Mulhearn, et en moins de dix minutes, il trouva ce qu'il cherchait : un encart intitulé « Soirée de charité en faveur des enfants ». Le cabinet de Euston était l'un des parrains de l'événement, un dîner formel qui aurait lieu au domicile de Park Avenue d'une Mme Gordon Eglinton Stewart. On y recueillerait des dons et de l'argent afin d'aider à nourrir et vêtir de jeunes Anglais qui avaient perdu leurs parents pendant les bombardements allemands. Une vague célébrité était

censée y faire une apparition et le journaliste ajoutait :
« Lady Ashfield évoquera sa participation à l'évacuation des enfants. »

« Épatant », se dit Cain, en se demandant quelle tête ferait cette lady Ashfield en apprenant qu'un de ses partenaires américains avait pour clients une bande de saboteurs pro-nazis. Sans doute perdrait-elle son flegme britannique.

Afin de produire le maximum d'effet, il attendit que la soirée ait commencé depuis une heure pour se présenter à l'immeuble de Park Avenue, où un portier, vêtu comme un général des armées du XIXᵉ siècle, le fit entrer dans un hall luxueux, avec lustre en cristal, sol et colonnes de marbre rose. En retrait, un quatuor à cordes jouait un concerto de Bach. Une immense table barrait l'accès aux ascenseurs, devant laquelle un larbin habillé comme un demi-prince tenait le registre des invités.

— Je viens pour le dîner de Mme Gordon Eglinton Stewart, annonça Cain, savourant chacune des syllabes qu'il prononçait.

— Votre nom, monsieur ?

— Woodrow Cain.

L'homme feuilleta les pages de son registre, une fois et puis deux, avant de hocher la tête d'un air entendu, comme si sa recherche venait de confirmer ce dont il se doutait.

— Désolé, monsieur, vous n'êtes pas sur notre liste. Par ailleurs, une tenue de soirée est de rigueur.

— J'aurais pu venir à poil. Indiquez-moi seulement l'étage.

— Monsieur, vous n'êtes pas invité. Je vais devoir téléphoner à la police.

— Elle est déjà là, répliqua Cain en dégainant son insigne. Indiquez-moi l'étage, je vous prie, avant que j'appelle des collègues en uniforme. Rien ne nous empêche d'inspecter tout le bâtiment jusqu'à ce qu'on trouve le bon.

— Le vingt-deuxième, répondit l'homme en pâlissant. Savez-vous quand même qu'il s'agit d'un dîner de charité ?

— Je donnerai la pièce en partant.

Mme Gordon Eglinton Stewart, ou peut-être son mari, devait être riche à crever. Ils possédaient l'intégralité du vingt-deuxième étage. Les portes de l'ascenseur donnaient dans un renfoncement, en face d'une porte majestueuse. Cain entendait déjà des conversations, des rires, le cliquètement des verres.

Il frappa et on lui ouvrit aussitôt. Le valet qui, à l'intérieur, s'occupait du vestiaire étudia avec mépris son costume froissé et il allait émettre un commentaire quand Cain, de nouveau, brandit son insigne.

— Ne faites pas attention à moi, dit-il. J'en ai seulement pour une minute.

Cain attira quelques regards dont il ne tint pas compte, tant il était frappé par l'opulence des lieux et les immenses fenêtres au fond, qui offraient une vue spectaculaire sur la ville. Un couloir à gauche donnait sur une salle à manger et un salon en enfilade ; un autre, à droite, permettait d'accéder à la bibliothèque. Pas loin d'une centaine de personnes étaient présentes dans les différentes pièces. Les femmes rivalisaient d'élégance dans leurs robes de soirée blanches ou noires, et les messieurs portaient tous un smoking – sauf Cain, évidemment. Il avait pensé auparavant que son costume de tous les jours lui conférerait une sorte d'autorité, ou peut-être qu'il apparaîtrait comme un révolutionnaire parmi les privilégiés. Il se sentit au contraire diminué dans ses frusques de mauvais goût. Il avait exulté en traitant le portier de haut, mais c'était terminé. Il regretta de n'être pas venu avec Beryl, qui n'aurait pas été intimidée par ce fastueux décor. À tout le moins, elle l'aurait motivé pour mener à bien sa mission.

Ces quelques idées en tête, il remonta sa cravate, respira un bon coup et chercha Euston du regard, en espérant le trouver avant qu'on lui ordonne de déguerpir. Harris était bien là, dans la salle à manger.

Cain s'avança vers la longue table, qui débordait de mets appétissants. Un domestique découpait des tranches d'une pièce de bœuf rôtie. Il y avait du caviar noir et des corbeilles de fruits. Certainement, peu d'enfants britanniques mangeaient aussi bien, ce soir, que l'estimée lady Ashfield, laquelle se distinguait des femmes, au fond de la pièce, par son port de tête royal et son accent impeccable.

Euston masqua vite son étonnement lorsqu'il reconnut Cain qui approchait. Il se leva et parla le premier, sans lui laisser le temps d'ouvrir la bouche.

— Vous avez dû vous égarer, Woodrow. Je crains de ne pas avoir d'invitation à vous fournir.

— J'ai celle-ci, qui devrait suffire.

Une fois de plus, Cain exhiba son insigne.

Euston se dressa face à lui.

— Ah, le passe-partout des miséreux. Si c'est le travail qui vous amène, j'aimerais mieux que nous sortions, dit-il avec dédain, comme s'ils allaient en découdre dans un couloir de lycée.

C'était peut-être le cas.

Cain résista à l'impulsion de bomber le torse et de se jeter sur lui. Euston lui planta ses ongles dans le bras et tenta de l'entraîner vers la porte, mais Cain ne bougea pas.

— Je suis très bien à l'intérieur. D'ailleurs, je boirais volontiers un verre et vous allez m'en procurer un. À moins que cette chère lady Ashfield soit intéressée par le récit de vos aventures à Yorkville avec vos bons amis ?

Euston lâcha le bras de Cain et, réprimant sa fureur, se dirigea vers le bar où un costaud noir en veste blanche officiait devant un vaste assortiment de boissons. Il se retourna vers Cain et l'interrogea du regard.

— Bourbon, articula silencieusement le policier.

La maîtresse de maison – comme le Union League Club – s'approvisionnait chez les meilleurs fournisseurs. C'était non seulement le meilleur bourbon du Kentucky, mais il était de plus servi dans un verre en cristal ciselé. Cain savoura une gorgée qui lui brûla la gorge et lui donna du cœur au ventre. Euston avait laissé le sien sur la grande table.

— Et vous ? Vous êtes content de votre invitation ?

— Mme Stewart est une cliente de longue date. Elle est cousine au deuxième degré d'une Vanderbilt.

— Quelle importance ?

De nouveau, Euston saisit Cain par le bras, plus doucement cette fois.

— Éloignons-nous, je vous prie. J'aimerais conserver un minimum de dignité.

Quelques invités avaient les yeux rivés sur eux et Cain céda. Ils se réfugièrent dans le renfoncement de l'ascenseur, où Euston ferma la grande porte derrière eux.

— Parlez-moi plutôt de votre client de Yorkville, dit Cain, celui qui nage dans les mêmes eaux que Lorenz.

Vous vous souvenez de Lutz Lorenz, maintenant ? Vous ne paraissiez pas le connaître, l'autre jour.

— Nous avons des clients partout en ville, Woodrow. Je ne vois pas du tout de qui il s'agit.

— Un homme qui fréquente les brasseries avec ses amis bundistes. Vous ne voyez toujours pas ?

— Vous écumez de rage, Woodrow. En effet, je représente des Germano-Américains. Des Italo-Américains également. Saviez-vous que vos confrères ont arrêté le père de Joe DiMaggio, l'autre jour ? Mon Dieu ! Qui peut vraiment croire que cet homme soit une menace pour notre pays ? Avez-vous l'intention de me passer le goudron et les plumes, de traîner Willett & Reed dans la boue, pour la seule raison que nous défendons des citoyens d'origine allemande ?

— Alors essayons autre chose. Et Herman Keller ? Inconnu au bataillon, lui aussi ?

Euston frémit. Il sembla regretter de ne pas avoir emporté son verre et baissa la tête en marmonnant.

— M. Keller n'est plus chez nous.

— L'était-il encore quand vous avez fait annuler son inculpation pour jeux d'argent par les gars de la 95, le mois dernier ? Au fait, ça vous coûte combien, ce genre de service ? Keller était en rapport avec Werner Hansch, qu'on a repêché dans le Hudson. Vous étiez au courant, je suppose ? Voilà pourquoi vous m'avez demandé où en était l'affaire, quand nous avons déjeuné à votre club. Lorenz aussi avait partie liée avec eux – Lorenz qu'on maintient à l'abri quelque part. La mémoire vous revient-elle ?

Remis de sa surprise, Euston retrouvait une contenance. Il se redressa et haussa le ton.

— Vous n'ignorez pas, Woodrow, que tout ce que m'a confié M. Keller dans le cadre de mon travail est couvert par le secret professionnel. Ce qui signifie que les gens de votre sorte, en particulier, n'ont aucun droit de regard là-dessus. Inutile de perdre votre temps.

— Et vous-même, qui couvrez-vous grâce à cette saloperie ? Les banques comptent toujours parmi vos clients, je suppose ? La Chase, par exemple ? La Chase qui se servait de Keller comme d'un faux nez pour vendre ses reichsmarks contre des dollars. Hitler avait besoin de devises étrangères et elle s'est fait un plaisir de lui en fournir, n'est-ce pas ? En se mettant, au passage, de belles commissions dans la poche.

Euston rougissait jusqu'aux oreilles.

— Très bien, puisque ces arguments ne vous convainquent pas, j'ai quelques considérations person-nelles à vous soumettre. En levant à peine le petit doigt, je suis capable de vous briser. Ici comme à Horton, où tout le monde se détournera de vous. J'irai jusqu'à vous faire retirer la garde de votre merveilleuse fille.

— Et qui s'occuperait d'elle, vous ?

— Qui vous dit que je n'ai pas déjà pris les mesures utiles ? Même si, par miracle, vous parveniez à rester à New York, comment espérez-vous la garder ?

Cain plaqua son beau-père contre le mur.

— Vous savez comment on brise un homme en ce moment, Euston ? En faisant publier par les journaux qu'il amasse une fortune en pactisant avec l'ennemi ! Vous et vos clients, vous êtes mouillés jusqu'au cou dans une affaire de sabotage au profit des Allemands. Vous voulez me briser ? Essayez ! Puisque vous aimez le *Daily News*, vous allez bientôt faire la une. Un de ces gros titres en gras : « L'avocat de Hitler au milieu de Park Avenue ». Ils en vendraient, des exemplaires ! Même dans cet immeuble, pas vrai ?

Euston paraissait sur le point de lui flanquer un coup de poing quand la grande porte s'ouvrit sur un homme d'âge moyen qui les rejoignit.

— Tout va bien, Harris ? J'ai entendu des cris.

Son insigne à la main, Cain s'avança vers l'homme.

— Fichez-moi le camp ! Vous reviendrez quand j'aurai fini. Ce type nous fait insulte, à vous, à moi, et à tout le monde à l'intérieur !

L'intrus devint aussi blanc que sa chemise amidonnée. Il battit en retraite et referma la porte derrière lui.

— Vous me paierez ça aussi, Woodrow.

— Parfait. J'enverrai la facture à lady Ashfield. Allez-y, traînez-moi dans la boue, on verra lequel de nous deux en sera le plus affecté. Mais laissez-moi vous dire une chose qui pourrait vous intéresser. La honte ne vous étouffe pas, tant pis, je me ferai une raison. La peur sera probablement plus efficace...

— Des menaces ?

— Non. Pas mon genre. Mais il y a cet individu qui, sans rien demander à personne, entreprend d'effacer toute trace des projets foireux de votre cher client et de ses amis. Albert Anastasia, vous connaissez ? Le Mad Hatter. Il dézingue ceux qui ne lui plaisent pas et, s'il devait apprendre que vous avez trempé dans l'affaire, vous ne serez bientôt plus là pour prendre le thé avec lady Ashfield.

Euston ouvrit la bouche. Aucun son n'en sortit. Il recula d'un pas, comme essoufflé par un coup de poing dans le ventre.

— Enfin, soyez raisonnable, Woodrow, murmura-t-il d'une voix rauque.

De nouveau, il saisit Cain par le bras, cette fois-ci pour le supplier.

— Quoi que vous pensiez de moi, je reste votre beau-père. Pour une large part, je pourvois à vos besoins, à ceux d'Olivia, et Clovis n'a plus que moi. Vous la détestez peut-être, mais elle est toujours la mère de votre enfant.

— Alors vous allez m'aider. Vous ne voulez pas que je salisse votre nom ? D'accord. Il faut que la Chase reste un établissement respectable ? Très bien. Dans ce cas, dites-moi où est Keller. Où se cache-t-il ?

Euston lâcha un profond soupir.

— De l'autre côté du fleuve. Dans le New Jersey.

Cain se munit de son bloc sténo, qu'il cala contre son verre.

— Où ça dans le New Jersey ?

— À Edison.

— L'adresse !

Euston hocha la tête.

— Donnez-moi ça. Et votre stylo avec.

Cain lui tendit les deux et Euston écrivit.

— S'il a un téléphone, inscrivez-le aussi.

— Pas de téléphone. L'appartement est pratiquement vide, réduit à l'essentiel. Il n'y a même pas de portier.

— Avec tous ses dollars et ses reichsmarks, la Chase pourrait au moins lui payer un garde du corps.

Euston allait faire un commentaire, mais se ravisa. Il rendit à Cain son bloc et son stylo, puis il croisa les bras et soupira encore.

— Le cabinet n'a strictement rien à se reprocher en ce qui le concerne. Nous avons travaillé avec lui en toute légalité et satisfait aux plus hautes exigences professionnelles.

— À un tarif horaire avantageux, je n'en doute pas. La prochaine fois que vous le verrez, conseillez-lui de collaborer avec les autorités quand elles rappliqueront chez lui.

— Ce n'est plus notre client, je vous l'ai déjà dit.

— Bien sûr. Votre locataire, seulement.

Cain confia à Euston son verre en cristal, encore à moitié plein.

— Tenez. Vous en avez plus besoin que moi.

Il se retourna et pressa sur le bouton de l'ascenseur. Quand la porte de l'appartement s'ouvrit derrière lui, il entendit des rires et des bribes de conversation. Une voix de femme, à l'accent britannique prononcé, s'éleva par-dessus les autres. Dans son discours, lady Ashfield parlait de « mains tendues au-dessus de l'eau ». Le nom d'Adolf Hitler résonna au moment où la porte se refermait.

Cain se demanda comment Euston justifierait son absence momentanée auprès de ses amis. Il était plus curieux encore de savoir ce que Keller dirait pour sa défense. En montant dans l'ascenseur, il se réjouit d'avoir renversé les rôles. Il avait dominé son beau-père. Mais il avait aussi jeté un sacré pavé dans la mare et, en passant devant le portier au bas de l'immeuble, il craignit d'avoir commis une grave erreur.

34

Herman Keller était introuvable. À ce que prétendait, du moins, la police d'Edison, qui, à contrecœur,
s'était rendue à l'adresse que Cain lui avait indiquée.
Plus simplement, personne n'avait répondu quand les
agents avaient frappé à sa porte.

Peut-être se terrait-il à l'intérieur. Peut-être Euston
avait-il donné une adresse bidon, ou prévenu Keller qui,
dans ce cas, aurait réellement disparu. Cain suggéra à
son collègue du New Jersey qu'il vaudrait sans doute
la peine de revenir et d'essayer d'entrer de force, mais
faute d'un mandat de perquisition, d'une justification
solide, sa demande avait peu de chances d'aboutir. Il
n'avait pas non plus le temps de traverser le fleuve
pour vérifier lui-même. Mulhearn y avait veillé personnellement en lui confiant un nouveau tas de paperasses
à remplir.

Vers onze heures du matin, Cain les mit de côté
lorsqu'un employé de l'identité judiciaire lui apporta
un carton plein de fiches, concernant Albert Anastasia. Il y en avait une tripotée : PV d'arrestation, actes
d'accusation, dépositions de témoins et une quantité
d'articles de journaux aussi effrayants les uns que les
autres. Une photo des services de police, vieille de

deux ans, était agrafée à la première page du casier judiciaire. Anastasia vous défiait du regard avec ses yeux d'un noir profond. Il avait une petite bouche tordue, un menton avancé, des joues rondes, et un nez qui donnait l'impression d'avoir été cassé plusieurs fois. Le front haut et des cheveux noirs, ondulés et peignés en arrière, qui formaient une crête sur le côté gauche du crâne. Son signalement apprit à Cain qu'il avait trente-neuf ans, et donc sans doute encore pas mal de punch.

— Qu'est-ce que c'est ? demanda Simmons, un sandwich à la main.

— Rien de spécial, répondit Cain en refermant le carton.

Mulhearn faisait la tournée des bureaux dans la salle et il ne tarderait pas à se rapprocher de celui de Cain, qui ne tenait pas à ce que tout le monde vienne fourrer son nez dans ces papiers-là. « Un mot de trop, un vaisseau en moins », affirmait la propagande militaire, et celui de Cain prenait suffisamment l'eau comme ça. Son carton sous le bras, il descendit l'escalier et trouva une salle d'interrogatoire déserte, dans laquelle il se mit à lire.

Anastasia était arrivé à New York à l'âge de treize ans, dans un cargo, avec trois de ses frères. Il avait décroché un emploi de docker sur les quais de Brooklyn et, au bout de deux ans, il avait tué un homme, un meurtre pour lequel il avait été jugé et condamné à mort. L'histoire aurait dû s'arrêter là. Sauf que son procès avait été révisé pour vice de forme et que, lors des nouvelles audiences, les quatre témoins avaient disparu. Anastasia devait chaque fois s'en tirer de la même façon, ce jusqu'en novembre dernier.

En 1928, il était accusé d'un autre meurtre, mais les poursuites avaient cessé : les témoins s'étaient évanouis dans la nature ou avaient refusé de parler. En 1931, on l'avait soupçonné d'avoir joué un rôle dans l'assassinat de Joe « The Boss » Masseria, qui avait permis l'ascension de Charles « Lucky » Luciano, le mafioso dont l'avocat négociait à présent avec Murray Gurfein. Personne n'avait été inculpé. Un an plus tard, il était suspecté d'avoir tué un autre homme avec un pic à glace. Pas de témoins ; abandon des poursuites. L'année suivante encore, nouvelle inculpation, retirée pour les mêmes raisons.

Vers le milieu des années 1930, les flics et les truands avaient trouvé un surnom pour Anastasia et sa bande : Murder Incorporated. Ils officiaient comme une annexe industrielle de la pègre, un service spécialisé qui ne reculait devant aucune sorte d'homicide. Cain reconnut l'adresse qu'on leur attribuait : un magasin de bonbons dans Saratoga Avenue à Brooklyn. L'endroit où Muntz avait vu Hansch embarqué de force dans une Packard noire. Il nota également plusieurs références à un membre associé, Clarence Cohen, dont l'inculpation pour jeux d'argent avait été effacée par les gars de la 95. Maussade, Cain passa à la page suivante.

Les crimes les plus notoires étaient cependant récents. En 1939, Anastasia avait organisé l'assassinat d'un de ses rivaux au sein du Syndicat des dockers, ainsi que d'un militant qui commençait à prendre de l'importance. Les deux affaires avaient fait la une des journaux. Mais son coup le plus retentissant datait de deux ou trois mois seulement. Quelques semaines avant Pearl Harbor, Anastasia s'était aperçu qu'Abe Reles, un des tueurs de Murder Incorporated, collaborait avec la justice dans le but de le coincer, lui et quelques autres. Les autorités, évidemment soucieuses d'assurer la sécurité de Reles, l'avaient planqué au cinquième étage d'un hôtel de Coney Island, où sa porte était gardée par des hommes armés. Pourtant, on l'avait retrouvé mort sur le toit d'un immeuble moins élevé, sous la fenêtre de sa chambre. Aux dernières informations, Anastasia aurait offert cent mille dollars pour sa tête. La presse avait surnommé Reles « le canari[1] qui chantait mais ne savait pas voler ».

Cain additionna les cadavres. Huit au total. Mais il y avait des dizaines d'autres meurtres dans lesquels Murder Inc. était impliquée, sans compter les trois Allemands disparus, et le quatrième en sursis dans une pension du Bowery. Cain poussa un soupir et rangea tout dans le carton.

Il pensa cependant à une chose qu'Anastasia n'avait pas faite. Jamais il n'avait tué de flic. Un détail, peut-être, à moins de travailler soi-même dans la police. L'idée le réconforta vaguement, puisqu'il était déterminé à ne pas lâcher l'affaire. C'était surtout Danziger qui avait besoin de protection. Leurs quelques témoins également, bien sûr – Muntz, Lorenz et Herman Keller.

Cela étant, il n'arrivait toujours pas à comprendre pourquoi Anastasia se serait associé à une entreprise de sabotage contre le *Normandie*. Oui, il était né en Italie. Mais, comme Danziger l'avait remarqué, les mafiosi détestaient Mussolini.

Cain remballa correctement le carton pour le retourner à l'identité judiciaire. Il était à peine revenu à son bureau que Mulhearn déposa sur celui-ci un nouveau

---

1. En argot du milieu, « un canari qui chante » est un truand qui dénonce ses acolytes.

dossier pour une nouvelle enquête. Au bureau voisin, Zharkov afficha un sourire ironique.

— Regardez le bon côté des choses, conseilla-t-il. C'est la pause déjeuner, vous allez vous détendre un peu.

— Je veux bien qu'elle dure toute la semaine, répondit Cain.

— On a un bistrot russe dans le coin. Je vous invite, si ça vous dit. La bouffe est excellente et ils distillent eux-mêmes leur vodka. Un verre ou deux vous remettraient d'aplomb.

Cain était tenté.

— J'ai besoin de faire un tour dans les beaux quartiers. Même dans le New Jersey si on voulait bien m'allouer une voiture, cet après-midi.

— Je peux vous arranger ça. Je dispose justement d'un véhicule radio jusqu'à la fin de la journée. Peut-être après le déjeuner ?

— Présenté ainsi… Il est vrai qu'arroser un bortsch avec un peu de vodka ne me ferait pas de mal. Comment avez-vous réussi à vous procurer une voiture ?

— Disons que Mulhearn me remercie pour un service rendu. Et il ne bronchera pas s'il vous voit passer la porte avec moi. On mange et je vous conduis de l'autre côté du fleuve.

— Alors, après vous.

La voiture de patrouille, une Plymouth récente, noire avec un toit blanc, était garée devant le commissariat.

— Chouette bagnole.

— Le capitaine ne lésine pas quand il veut votre silence.

— Vous lui avez rendu un fameux service, alors ?

— Si je vous réponds, ce ne sera plus un secret.

Cain rit en se demandant tout de même ce que Zharkov était prêt à cacher en échange de quelques cadeaux. Son collègue prit la direction du nord. Près de Times Square, ils furent bloqués dans les embouteillages, et Zharkov se paya le luxe d'enclencher la sirène pour libérer la voie. Avant le prochain carrefour, il bifurqua dans une ruelle, derrière de gros immeubles de Broadway.

— Mais où est-il, votre bistrot russe ?

— Droit devant.

Le Russe freina brusquement et se rangea devant une entrée de service, autour de laquelle plusieurs chariots, pleins de draps et de serviettes, étaient stationnés. Quatre hommes, vêtus de costumes ordinaires et de chapeaux mous, bondirent dans l'allée et se placèrent aux quatre coins de la voiture. Zharkov maintint ses mains sur le volant et son pied sur le frein pendant que l'un d'eux ouvrait la portière de Cain.

— Mais enfin, Yuri ?

Cain tenta de dégainer son arme de service, mais Zharkov, plus rapide, s'en empara.

— C'est pour votre bien.

Des mains commencèrent à tirer Cain au-dehors.

— Et vous les laissez faire ?

Zharkov ne le regardait plus. Il attendit simplement que la portière se referme, puis il redémarra.

Deux hommes tenaient Cain par les bras. Les deux autres s'étaient placés, l'un devant, l'autre derrière lui. Il essaya de se dégager, mais leur poigne était ferme. Ils ne le frappèrent pas, ne le menacèrent pas. Ils ne ressemblaient pas spécialement à des truands. Bien rasés, ils portaient de simples costumes de confection, du type qu'on peut se payer sur un salaire de fonctionnaire.

— Ce qu'on appelle un enlèvement ? jeta Cain.

— Du calme, mon gars. Tu es plus à l'abri qu'à Fort Knox, ici.

Ils lui firent traverser l'entrée de service, puis un couloir et une vaste cuisine, dans laquelle des hommes en blouse blanche étaient en train de laver de la vaisselle. Ils débouchèrent, à l'autre bout, dans un second couloir où un monte-charge était prêt à les emporter. Quand ses portes se rouvrirent, un étage plus haut, à la mezzanine, Cain comprit qu'il se trouvait à l'hôtel Astor. Plus précisément, qu'on le conduisait dans les locaux de l'Association des hauts responsables du Grand New York, où le capitaine Haffenden, du renseignement naval, dirigeait des opérations secrètes avec ses copains de la pègre. Peut-être Cain était-il condamné, mais au moins il eut le sentiment de bientôt apprendre quelque chose.

Ils entrèrent dans un premier bureau, où une femme d'une quarantaine d'années, bien vêtue, travaillait à une table. Elle alla frapper à la porte de la pièce adjacente et passa la tête à l'intérieur.

— Il est là, monsieur. Ils sont arrivés.

— Merci, Elizabeth, répondit un homme. Amenez-le-nous. Et bloquez tous les appels, s'il vous plaît.

— Bien, monsieur.

Elle se retourna et fit signe aux deux gars qui tenaient toujours Cain par les bras. À ce stade des choses, il serait entré de son plein gré, simplement mû par la curiosité. Six hommes étaient réunis autour d'une longue table, dans une pièce étroite. Au fond, l'un d'eux se leva, probablement Haffenden, qui portait l'uniforme officiel de la marine, avec une étoile et trois galons à chaque manche. Murray Gurfein et son chef, le procureur Frank Hogan, étaient assis à droite, face à deux autres types que Cain ne reconnut pas, et un troisième qui devait être Socks Lanza.

— Inspecteur Cain, je suis le second capitaine de district Haffenden, du renseignement naval, ce que vous savez sans doute déjà. C'est d'ailleurs une des raisons pour lesquelles nous avons besoin de nous entretenir.

Cain prit place à l'extrémité opposée de la table. Ses sherpas quittèrent la pièce.

— Je suppose que vous vous souvenez de M. Hogan et de M. Gurfein ?

— Oui, capitaine.

Cain avait l'impression de comparaître devant un tribunal militaire. Haffenden allait présenter les preuves retenues contre lui. Il essuya discrètement ses mains moites sur son pantalon.

— Le premier de ces messieurs à ma droite est Joseph Lanza. Il semble que vous lui ayez rendu visite sous un pseudonyme farfelu.

Lanza confirma en fronçant les sourcils.

— À la droite de M. Lanza se trouve Moses Polakoff, qui représente ici son client, Charles Luciano.

Cain ne put résister :

— Qui sera bientôt transféré à la prison de Great Meadows, n'est-ce pas ?

S'ils étaient décidés à le museler, autant qu'il place quelques coups avant de la fermer. Haffenden marqua un temps, comme pour contenir sa colère.

— En effet. Mais il s'agit d'une information confidentielle, inspecteur, et il vaudrait mieux pour les parties concernées qu'elle le reste. Je profite de l'occasion pour insister sur le fait que ce que vous entendrez ici est également confidentiel. Top secret. Nous vous demanderons de signer un accord de confidentialité avant de partir. Ou plutôt, si nous le faisions tout de suite, qu'en pensez-vous, Frank ?

Hogan acquiesça et Gurfein fit glisser sur la table une grande feuille de papier à en-tête du FBI. Le nom entier de Cain était inscrit au bas, sous l'espace réservé à sa signature.

— Dois-je prendre la peine de le lire ?

— Si vous avez du temps à perdre, répondit Hogan. C'est la déclaration standard.

Cain hocha la tête. À sa gauche – le côté des gangsters, soupçonnait-il –, l'homme le plus proche de lui, tiré à quatre épingles, lui tendit un élégant stylo à plume qui devait coûter une fortune. Il avait de grandes oreilles, des sourcils noirs, de petits yeux perçants qui vous jaugeaient en un instant.

— Merci, dit Cain. Je ne pense pas que nous ayons été présentés.

— Une lacune que Red ne manquera pas de combler. Mais d'abord, finissons-en avec ça.

Cain saisit le stylo, encore chaud d'avoir séjourné dans la poche intérieure du gangster, et signa. On n'entendit soudain que le grattement de la plume sur le papier. Cain allait rendre l'objet à son propriétaire, puis, à la réflexion, le rangea dans sa propre poche. L'homme afficha un sourire énigmatique. Gurfein récupéra la feuille, la tendit à Hogan qui la rangea dans une mallette.

— Espérons que nous aurons autant de succès avec la suite, souffla Haffenden. Je vous présente donc Meyer Lansky, dont vous venez de voler le stylo-plume.

Quelques rires gênés, comme le sourire de Cain, ce qui parut satisfaire Lansky. Cain croisa son regard et ne cilla pas. Little Man, c'est ainsi que Danziger l'avait désigné. Si tout le monde avait été debout, Cain l'aurait sans doute reconnu plus vite.

— Bien, poursuivit Haffenden. Passons aux choses sérieuses.

Lansky approuva vaguement, ce qui ne présageait rien de bon.

Lanza considéra le policier avec hostilité. Hogan et Gurfein se plongèrent dans leurs notes et Polakoff consultait déjà sa montre.

— Inspecteur, nous vous avons invité pour...

— *Invité ?* répéta Cain.

Ce qui suscita d'autres rires embarrassés. Haffenden ne sembla pas amusé.

— Ne nous attardons pas sur la logistique. Peu importe comment vous êtes arrivé. Vous êtes là parce que vos interventions posent problème. Plus exactement, parce qu'elles compromettent une opération vitale pour les intérêts de notre pays, un programme de surveillance auquel coopèrent tous les hommes présents dans cette pièce, et bon nombre de leurs associés.

— De malfaiteurs associés, vous voulez dire.

— Appelez-les comme il vous plaira, je vous affirme cependant que, dans ces circonstances, ils agissent en toute légalité et avec le soutien inconditionnel des autorités locales et fédérales.

— Et que font-ils ?

— Enfin une question pertinente. Ils nous servent d'yeux et d'oreilles, monsieur, sur tous les quais de la ville. De Manhattan au New Jersey en passant par Brooklyn. Dans les chantiers navals, sur le port, sur le moindre bateau de pêche. En mer, ils guettent les sous-marins, vérifient que personne ne leur sert de relais ou d'appui. Ils sont à l'affût de toute éventuelle trahison, de tout acte de malveillance, de tout bavardage susceptible de renseigner l'ennemi sur nos expéditions maritimes. Peut-être pas très orthodoxe, mais je m'en accommode. Ces gens ont du poids dans les syndicats, ils sont puissants sur les docks et, jusqu'à la fin de cette guerre, je suis content et même honoré de les avoir à nos côtés. N'est-ce pas, messieurs ?

L'assemblée approuva, bien que Gurfein et Hogan n'eussent pas l'air très à l'aise. Tout jugement mis à part, Cain comprit l'intérêt de cette association. Les camionneurs, les pêcheurs, les détaillants et les grandes poissonneries savaient depuis longtemps que, pour pouvoir travailler sur les quais, il fallait collaborer avec la pègre. Il n'était peut-être pas illogique que l'État fasse preuve d'un même pragmatisme. À quel prix, cependant ? Les hommes d'affaires négociaient de l'argent. Mais l'État, qu'avait-il à offrir ? De petits arrangements avec la justice, éventuellement ? Sinon, pourquoi Hogan et Gurfein étaient-ils de la fête ?

— Qu'obtiennent-ils en échange ? demanda Cain. Et pourquoi ne pas avoir averti les flics ?

Haffenden sembla hésiter. Hogan prit la parole.

— Je peux répondre en partie. Ni M. Lanza ni M. Luciano n'ont eu droit à quelque aménagement que ce soit. Mes services continuent de poursuivre le premier et la peine du second n'a pas été commuée. M. Lansky, qui sert d'intermédiaire entre Charles Luciano et mon bureau, corroborera mes dires. Et puisque vous avez abordé le sujet, c'est par souci de commodité seulement que M. Luciano sera transféré à Great Meadows. Quand nous avons besoin de le voir – ou plutôt quand nous lui enverrons M. Lansky –, cela prendra deux fois moins de temps. Nous ne témoignons d'indulgence à l'égard de personne et cela n'est pas notre intention.

— Pour ce qui est de la police, enchaîna Haffenden, nous avons préféré laisser le commissaire divisionnaire Valentine en dehors de tout ça. Dans son propre intérêt. Le maire LaGuardia également. Par votre faute, toutefois, nous allons maintenant être obligés de leur dire *quelque chose*.

Cain hésitait entre se laisser sermonner sans broncher ou, puisqu'il n'en aurait plus l'occasion, essayer d'obtenir toutes les réponses possibles à ses interrogations, même si cela impliquait quelques questions risquées. Il opta pour la deuxième solution, ce qui produisit son petit effet.

— Vous prétendez écarter tout aménagement pour les justiciables. Cela concerne-t-il aussi les associés de ces hommes, ici présents, qui ont tué plusieurs ouvriers allemands ? Trois à ce jour, avec la complicité, je suppose, d'Albert Anastasia. Lequel, pour autant que je sache, s'efforce d'effacer toute trace d'un projet de sabotage du *Normandie*, qui semble d'ailleurs avoir été mené à bien.

Haffenden soupira d'un air exaspéré, comme s'il venait d'écouter les divagations d'un fou. Hogan réagit d'une manière plus intéressante : il jeta un coup d'œil étonné à Gurfein, qui fronça les sourcils et leva les deux mains, suggérant ainsi qu'il n'était pas au courant. Quant à Lansky, le visage fermé, il regardait la table.

Haffenden se tourna vers Hogan.

— Frank, veuillez, s'il vous plaît, exposer à M. Cain les conclusions de la commission d'enquête sur l'incendie du *Normandie*.

Solennel, Hogan sortit un épais dossier de sa serviette, dont il retira une feuille.

— De toute évidence, il s'agit d'un accident. Ce n'est pas seulement mon avis, mais également celui d'un comité d'experts aux multiples compétences, qui ont été réunis pour étudier l'affaire. Croyez-moi, ces gens n'auraient pas demandé mieux que d'apporter les preuves d'une mission secrète et d'en attribuer l'origine à une puissance étrangère. Or ils n'ont rien trouvé de ce genre. Si vous n'êtes pas convaincu, je veux bien mettre le dossier intégral à votre disposition – avec tous les témoignages et les rapports des experts. Je peux même vous arranger un rendez-vous avec cette espèce de soudeur stupide qui, par sa négligence, a mis le feu au bateau. Il n'est pas près de décrocher un autre job et il aura tout le temps.

— Cela ne sera pas nécessaire, déclina Cain. Mais, si vous dites vrai, pourquoi trois Allemands ont-ils été assassinés ? Quel rôle joue Anastasia dans l'histoire ?

Mal à l'aise, Hogan baissa les yeux. Sans doute avait-il la même expression, dans un tribunal, lorsqu'un avocat de la défense l'attaquait sur un point qu'il n'avait pas prévu. Il pointa son index vers Cain et haussa le ton.

— M. Anastasia n'est pas notre partenaire. S'il a pris quelque initiative, dans quelque domaine que ce soit, cela n'est certainement pas sous nos auspices !

Le propos était ferme, mais la formulation n'écartait pas certaines complicités dans la pièce. Haffenden se renfrogna comme si la chose confinait au grotesque. Ou peut-être était-il mécontent, car Cain venait d'introduire la discorde dans une atmosphère qu'il voulait collégiale. Lansky gardait les yeux baissés et son air maussade. Cain s'adressa à lui.

— Monsieur Lansky, est-ce aussi votre version des choses ?

L'intéressé releva brusquement la tête et dévisagea Cain avec un regard si perçant que le policier regretta presque sa question.

— Je soutiens les affirmations de M. Hogan. Et ne doutez pas une seconde que je suis, moi aussi, un patriote, comme chaque homme autour de cette table.

— Bien parlé, Meyer, approuva Haffenden, un rien trop conciliant au goût de Cain.

Enhardi, Lansky continua sur sa lancée :

— Maintenant, pour ce qui est de savoir qui cherche des noises à ces pauvres Boches qui brodent des croix gammées sur leurs caleçons, eh bien… On ne peut pas dire que ces gens s'entendent entre eux, n'est-ce pas ?

— Inspecteur Cain, reprit Haffenden, si nous n'avons pas assouvi votre curiosité, veuillez nous le signaler maintenant. Nous ne voudrions pas que vous nous quittiez en pensant que vous allez poursuivre votre travail comme si de rien n'était.

— Vous avez répondu à certaines questions, oui. Mais pas à toutes…

— Dans ce cas, il est temps de vous présenter quelqu'un.

Haffenden se tourna vers Gurfein.

— Murray, faites-le entrer.

Gurfein revint quelques secondes plus tard, accompagné d'un gros bonhomme en costume gris, qui se plaça derrière le fauteuil de Hogan. Encore un fonctionnaire de la justice, augura Cain.

— Merci, Murray. Voici Lawrence Allbright, le procureur général de la Caroline du Nord. Il a pris le train de nuit depuis Raleigh pour se joindre à nous, aux frais du contribuable et à notre demande expresse. M. Allbright est en train de décider s'il faut réexaminer les circonstances du décès d'un de vos anciens collègues, l'agent de police Robert Vance, à la lumière de plusieurs irrégularités qui ont été découvertes, ces dernières semaines.

— Des irrégularités ? répéta Cain, en s'étranglant sur le mot.

Allbright débita un texte manifestement préparé à l'avance, en feignant de croire ce qu'il racontait.

— Oui, monsieur, des irrégularités. Compte tenu d'informations nouvelles, fournies par un membre de la famille Vance.

— Son frère James, vous voulez dire ? Il ferait n'importe quoi pour me nuire. Je comprends son chagrin, évidemment, et je le partage. Vous aurez quand même remarqué qu'il n'a plus toute sa tête ?

Allbright s'éclaircit la voix.

— C'est bien possible. Mais nous nous réservons le droit de rouvrir l'enquête et de soumettre l'affaire à un jury fédéral.

— Je vois.

— N'est-ce pas ? renchérit Haffenden. Vous souhaitez certainement enterrer cette histoire, tout comme, de notre côté, nous souhaitons que vous mettiez fin à vos investigations. Nous sommes-nous compris, monsieur Cain ?

Ils le tenaient et il le savait.

— Je pense que oui.

— Parfait. Tant que nous y sommes, comme vous n'êtes pas le seul à causer des problèmes, il vous serait peut-être utile d'en apprendre un peu plus sur votre alter ego, M. Danziger. Nous disposons justement d'une mine de renseignements à son sujet, sur lesquels nous avons mis la main grâce à vos propres démarches. Nous devrions sans doute vous remercier. Frank, voulez-vous lui donner les documents en question ?

Hogan sortit d'un gros cartable un épais classeur à la couverture fatiguée. Il le glissa sur la table vers Cain, dont le cœur se serra lorsqu'il lut le nom marqué sur la tranche : Dalitz, Alexander. C'était le dossier qu'il avait demandé aux Archives municipales. La mention « CLASSÉ » était tamponnée en rouge sur la couverture, suivie de l'inscription manuscrite, en lettres noires : *Décédé le 4.12.1928. Affaire classée.*

Tout était donc là. Les antécédents de Danziger, classifiés, inventoriés sous sa véritable identité. À cause des indiscrétions de Cain, ces hommes n'ignoraient rien de la disparition, puis de la résurrection de son compagnon. Il leur avait servi ça sur un plateau, sans qu'ils aient besoin de remuer le petit doigt, et ils prenaient un malin plaisir à le lui faire remarquer.

— Nous en conservons des copies, commenta Haffenden. Vous pouvez donc garder ce dossier autant qu'il vous plaira. En prime, nous avons ajouté un excellent petit article, rédigé il y a longtemps par un fameux chroniqueur de ce pays. Vous le trouverez par-dessus le reste.

Cain entrouvrit le classeur et aperçut quelques pages d'un magazine de 1920, ainsi que la signature de Damon Runyon. Alors c'était vrai. Danziger avait joui d'une célébrité passagère, quoique jouir ne fût peut-être pas le mot adéquat. Une célébrité qui risquait à nouveau de lui attirer des ennuis, ceux-là mêmes qu'il avait voulu éviter. Cain en avait l'estomac retourné.

— Vous êtes libre de partir, conclut Haffenden.

Cain se leva sans rien dire. Il flageolait un peu et devait avoir un air désolé car, même s'ils savouraient leur victoire, aucun de ces hommes n'osa le regarder dans les yeux. À l'exception de Lansky, son sourire énigmatique aux lèvres, qui lui fit signe d'approcher. Cain avança d'un pas. En aparté, le truand chuchota :

— Transmettez mon bon souvenir à Sacha. Dites-lui que trop de temps a passé.

Ses paroles effleurèrent Cain telles les ailes d'une mite et il réprima un frisson. Lansky sourit de nouveau. Cain sortit et traversa le bureau de la secrétaire comme un somnambule. Ses sherpas avaient disparu. Il longea le couloir jusqu'à l'ascenseur, dont les portes, bizarrement, s'ouvrirent aussitôt.

— Quel étage, monsieur ? demanda gaiement le liftier.

— Rez-de-chaussée, répondit Cain en entrant dans la cabine. Je ne tomberai pas plus bas.

35

Penaud, Zharkov attendait dans le hall, son chapeau à la main.

— J'ai pensé que vous auriez besoin d'un conducteur pour le retour.

Cain pensa à lui passer devant sans un mot, mais son collègue semblait si empressé de se faire pardonner qu'il hocha la tête et répondit :

— Sans détour par le New Jersey, je suppose ?

La voiture de police était garée en double file dans Broadway, un sans-gêne qui suscita quelques grognements quand les deux hommes montèrent à bord. Zharkov démarra et Cain, sans rien dire, ouvrit le classeur posé sur ses genoux. Il parcourut en vitesse l'article de Runyon, puis feuilleta quelques pages à la suite, qui réunissaient des PV d'arrestation et des dépositions de témoins.

— Qu'est-ce que c'est ? demanda son collègue.

— Le dossier de Sacha Dalitz.

— Alors ils savent ? fit Zharkov, troublé.

— Vous aussi, apparemment ?

Le Russe haussa les épaules d'un air mécontent. Cain commença à lire. Il fut d'abord étonné par les autres surnoms dont on avait affublé Danziger – Webster, le

Dictionnaire. Eh bien. Même les truands et les voyous avaient été impressionnés par sa façon de parler et sa maîtrise de nombreuses langues étrangères.

Lentement, silencieusement, Cain poursuivit sa lecture, tournant les pages tandis que Zharkov conduisait patiemment, la circulation étant bloquée autour de Broadway. Ni l'un ni l'autre n'était spécialement pressé.

Danziger – ou Dalitz – avait seize ans lors des premières infractions relevées. Quelques rares délits mineurs : craps de rue, loteries clandestines. À vingt ans, on n'avait apparemment plus rien à lui reprocher. Mais on avait inclus dans son dossier des pièces se rapportant à d'autres individus inculpés pour des crimes sérieux – racket, agressions, meurtres –, ainsi que des déclarations de témoins, qui faisaient de lui une sorte de personnage secondaire. Il avait parfois été lui-même interrogé. Une enquête prospective de la police newyorkaise le décrivait comme un jeune homme ambitieux qui avait adopté les manières et le mode de vie du milieu. Dalitz fréquentait assidûment un grand baron de l'époque, Arnold Rothstein, alias le Cerveau, et sa cour.

Mais c'était surtout le papier de Runyon qui, même si pas une fois il ne l'appelait par son nom, dressait de lui un portrait saisissant. Contrairement à ce qu'avait rapporté Fedya, l'oncle de Beryl, il ne s'agissait pas d'un article de journal, mais d'une nouvelle publiée dans le magazine *Collier's*. Elle dépeignait un type discret, approchant de la trentaine, surnommé le Dictionnaire par ses pairs. Runyon les avait croqués dans un restaurant de Broadway, ici dénommé Chez Mindy, qui était en réalité le vrai Chez Lindy. Rothstein était désigné par son pseudo le Cerveau.

Un soir, vers huit heures, je suis en train de dîner chez Mindy quand débarquent le Cerveau et ses gars.

C'est ce moment désolé où les détrousseurs et les turfistes, rentrés chez eux avec leurs grises mines et leurs paris perdus, s'enfoncent dans une nuit froide comme le cœur d'une blonde.

Justement, un des « gars » présents n'était autre que le Dictionnaire. Runyon, le poète des rues, qui, au dire de tous, fréquentait Jack Dempsey ou Al Capone – quoique celui-ci fût sous les barreaux – s'attardait un instant sur le « Dic », moins loquace que ses camarades, même s'il avait l'attention du Cerveau lorsqu'une question importante était à l'ordre du jour.

Car, même si les gars sont bavards ce soir, qu'ils rêvent parfois à voix haute, les affaires restent les affaires, et l'on pourrait se croire dans une arrière-salle d'un bar de Pelham Parkway[1]. Je n'ai besoin que d'être assis pour m'en apercevoir, sans faire une fois couiner le cuir de la banquette, ce qui me permet d'observer le seul qui, parmi eux, semble avoir quelque instruction. Peut-être même est-il bardé de diplômes. Il pèse le moindre de ses mots, ne se laisse pas impressionner ni allécher, à la différence des autres, quand le chef tend un billet de cent à Mindy.

L'auteur poursuivait dans la même veine pendant quelques paragraphes, décrivant le Dic comme une sorte d'oracle que le Cerveau consultait de temps en temps, au calme. La nouvelle rapportait en détail un épisode romanesque dans lequel deux larbins de la bande jouaient les premiers rôles. Dans le feu de l'action, il n'était plus question de Dalitz, comme s'il avait déjà quitté le restaurant, et, pour Cain, le passage le plus

---

1. Artère du Bronx, autrefois connue pour ses occupants mafieux.

déroutant de l'histoire relatait son départ hâtif de l'établissement.

Les gars sourient tous car il s'en va au bras d'une certaine Maria, une poupée aux cheveux noirs, belle des pieds à la tête, une de ces femmes fatales dont la seule présence annonce déjà des larmes. Vous pouvez parier à coup sûr qu'elles ne couleront pas sur ses joues, car on sait que les poupées ne pleurent pas.

Maria. Était-ce un autre pseudonyme utilisé par Runyon, ou son nom véritable ? Peut-être n'avait-elle été qu'une tocade, en tout cas son image s'imprima dans l'esprit de Cain.

Il feuilleta le dossier jusqu'au bout. L'ensemble était assez déconcertant, quoique dépourvu des révélations troublantes qu'il avait craintes. Mais à quoi s'était-il attendu ? À un profil de ce genre, certainement. Pour l'instant, Cain était surtout ennuyé d'avoir attiré l'attention de tout le monde, Lansky y compris, sur l'existence nouvelle de Sacha, devenu un vieil écrivain public, tout à fait inoffensif, répondant au nom de Danziger.

Mais, lorsqu'il atteignit la dernière page, la révélation était là, qui lui fit l'effet d'un coup de poing. C'était un procès-verbal d'assassinat, concernant un cadavre repêché dans l'East River par un matin froid de la fin novembre 1928. Le corps nu était gonflé à cause de son immersion prolongée, et le visage, gravement défiguré par de profondes entailles au couteau qui se prolongeaient sur la poitrine. Ce qui rendait son identification difficile. Le cadavre était resté à la morgue, sur une table d'autopsie, pendant six jours. Jusqu'à ce qu'un jeune flic du quartier, plein d'initiative, affirmât le reconnaître, à la grande satisfaction du médecin légiste et de l'inspecteur chargé de l'enquête.

Selon le policier, il s'agissait d'Alexander « Sacha » Dalitz, âgé de trente-huit ans. Il confirma ses propos par une déclaration écrite, sous serment, qu'il orna de sa plus belle signature : Yuri Zharkov, gardien de la paix du 14e secteur.

Incapable d'étouffer une exclamation de surprise, Cain referma brutalement le classeur et se tourna vers la fenêtre. La voiture était arrêtée à un feu rouge, au coin de Broadway et de 35th Street.

— C'était donc vous ? lâcha-t-il.

— Qui lui ai donné une deuxième vie ? Ouais.

— Mais qui était-ce ? Je veux dire, l'autre type.

Zharkov haussa les épaules.

— Allez savoir ? Un inconnu. Les gangs se tapaient méchamment dessus, à l'époque. Tout le monde se battait pour la succession de Rothstein, alors repêcher un cadavre méconnaissable, ça ne gênait personne…

— L'idée venait de Danziger, je suppose ?

— C'est une longue histoire. Il vous la raconterait mieux que moi.

— Je n'en doute pas.

Le ton sarcastique de Cain lui valut une œillade rapide de Zharkov.

— Qu'avez-vous obtenu en échange ?

— Un ami qui vaut la peine d'être gardé.

— Rien d'autre ?

— Ça aussi, il faut le demander à Sacha, ou Danziger, comme vous voudrez. À la condition, quand même, que ce soit vous qui le sauviez, cette fois. Si tous ces types sont au courant, alors il est foutu. Vous vous en rendez compte, j'espère ?

— Parfaitement. Au vu de ce que je viens d'apprendre à l'Astor, je suis foutu moi aussi. Surtout que personne ne semble pressé de mettre Anastasia hors d'état de nuire.

L'air sombre, les mains crispées sur le volant, Zharkov fronça les sourcils.

— Il est impliqué ?

— Depuis le début, apparemment. Sauf qu'il échappe au contrôle des autorités.

Zharkov siffla.

— Aïe. Pauvre Sacha.

— Pauvre Sacha, renchérit Cain sans conviction.

Il baissa les yeux sur le classeur qui réunissait les preuves d'une jeunesse pour le moins dissipée, jusqu'à l'âge avancé de trente-huit ans.

— Et si vous me rameniez chez moi ? Je ne suis pas sûr de pouvoir supporter tout un après-midi avec Mulhearn.

— OK. J'arrangerai ça avec lui.

— Merci. Vous savez bien arranger les choses…

Peut-être Zharkov fit-il une grimace, en tout cas il se tut. Cain entra dans le hall de son immeuble, légèrement étourdi, la raison pour laquelle, sans doute, il n'entendit pas les commentaires de Tom. Le portier de jour commentait la façon dont Cain avançait à grands pas dans le monde – c'est qu'il avait les moyens, à présent, vu les faveurs qu'il accordait à sa fille…

— Pas vrai, monsieur ?

Cain se retourna en atteignant l'escalier. Tom souriait jusqu'aux oreilles.

— Que disiez-vous ?

— Eh bien, vous ne vous refusez rien… Belle bagnole… Une limousine, ça s'appelle, non ? Ça ne passe pas inaperçu, dans le quartier. Vous vivez dans le luxe, maintenant.

— Une seconde ! De qui parlez-vous ?

— De votre petite Olivia, tiens ! Et de miss Eileen. Il y a moins d'une heure, elles sont montées dans une grosse Packard noire, comme si elles possédaient la moitié de New York...

Un frisson dans le dos.

— Répétez-moi ça. Olivia dans une Packard noire ? Pour aller où ?

— Au Plaza, prendre le thé avec des petits gâteaux, d'après ce que j'ai compris. Comment, vous n'étiez pas au courant ? Tout le monde vous a traité de m'as-tu-vu !

— Qui est venu les chercher ? Qui les a fait monter dans cette voiture ?

— Qui les a fait monter ?

Le sourire de Tom s'évanouit.

— Sont-elles montées de leur plein gré ou les a-t-on forcées ? Qui y avait-il dans cette bagnole, Tom ?

Cain éprouvait une peur contagieuse. Tom cligna des paupières en se creusant la cervelle pour se rappeler les détails d'une scène qui avait eu lieu moins d'une heure auparavant.

— Je ne sais pas, monsieur. Ça s'est passé si vite, si simplement. Si j'avais pensé qu'il y avait le moindre problème, je serais bien sûr intervenu. Croyez-vous que...

— Je ne crois rien, mais il faut les retrouver.

Cain repassa la porte et se mit à courir sur le trottoir en regardant autour de lui au cas où il apercevrait la voiture de police. Zharkov était déjà loin. Pris de panique, essoufflé, il constata son impuissance.

Une image lui avait envahi l'esprit : celle de la grosse Packard noire qu'avait vue Gerhard Muntz, en train de quitter Saratoga Avenue avec Werner Hansch et Albert Anastasia à bord.

36

DANZIGER

En avril 1917, peu avant mon vingt-sixième anniversaire, j'avais voulu être un soldat de l'armée américaine. Le monde était en guerre et je désirais m'impliquer. Bien que j'en fusse un de naissance, je tenais à « faire reculer les Boches[1] », comme le suggéraient les affiches de propagande. J'y avais vu l'occasion de démontrer que j'étais devenu un Américain à part entière. Mes parents ayant disparu depuis longtemps, il n'y aurait eu personne pour s'y opposer. Du moins le croyais-je.

Dans un esprit de courtoisie professionnelle, j'avais décidé de faire part de mes intentions au patron, l'homme qui avait jusqu'à ce jour exploité mes talents et qui, grâce à son génie et sa générosité, avait fait de moi quelqu'un de relativement aisé.

Je m'étais armé de courage en arrivant chez Lindy, en début de soirée, où il était assis à sa table habituelle. Comme toujours élégant, il portait un costume impeccable et un coquet nœud papillon sur une chemise amidonnée. Ce restaurant lui servait de bureau, et le

---

1. « *Beat back the Huns* » : repousser les Allemands.

boss était rasé de frais car il sentait l'after-shave. Plus inquiet que je ne souhaitais le laisser paraître, je me souviens d'avoir feint la nonchalance en m'appuyant au mur près du portemanteau. Je m'étais éclairci la voix pour annoncer :

— Je vais m'engager.

— T'engager ?

— Dans l'armée.

— Tu es *déjà* engagé, m'avait-il dit, désignant d'un grand geste du bras sa cour de larbins et de postulants.

Ils étaient rassemblés ici chaque soir. De fait, ce restaurant tenait lieu de siège social à sa petite entreprise.

— Je parle du conseil de révision.

— Je sais de quoi tu parles. Mais on a besoin de toi ici, Sacha, pour une autre guerre qui se prolongera au-delà de la leur en Europe.

Je l'avais étudié attentivement. Sa détermination se lisait dans ses yeux froids. Il me défiait pratiquement de regarder ailleurs. Comme, à l'évidence, je n'allais pas le faire, il s'était lentement levé et m'avait posé une main sur l'épaule. Dans d'autres circonstances, j'y aurais vu un geste protecteur, peut-être, mais il voulait me signifier qu'il ne me lâcherait pas. Pour la première fois depuis que je le connaissais, j'avais franchement peur de lui.

Je n'avais pu résister à la tentation de me soustraire à son autorité.

— Et si je m'engage quand même ?

— Eh bien, tu sais ce qui arrive aux déserteurs, non ? Dans toutes les armées, la leur comme la nôtre.

J'avais hoché la tête, pensant qu'il comprendrait : je ne me rebellais plus, toute autre explication serait superflue. Apparemment, il n'était pas convaincu, car il avait mimé un pistolet avec sa main droite, l'index pointé et le pouce dressé pour figurer le chien de l'arme, qu'il avait baissé au bout d'un instant.

— Bang !

Alors il avait souri, comme s'il s'agissait d'une plaisanterie, bien que, évidemment, ce n'en fût pas une.

Je suis donc demeuré à New York, enrôlé dans cette autre guerre dont les journaux comptabilisaient plus rarement les victimes – une ou deux chaque fois. On pourrait dire que je travaillais dans le secteur du renseignement, de l'espionnage, lequel, par chance, vous évitait généralement les procédures d'instruction et les jurys d'accusation.

Ce dangereux accès de franchise m'avait averti qu'il serait impossible de quitter le milieu dans lequel j'évoluais sans recourir à des mesures exceptionnelles. J'avais alors commencé à envisager ce que cela impliquait, bien que je n'en eusse une idée assez claire que presque douze ans plus tard.

Si l'effroyable Albert Anastasia, comme nous l'avons appris, est bien associé à la machination que M. Cain et moi avons découverte, alors ces mesures que j'avais crues radicalement efficaces se révèlent *in fine* insuffisantes. Le monde étant le théâtre de nouveaux conflits, je m'attends, dans les jours à venir, à reprendre du service dans ces petites guerres locales auxquelles on n'échappe jamais. Sauf que, cette fois, ma responsabilité de soldat sera de protéger M. Cain et sa fille. C'est moi qui les ai attirés sur le front et leur sécurité doit être ma préoccupation principale.

Voilà ce que je méditais quand, tournant dans Rivington Street, j'ai constaté, horrifié, que d'épaisses fumées noires tourbillonnaient vers un ciel déjà gris depuis les fenêtres et les portes du 174. Une foule s'était assemblée devant chez moi, qui jetait des cris ou, effarée, restait bouche bée. Un grand camion de pompiers était déjà là et des hommes coiffés de casques rouges se frayaient un passage à coups de hache, sous le déluge des tuyaux d'incendie. J'ai pensé à toutes les vies retenues dans ce bureau, à leurs petits casiers douillets, aux esprits en train de s'envoler dans des tourbillons de fumée.

J'ai poussé un hurlement et me suis mis à courir. Décidé à entrer coûte que coûte, j'ai poussé des voisins qui formaient un cordon devant la maison, mais ne suis pas allé beaucoup plus loin. Deux mains m'ont brutalement agrippé et jeté à terre. Levant les yeux, je m'attendais à voir des pompiers un peu trop appliqués, mais je me trompais. Deux types hilares, en costume rayé et feutre mou, ont commencé à me rouer de coups de pied, du bout de leurs chaussures italiennes à lacets.

— Tout va flamber, crétin, c'est terminé ! lâcha l'un d'eux en me martelant les côtes.

Je me suis couché sur le ventre tandis qu'un talon, de l'autre côté, me percutait le crâne. J'ai tenté de me protéger avec les bras, mais les coups continuaient de pleuvoir, impossible de les éviter. Hébété, j'ai entendu d'autres cris, une vague agitation dans la foule au-devant, puis tout est devenu confus, les bruits s'éloignaient, je ne voyais plus rien. Brusquement, on m'a laissé tranquille. Mes oreilles sifflaient et j'avais mal partout, cependant je gardais les idées claires. Lentement, douloureusement, je me suis redressé et j'ai réussi à m'accroupir. Et j'ai saisi la main tendue qui m'a permis de me relever entièrement.

Malgré ma vision floue, j'ai reconnu Yuri Zharkov. Une voiture de police, la portière ouverte et le moteur au ralenti, s'était arrêtée de biais à la limite de l'attroupement. La moitié des gens regardaient le feu, l'autre moitié me regardait, moi. Un deuxième policier approchait en braquant son arme sur l'un des deux voyous. Le second avait sans doute réussi à s'échapper.

— Ça va aller, Sacha ?

Zharkov ne me quittait des yeux que pour surveiller le petit malfrat, qui avait une vilaine marque au front, zébrée comme la crosse du pistolet de Yuri. Plus instable encore que moi, le type flageolait sur ses jambes.

— Je crois, ai-je répondu.

Je me suis tâté en vitesse pour vérifier que je n'avais rien de cassé. Yuri m'a tendu un mouchoir.

— Tu as le nez qui saigne.

J'avais un goût salé dans la bouche et je me suis essuyé le visage. Aussitôt le mouchoir s'est taché de rouge. Je l'ai serré fort contre mes narines.

— Il faut te planquer quelque part et ne plus en sortir.

— Il y en a d'autres qui me cherchent ?

— Tout le monde sait maintenant, Sacha. Cain, Hogan, Lansky, tout le monde ! Moi, je m'en démerde, je m'arrangerai toujours, mais toi, tu l'as dedans.

— Oui, ai-je dû admettre, considérant les conséquences.

Le vent a rabattu sur nous une colonne de fumée âcre, chargée d'une odeur de papier brûlé, me rappelant pourquoi, un instant plus tôt, j'avais cédé à la panique.

— Les lettres ! me suis-je exclamé.

Je me suis retourné et, au même moment, une gerbe d'étincelles a volé vers nous. La foule a reculé en criant. Nous avons entendu les poutres se briser en morceaux en s'écrasant par terre. Le toit s'est effondré. La maison s'écroulait. *Ma* maison. L'âme du quartier, avec ses précieuses archives, tous ses souvenirs, réduits en cendres devant mes yeux.

Je suis tombé à genoux. Je ne voyais pas d'issue, pas d'autre endroit où aller. L'espace d'un instant, j'ai songé à terminer le travail des deux voyous. Me tirer une balle dans la tête, sauter d'un pont, me noyer. Dans l'East River, peut-être, pour rejoindre père et mère.

Puis un frisson m'a parcouru l'échine et j'ai respiré plusieurs fois à fond, pour oublier la fumée, la peur et la douleur. Je me suis redressé, retrouvant l'équilibre plus aisément que je n'aurais cru. Zharkov m'a ordonné de monter dans la voiture. Ses paroles semblaient flotter, assourdies, comme si nous étions tous les deux sous l'eau.

Bien qu'indistinctement, je me suis rendu compte qu'un seul chemin s'offrait désormais à moi, la voie noire et étroite qui me ramenait à mon passé. Comme je l'avais deviné, comme je l'avais craint, je redevenais un soldat, rappelé pour servir dans la seule guerre qu'il eût jamais connu.

— Monte ! a répété Yuri en me tirant par le bras. Il faut te trouver un abri, même provisoire.

— Oui, ai-je acquiescé.

Je devais me hâter, soigner mes blessures et me remettre en mouvement. Il était plus que temps de rempiler.

37

Cain était dans tous ses états depuis deux heures.

Il avait déjà appelé Danziger trois fois, et Beryl, deux. Impossible de contacter le vieil homme, mais Beryl avait finalement répondu et promis d'arriver aussi vite que possible. En désespoir de cause, il avait même téléphoné à Harris Euston et n'avait eu que sa secrétaire, qui avait pris un message en lui expliquant que l'avocat avait terminé sa journée, bien qu'il fût seulement trois heures de l'après-midi.

Enfin, il avait tenté de joindre Zharkov au commissariat, mais son collègue n'était pas encore rentré. Il n'avait pas non plus restitué le véhicule de service et il était pour l'instant impossible de lui envoyer un message radio.

Cain pensa une seconde à s'en remettre à Mulhearn, qui pourrait éventuellement lancer un avis à toutes les patrouilles. Mais il savait par expérience que la police recevait constamment des demandes de recherche et ne s'en occupait généralement qu'au bout de quarante-huit heures, sinon plus. En outre, Mulhearn, ou Maloney, ou un autre de ses collègues du 14e secteur était probablement de mèche, alors à quoi bon ?

Cain faisait les cent pas dans sa petite cuisine et craignit de devenir fou. Il empocha ses clés, descendit l'escalier et traversa le hall. Tom bondit à sa suite et l'accompagna dans la rue.

— Du nouveau, monsieur ?

— Rien du tout, répondit Cain en se retournant.

Il n'avait aucune piste, aucun plan, aucune idée à exploiter. Faute d'autre chose, il décida de faire le tour du pâté de maisons, à marche rapide, au moins pour se calmer les nerfs. Puis il recommença en traçant de plus amples cercles, d'un carrefour au suivant, avec le maigre espoir de tomber sur Olivia et Eileen dans un jardin ou un terrain de jeux, voire devant la porte de quelqu'un qui aurait gracieusement mis sa voiture à leur disposition – ce qui était parfaitement absurde, il le savait.

La détresse semblait s'afficher partout. Une jeune femme sortait en larmes d'une boutique ; à genoux sur le trottoir, un mendiant râlait devant la tasse de café qu'il venait de renverser ; Aldo, le vieil épicier au coin de la rue, habituellement d'humeur enjouée, se tenait tristement près de ses étals, tête baissée. Dans 7th Avenue, Cain leva les yeux à la recherche d'un carré de ciel bleu rassurant, mais aussitôt il se sentit dominé, oppressé, par les hauts immeubles. La lumière violente réfléchie par les vitres l'éblouit. Augures et présages, aussi sinistres les uns que les autres.

Il s'arrêta pour se ressaisir et, aussitôt, un piéton derrière lui le bouscula.

— Avance, mon gars !

New York et son agitation habituelle, certes – mais Cain eut l'impression que les éléments étaient ligués contre lui. Bredouille, il repartit en direction de son

422

domicile et, arrivant à proximité, vit Tom qui courait vers lui.

— Elles sont là, monsieur ! Entières !

Il se figea, écrasé par le soulagement. Le sang cognait dans ses tempes. Il inclina le torse, posa les mains sur ses genoux, puis se redressa en inspirant profondément. Le printemps était comme revenu.

— Merci, Tom. Elles sont en haut ?

— Oui, monsieur. Je suis navré de vous avoir inquiété.

— Ce n'est pas grave, dit Cain, inspirant de nouveau. Tout est bien qui finit bien.

Il les trouva à la cuisine, Olivia assise devant un verre d'eau, Eileen à ses côtés, la mine soucieuse et son sac entre ses mains, comme si elle s'attendait à ce qu'on lui demande de s'en aller immédiatement.

— Monsieur Cain, veuillez m'excuser. Nous allions…

— Où étiez-vous ? Oh, Olivia, viens là !

Il la prit dans ses bras sans lui laisser le temps de quitter sa chaise, la souleva et la serra violemment contre lui. L'air plus étonnée qu'autre chose, elle l'embrassa sur la joue. Cain la reposa sur son siège et se tourna vers Eileen.

— Qui était dans cette voiture ? la pressa-t-il. La grosse Packard qui est venue vous chercher ?

Eileen baissa la tête.

— Toutes mes excuses, monsieur. Je n'ai pas été très honnête. Même s'il me paie bien pour cela, je ne peux pas continuer ainsi.

— Qui vous paie ?

Elle fit la grimace en évitant son regard.

— M. Euston, monsieur.

423

Inutile d'exiger des explications, elle était prête à vider son sac.

— Je m'en suis voulu, déjà, après samedi dernier, quand la petite m'a rapporté ce qui s'était passé. Il m'avait demandé de vous téléphoner pour dire que je ne viendrais pas.

— C'est Euston qui vous l'a demandé ?

Eileen se mordit la lèvre.

— Oui. Et, lundi matin, quand Olivia m'a tout raconté... l'église, et ce qu'elle avait vu... Je ne lui reprocherais pas d'aller à la messe, bien sûr. Mais, Seigneur, pas avec ces gens-là ! On ne brûlera jamais assez d'encens pour racheter leurs péchés. Et leurs femmes... Alors quand elle m'a décrit ce misérable Allemand...

— L'Allemand ? Dites-moi, la dernière fois que vous avez eu Euston au téléphone, vous lui avez parlé de l'Allemand ?

De nouveau, elle baissa la tête.

— En passant, seulement. La petite n'est pas entrée dans les détails...

Euston était décidément le roi de la manipulation, presque un génie de l'espionnage. Évidemment, avec des clients tels Herman Keller et la Chase Bank qu'il fallait protéger, il ne laissait rien au hasard. Pauvre Gerhard Muntz. Même un filou de son genre méritait un peu de clémence, eu égard aux forces liguées contre lui. Selon ce qui l'arrangeait le mieux, Euston payait des quantités d'heures supplémentaires à Eileen ou, au contraire, la rétribuait pour priver Cain de ses services. Le week-end dernier, par exemple, lorsqu'il s'était douté que son gendre poursuivrait son enquête pendant ses heures de liberté, il avait tenté de l'en empêcher.

— Où êtes-vous allées, cet après-midi, dans cette voiture ?

Le moment de vérité pour Eileen. Au bord des larmes, elle pétrissait nerveusement la bandoulière de son sac à main.

— Je ne vous reproche rien, ajouta Cain à voix basse. Dites-moi seulement ce qui s'est passé.

— C'est la mère de la petite, monsieur. Il l'envoie dans une voiture et nous partons en promenade avec elle.

— En promenade ! Avec Clovis ?

En entendant ce nom, la jeune femme parut s'effondrer. Elle répondit d'un hochement de tête.

— Combien de fois cela s'est-il produit ? Combien de fois lui avez-vous envoyé Olivia dans mon dos ?

Eileen se mit à sangloter.

— Papa, personne ne fait rien de mal ! intervint Olivia, qui baissa les yeux lorsqu'il la regarda.

Elle les releva lentement, implorant son pardon. Se rendant compte qu'il tremblait de rage, Cain respira un bon coup, gonfla les joues et souffla.

— J'avais l'intention de te le dire, poursuivit-elle, soudain pleine d'assurance. Pas tout de suite, mais bientôt.

Une jeune fille aux nombreux secrets. Tous ces allers et retours au square.

— C'est arrivé plusieurs fois. En général, on fait un tour en voiture. Ou on s'arrête manger une glace quelque part. Elle demande de tes nouvelles.

Cain s'accroupit et prit de nouveau sa fille dans ses bras.

— Je ne t'en veux pas, ma chérie. J'ai seulement besoin de savoir ce que tu fais et qui tu vois.

Il domina ses aigreurs avant de continuer.

— Cela ne me dérange pas que tu rencontres ta maman. Mais il faut me prévenir, si possible à l'avance. D'accord ?

— D'accord.

— Maintenant, si tu allais te changer et te débarbouiller un peu ? On va dîner dehors, OK ?

— OK.

De nouveau, il sentit la moutarde lui monter au nez tandis qu'Olivia allait dans sa chambre – il n'était pas en colère contre Eileen, contre Clovis, mais contre Euston, dont les projets à long terme apparaissaient à présent pour ce qu'ils étaient. Fournir un travail à Cain pour l'attirer à New York avec Olivia. Permettre à celle-ci de revoir sa mère en douce, puis, dès que Clovis serait à nouveau stable et en bonne santé, arracher Olivia à son père, avec l'aide d'Eileen. Entre-temps, faire pression sur Cain pour obtenir un maximum de renseignements sur les activités du 14e secteur. Quand, ensuite, Werner Hansch avait été assassiné, Cain était idéalement placé pour fournir des informations sur l'affaire. L'investissement valait la peine à tout point de vue.

Sauf que Cain avait maintenant de quoi le salir assez copieusement pour qu'il réfléchisse à deux fois avant de finaliser son projet.

Il était cependant en danger, voire en danger de mort. Hogan et Haffenden le menaçaient de poursuites au sujet du décès de Rob à Horton. Des tracas en perspective, même s'ils ne faisaient que rouvrir l'enquête. Plus Lansky, Lanza, et pis encore, Anastasia, qui semblait échapper à tout contrôle. Haffenden était sans doute déterminé à protéger le port des intrusions étrangères, mais on l'avait trompé, à tout le moins, sur le rôle que tenait le Mad Hatter. Lansky lui-même l'avait insinué, par gestes sinon par mots.

Comment s'opposer à des hommes aussi puissants ? Cain n'avait pas encore de réponse.

— Puis-je vous laisser maintenant ? demanda Eileen d'une petite voix timide.

— Oui, allez-y. J'espère vous voir demain matin.

— Bien sûr, monsieur.

Elle se hâta de partir avant qu'il change d'avis. Seul dans la cuisine, inquiet, découragé, Cain se mit à réfléchir. Il s'efforçait de trouver le moyen de poursuivre son enquête. Et perdit le fil de ses pensées lorsqu'on frappa doucement à la porte.

— Bon Dieu ! marmonna-t-il.

Eileen devait avoir oublié quelque chose.

C'était Pete, le portier de nuit, qui venait de commencer son service.

— Pardon, monsieur, mais vous avez des visiteurs et l'un d'eux n'est pas en grande forme, alors j'ai préféré monter avec eux.

Cain ouvrit en grand et reconnut Danziger, couvert de bleus, le nez en sang. Il dégageait une âcre odeur de fumée. Beryl, apparemment bouleversée, soutenait le vieil homme qui ployait sous un sac improvisé – une taie d'oreiller remplie à ras bord de papiers entassés pêle-mêle.

— Que s'est-il passé ? Faites-les entrer, Pete. Vous n'avez rien de cassé, Danziger ?

Cain et Beryl épaulèrent leur ami jusqu'au canapé, sur lequel il s'effondra en lâchant son gros sac. Celui-ci s'ouvrit en répandant par terre une masse de lettres et d'enveloppes. Cain aperçut dans le flot la petite photo de la femme aux cheveux noirs, qu'il avait vue sur le bureau de son compagnon. Il avait à présent une idée de qui c'était. Un grand nombre des lettres renversées avaient jauni avec le temps ; les timbres provenaient de l'étranger ; l'encre était presque effacée. « Des vies, pensa-t-il. Sauvées de la destruction. »

Danziger suivit son regard.

— Voilà tout ce qui reste, dit-il en tapotant le sac comme pour se rassurer.

Il avait la voix rauque et l'épuisement se lisait dans ses yeux délavés.

— Une chance que j'aie pu en emporter autant. Un client, qui habite à côté, s'est introduit chez moi dès qu'il a vu de la fumée. Bien sûr, il n'a pas pu tout récupérer. Un bon tiers est resté là-bas, peut-être plus. Enfin, resté… plutôt envolé en fumée.

— Votre maison a brûlé ?

— Entièrement.

— Mais que… Vous saignez, et…

— Deux voyous, sans doute des hommes d'Anastasia, m'ont mis le grappin dessus tandis que j'essayais de fendre la foule. Ils m'ont battu devant tout le monde. Je serais certainement mort, à l'heure qu'il est, si Yuri n'était pas intervenu.

— La patrouille est arrivée ?

— Oui. Et dans la voiture, il m'a parlé de votre entrevue à l'hôtel Astor. Du dossier qu'on vous a confié. Ils ont même inclus l'article de Runyon, m'a-t-il dit. Alors vous savez tout. Vous savez tout de Sacha.

Cain jeta un coup d'œil à Beryl, soucieuse, assise auprès du vieil homme.

— Vous pouvez dormir ici, proposa Cain à ce dernier.

Il paraissait plus important de le réconforter que de fouiller dans son passé. Les explications attendraient. Il alla chercher une couverture, que Beryl posa sur les épaules de Danziger. Puis il lui remplit un verre d'eau.

Un peu hébétée, Olivia se dressait devant la porte de la cuisine. Reconnaissant, Danziger prit le verre et but.

— Merci pour votre générosité, mais je ne serai pas à l'abri ici. C'est un des premiers endroits où ils viendront me chercher. Fedya s'occupe de me trouver un lieu sûr. Nous arrivons de chez lui.

— Fedya m'a appelé juste après vous, expliqua Beryl. Je vois avec plaisir que votre fille est saine et sauve.

— Fausse alerte, assura Cain.

— Elle n'a rien ? demanda le vieil homme, qui se redressa, soudain inquiet.

Il ne s'était pas rendu compte de sa présence. Olivia lui fit un signe de la main. Il lui sourit et s'installa plus à son aise sur le canapé.

— Je vous replonge dans une vie dont vous vouliez tout oublier, se reprocha Cain.

— Je suis le seul fautif. C'est moi qui suis venu vous chercher. Je devais déjà savoir où cela nous mènerait, admit Danziger en contemplant un coin vide de la pièce. Peut-être même est-ce la raison pour laquelle je suis venu.

— Nous ne pouvons pas nous arrêter maintenant. Pas complètement. Tenez-vous à l'écart, mais, quant à moi, j'ai pensé à…

— Non !

D'un geste alerte, le vieil homme saisit le bras de Cain. Ses yeux bleus brillaient d'un éclat fulgurant. Peut-être puisait-il dans ses dernières ressources, mais il ne manquait pas de vigueur.

— Surtout ne faites rien ! Plus tard, éventuellement, quand nous aurons les idées plus claires. Pour l'instant, vous devez veiller sur votre fille, et vous avez encore la vie devant vous. S'il te plaît, Beryl, appelle ton oncle, qu'on sache où il en est.

Elle s'exécuta sans perdre de temps. Cain perçut l'anxiété dans sa voix, tandis qu'elle téléphonait. Non qu'elle parlât beaucoup : elle hochait la tête en écoutant les consignes de Fedya.

— Vous devriez manger quelque chose, dit Cain à Danziger. En fait, nous devrions tous manger quelque chose. Nous étions sur le point de sortir, Olivia et moi.

Le vieil homme déclina.

— Eh bien, allez-y, tous les deux. Je préfère ne pas me montrer avec vous, ni exposer votre fille à des risques inutiles. J'ai mis suffisamment d'innocents en difficulté dans mon existence, comme vous le savez maintenant.

— Je ne sais rien de…

— Je vous le dis. Les fiches de la police sont toujours incomplètes. Ce n'est qu'un squelette. Je lui donnerai corps et vie, une fois que vous aurez mangé.

— Vous ne me devez rien, vous n'êtes pas obligé.

— Si. Surtout que j'ai un dernier service à vous demander.

Beryl alla chercher des sandwichs qu'ils avalèrent sous le regard de leur ami, toujours assis sur le canapé, la couverture sur les épaules. Une heure plus tard, Cain envoya Olivia se coucher et Beryl partit chez son oncle.

Danziger suivit Cain dans la cuisine, où il sortit deux bouteilles de bière du frigidaire. Le vieil homme entama un long récit. Il n'avait pas parlé de ces choses depuis des lustres.

38

Danziger but goulûment de longues gorgées de sa bière, ponctuées par le va-et-vient de sa pomme d'Adam. Il reprit son souffle, ragaillardi, prêt à se lancer.

— Je peux ? demanda-t-il en indiquant avec sa bouteille le classeur posé sur la table.

Cain le lui rapprocha et Danziger l'ouvrit. Il dégagea les pages cornées de la nouvelle de Runyon, afficha un sourire tendre et amusé. Il hocha la tête.

— J'ai honte de l'admettre aujourd'hui, mais le jour où ce numéro de *Collier's* est sorti a été l'un des plus beaux de ma vie. J'en étais persuadé, sur le moment. J'ai un souvenir très net de ce matin-là. Un de mes amis du Village, qui écrivait, lui aussi, et savait bien qui était le Dic, avait été averti de la parution. Je m'étais levé à l'aube et je bouillais d'impatience. J'ai dû arriver au kiosque avant le camion de livraison et je n'ai pas emporté le magazine chez moi. Je l'ai lu dans la rue au milieu des pigeons. Un mélange d'orgueil, de vanité et de stupidité.

Il reposa sa bière.

— Il n'y a pas plus bête qu'un jeune imbécile, surtout s'il se croit arrivé parce qu'il a une réputation et de l'argent en poche. J'étais également convaincu, temporairement, que je n'aurais plus d'ennuis avec ma conscience. Lorsqu'on manque de jugement à ce point, on s'expose forcément à des conséquences.

Cain lui avait résumé sa « réunion » à l'hôtel Astor, l'étrange galerie de personnages qui l'y attendait – réplique de celle du Longchamps – et l'opération improbable par laquelle ces messieurs se proposaient d'assurer la sécurité des quais.

— La guerre engendre des alliances contre nature, n'est-ce pas ? fit Danziger. Hitler et Staline… un certain temps, du moins. Et maintenant, Lansky et Luciano sympathisent avec Hogan et la marine américaine.

— Le loup habitera avec l'agneau, cita Cain.

— Oui. Ce n'est pas cela qui devrait rassurer Muntz. Tant que Hogan et Haffenden fermeront les yeux sur les excès de leurs nouveaux amis, ceux-ci poursuivront leurs proies jusqu'au bout.

— Il y avait une chose, se rappela Cain, hésitant.

— Oui ?

— Juste avant que je parte, Lansky m'a chuchoté quelques mots à l'oreille, pour que les autres n'entendent pas. Il voulait que je vous transmette son bon souvenir. Comme quoi trop de temps avait passé. Il souriait, mais ce n'était pas un sourire agréable.

— Je m'attendais à ça.

— Vous le connaissiez, à l'époque ?

— J'étais là au début. De sa carrière, je veux dire. Nous ne nous sommes pas quittés en très bons termes. Vous comprendrez quand j'aurai fini mon histoire.

Danziger frissonna et but une nouvelle gorgée. Sa bouteille était à moitié vide.

— J'aurais pu aisément éviter cette vie-là, bien sûr. Des années auprès de gens dangereux qui m'ont fait mon apprentissage, une descente aux enfers, et la disparition que j'ai mise en scène. J'avais perdu mes parents, mais on a pris soin de moi. Le bon révérend Haas y a veillé après le naufrage du *Slocum*. Il m'avait logé chez des voisins très charitables. Des juifs, bien sûr, il n'allait pas me mettre chez les protestants. Je n'ai pas manqué l'école, j'ai eu tous les livres que je voulais. C'était des adultes responsables, qui ont veillé sur moi.

— Beryl m'a parlé d'un rabbin.

— Oui, Kaufmann. Nous étions encore assez proches au moment où je découvrais le charme des rues. Si j'avais suivi ses conseils, j'aurais embrassé une profession respectable. J'aurais peut-être même fait mon droit. Mais le choix était difficile. Il suffisait de se promener dans 2nd Avenue, comment ne pas être ébloui ? Il y avait les jeux de dés qui, avec un minimum d'astuce et d'arithmétique, vous permettaient tout de suite de vous remplir les poches. Le whisky, les femmes… cela n'était pas gratuit, évidemment, mais rien d'inaccessible. Des bars, des lieux malfamés qui vous offraient toutes les distractions possibles. Tischler, dans Rivington Street, Max Himmel dans Delancey. Et un jeune homme de mon âge se faisait vite un peu d'argent auprès des macs, des gangsters et de leurs poules.

— De quelle façon ?

— En collectant les billets de la loterie clandestine. En livrant des colis. Au départ, je n'étais qu'un simple garçon de courses, jusqu'à ce qu'ils s'aperçoivent que j'étais doué pour autre chose.

— À savoir ?

— Écouter, observer. Recueillir des adresses, des noms, filer des gens.

— Un informateur, donc. Comme sur votre carte de visite.

— Eh bien, oui. Cela a toujours été mon point fort. Avec les langues. Je n'étais pas aveugle, pourtant. J'avais conscience des dangers, des tentations. Livré à moi-même, j'aurais écouté le rabbin. Mais je me suis laissé dévoyer.

— Par qui ?

— Personne en particulier. Appelons cela l'amour. J'étais épris d'une femme au-dessus de tout reproche. Elle aussi aurait préféré que je ne m'écarte pas du droit chemin.

Cain plissa le front.

— Alors comment...

— Son frère Angelo. Elle était italienne, voyez-vous ? Sa famille habitait à deux pas. Des gens droits, honnêtes, contrairement à lui. Je l'ai remarquée un jour à un bal et j'ai cru qu'il fallait impressionner Angelo si je voulais être présenté à cette jolie fille. Alors, pendant un temps – bien trop longtemps –, j'ai fait ce qu'il m'a dit, j'ai accepté les missions qu'il me confiait, pour les uns et les autres, et j'étais ravi car je me rapprochais d'elle.

« Je me suis mis en tête d'apprendre sa langue, dans le même but, et de bien l'apprendre, au-delà des rudiments que j'avais glanés dans les rues. Ce fut une joie car c'est une langue merveilleuse, une véritable chanson d'amour. Ces voyelles qui roulent comme deux amoureux dans un lit... Par comparaison, l'allemand titube telle une armée en retraite, un cortège de consonnes macabres dans une allée pavée.

« Et ça a marché ! Elle a commencé à m'aimer bien. Puis à m'aimer tout court, malgré ce que je fricotais avec Angelo. Son père ne partageait pas ses sentiments, bien sûr, mais à cet âge, l'opposition d'un père ne fait qu'ajouter du piquant. Je suis devenu un fruit interdit de la meilleure sorte. Et je réalisais mon rêve.

Danziger s'interrompit, les yeux perdus dans un monde que Cain ne pourrait jamais voir.

— Maria ? demanda ce dernier.

Le vieil homme bondit comme si la foudre l'avait frappé. Il lui jeta un regard accusateur.

— Runyon citait son nom, expliqua Cain.

Danziger se détendit.

— Oui, c'est vrai. J'étais aux anges qu'il parle d'elle, et pourtant il avait prévu que cela finirait par des larmes.

— Cela s'est vite terminé ?

— Cela a duré neuf ans.

— Tout de même !

— Neuf années pendant lesquelles elle m'a refusé sa main. Son père ne voulait rien savoir. J'étais le complice de son fils dépravé et des gens malsains pour lesquels il travaillait. À ce stade, il ne m'était plus possible de changer d'emploi. Le Cerveau me l'a fait comprendre assez sèchement. Alors j'ai tenté d'entrer dans les bonnes grâces du père en gagnant plus. J'ai élu domicile dans un quartier plus chic, emménagé dans une belle maison – à la limite de Yorkville, d'ailleurs –, et il n'a pas cédé. En revanche, Maria m'a suivi. Jusqu'à ce que Runyon publie sa nouvelle. À ce moment-là, je me berçais tellement d'illusions qu'elle a décidé de me quitter. Elle est partie dans le Queens en insistant pour que je ne cherche jamais à la revoir. Par orgueil, et pour masquer mon chagrin, j'ai feint de ne pas être blessé. J'allais trouver quelqu'un de mieux… Une ineptie, évidemment, mais avec des circonstances atténuantes puisque, à ce moment-là, j'étais depuis longtemps sous la coupe d'un autre, un attachement dans lequel l'amour n'avait pas sa place.

— Arnold Rothstein.

— Le Cerveau. Il a remarqué assez tôt ce pour quoi j'étais bon. Il avait seulement huit ans de plus que moi, mais nous dépassait tous largement par son expérience et son intelligence. C'était l'étoile montante de l'époque – dans ce milieu-là du moins. Je faisais ce qu'il me demandait quand il me le demandait, ce qui a causé ma perte. Maria s'en est bien rendu compte.

D'un signe de tête, Cain indiqua le classeur.

— Il n'y a pas grand-chose dans votre dossier.

— Les missions que l'on me confiait n'étaient pas celles qui vous envoient en prison. J'étais plutôt une sorte d'indic, au début.

— D'indic ?

— Pas pour la police, non. Je me débrouillais pour traquer les gens qui se cachaient, ceux qui fuyaient Rothstein pour éviter de casquer. Je ne faisais de mal à personne, selon lui. À ses yeux, j'étais un employé de banque qui courait après les mauvais payeurs, les arriérés. J'allais chez Lindy et il me donnait leurs noms.

« Puis, un soir, il m'a vu avec Maria ou, plus exactement, il m'a entendu parler avec elle. Comme je maîtrisais l'italien – je n'étais pas peu fier de mon accent, je dois dire –, il m'a mis à contribution lorsqu'il voulait savoir ce que fomentaient ses rivaux. Une oreille attentive aux bons endroits. Un genre d'espion, quoi.

« À l'occasion, j'assistais à certaines réunions avec ses associés italiens. Je lui rapportais ensuite ce qu'ils s'étaient confié en aparté, pour que rien ne lui échappe.

— Tout cela paraît presque banal, comme si vous travailliez pour J. P. Morgan.

— J'avais moi-même envie de le croire ! Et Rothstein le savait. Parce que, un soir, il m'a envoyé chez deux hommes à qui il avait confié un nom et une adresse que je lui avais fournis. J'étais censé les accompagner pour comprendre à quel point je lui étais utile. L'idée m'avait étonné, mais j'ai obéi sans protester.

« Le type en question n'était pas seulement en retard, il avait décidé de ne plus payer. Dans le rouge, comme diraient les banquiers. Ils m'ont forcé à regarder pendant qu'ils le frappaient, à coups de matraque et de marteau. Ils l'ont ligoté et m'ont obligé à serrer les nœuds. Le pauvre se tortillait en gémissant. Puis nous l'avons placé dans le coffre de leur grosse Chevrolet et nous sommes partis sur les quais de la Harlem River, où nous l'avons transporté sur un bateau. Vous connaissez l'expression "des semelles en béton" ?

— Oui.

Danziger se figea, soudain inexpressif.

— Eh bien, c'est ce que nous avons fait à bord, dans une bassine. J'étais chargé d'ajouter l'eau au mélange. Le type m'étudiait avec ses yeux rouges en continuant de gémir. J'ai aidé les deux autres à le jeter par-dessus bord et je me suis accoudé à la rambarde pendant qu'il coulait. Ses cheveux dansaient comme des algues, puis ces myriades de bulles… Comment oublier ?

Les deux hommes se turent un instant. Cain alla s'assurer qu'Olivia n'écoutait pas. À la porte de sa chambre, il entendit son souffle régulier. Quand il se rassit à la table, Danziger couvrait son visage de ses mains.

— Pourquoi vous ont-ils infligé ça ?

L'écrivain public retira ses mains. Il était pâle, exsangue.

— Pour me montrer qu'il était impossible de leur échapper. Une évidence que Rothstein m'a rappelée peu après, lorsque j'ai envisagé de m'engager dans l'armée. Quand Runyon m'a observé, un soir de 1920, je m'étais endurci, je m'étais trouvé une place de choix dans l'organisation. J'étais une sorte de planificateur, une tête pensante. Les basses œuvres n'étaient pas pour moi, mais j'avais bien conscience que d'autres s'en chargeaient grâce à mes indications. C'est devenu clair pour Maria aussi, et elle m'a quitté. Quelques années plus tard, j'ai appris qu'elle avait épousé un épicier, un gars qui vendait des fruits et légumes dans le Queens. Je n'ai jamais su son nom, n'ai jamais cherché à relever son adresse. Je n'en ai pas eu le courage.

— Comment vous en êtes-vous sorti ? Vous avez mis en scène votre mort, mais huit ans s'étaient écoulés après Runyon.

— J'ai eu besoin de temps pour imaginer une solution. L'idée m'est venue, le soir où le Cerveau a été tué. Tout le monde était chez Lindy. Quelqu'un a téléphoné, peu après dix heures. Lindy n'aimait pas qu'on monopolise sa ligne, mais que pouvait-il faire ? Rothstein s'est levé pour répondre. Il s'est muni de son carnet noir et il a grommelé quelques mots en hochant la tête. Puis il m'a fait signe pour que je sorte avec lui. Dehors, il m'a annoncé qu'il avait rendez-vous à l'hôtel Central Park avec George McManus. Curieux, car McManus était un petit joueur sans envergure. Rothstein m'a confié son arme jusqu'à son retour. « Je n'en ai pas pour longtemps », avait-il affirmé. C'est la dernière chose qu'il m'a dite.

« J'ai lu la suite dans les journaux. Il s'est présenté à la chambre 349 et on lui a tiré dessus. Il est mort de ses blessures, un ou deux jours après. Il y a eu un procès sans condamnation, ce qui ne devrait pas vous étonner, sachant qui est Anastasia.

— Subornation de témoins ?

— Sinon pire. À l'ouverture du procès, j'étais très préoccupé par mon propre sort. Quand le Cerveau est mort, j'étais déjà certain qu'il y aurait une guerre de succession. C'était sur toutes les bouches, à son enterrement.

— La dernière fois que vous avez pris un taxi ?

Danziger fit un sourire contrit.

— Oui. Par la suite, j'ai adopté un profil bas, je me suis tenu sur mes gardes. Pendant qu'ils s'entretuaient, j'ai attendu mon heure, et elle est arrivée assez vite. Au début du procès, j'ai été averti qu'une des victimes, un pauvre mac du nom de Whitey Mendel, avait été défigurée à coups de couteau et jetée dans le fleuve. On avait repêché son cadavre, que la police ne parvenait pas à identifier. J'ai saisi l'occasion. Mais il me fallait un complice pour réussir, et je n'allais pas le recruter dans le milieu.

— Yuri Zharkov.

— Un très bon îlotier. Il savait quand intervenir et quand fermer les yeux.

— Et il en croquait.

— Non, non. Vous n'y êtes pas. Si vous étiez flic dans notre quartier, à l'époque, vous aviez deux solutions. Soit vous cassiez les pieds à tout le monde pour des peccadilles, soit vous étiez intelligent et vous visiez plus haut – vous travailliez de concert avec le voisinage pour faire tomber les vraies nuisances. Zharkov était partisan de la deuxième solution et, en échange de son aide, je l'ai aidé à mon tour.

— En dénonçant quelqu'un ?

— Trois hommes en particulier. Trois qui le méritaient et qui, Dieu merci, sont aujourd'hui morts. Yuri a obtenu de l'avancement et les honnêtes citoyens de cette ville ne s'en portent que mieux.

— Il a été promu inspecteur et vous avez entamé une nouvelle vie.

— Voilà.

— Qui d'autre savait ?

— Le vieux Lorenz – le père de Lutz –, qui m'a fait de faux papiers. Et Fedya, mon ami de toujours. Plus une poignée de proches qui m'ont apporté leur concours. La plupart sont à présent décédés. Seulement quatre personnes m'appellent encore Sacha, et l'une d'elles, Beryl, ignore ce que cela implique.

— Cinq, si l'on compte Lansky.

— Oui, lui aussi, et les participants de votre table ronde à l'hôtel Astor.

— D'accord, mais il y a une chose que je ne comprends pas. Lorsqu'un homme fuit son passé, il s'en éloigne physiquement, autant que possible. Alors que vous êtes revenu dans le quartier où vous résidiez auparavant, comme si vous souhaitiez qu'on vous démasque. Enfin, vous étiez chez Lindy pratiquement tous les soirs, assis à la droite de Dieu où tout le monde vous voyait. Et quand le grand chef disparaît, vous croyez vous fondre dans le paysage ?

— Laissez-moi rectifier quelques points. Je n'avais aucune intention d'être démasqué, ni de braver quelque danger que ce soit. M'installer dans Rivington Street était une savante dissimulation. Personne ne s'y serait attendu. En d'autres termes, cela s'appelle se cacher au grand jour. Quand j'y suis revenu, j'étais entièrement quelqu'un d'autre, avec de nouveaux papiers et un nouveau visage. Grâce à un chirurgien dans les montagnes Catskill qui, notamment, m'a refait le nez.

« Je lui avais demandé de me vieillir de dix ans – à sa grande surprise, car ses autres clients voulaient exactement l'inverse. Mais il s'est efforcé de me donner satisfaction. Le moindre sillon est devenu une ride profonde. Il m'a prélevé des chairs en divers endroits pour me les coller dans le cou, d'où cette espèce de caroncule qui, bien avant l'âge, me donne l'allure d'une dinde. Je me suis teint les cheveux en gris, en prenant soin de les garder ébouriffés. Je me suis laissé pousser la barbe pour ne jamais plus la raser, jusqu'à il y a trois ans. J'estimais qu'assez de temps avait passé, que je pouvais me permettre de céder à la nostalgie et de petit déjeuner tranquillement, une fois par mois, au Longchamps.

— Tranquillement, en effet…

— Personne n'est infaillible. D'autre part, j'avais été assez discret dans ma vie antérieure. Vous pensez que j'étais assis à la droite de Dieu ? Peut-être. Mais qui se donne vraiment la peine de regarder à sa droite quand on peut le voir lui-même ? Oui, j'ai attiré l'attention de Runyon, parce que c'était un fin observateur. Pour les autres autour de moi – presque tout le monde, en fait, excepté Rothstein –, je n'étais rien du tout, un pantin. Je m'activais au centre, mais n'existais qu'à la marge. Près du trône, je ne faisais que chuchoter à l'oreille du roi. Seul celui-ci me voyait, m'écoutait vraiment, et c'est cela qui comptait. Lorsqu'il est mort, j'ai disparu sans mal, sans manquer à personne. C'était presque parfait, à un détail près.

— Lansky ?

Danziger hocha la tête.

— L'un des trois hommes que j'ai balancés à Zharkov était, malheureusement, un de ses protégés.

— Je vois.

— Non, vous ne voyez pas. Meyer Lansky a une mémoire extraordinaire. Il n'oublie jamais rien. Malgré ma barbe et ma métamorphose, Lansky est toujours capable de me reconnaître. Quand il est entré au Longchamps, je me suis soigneusement caché derrière mon journal.

— Vous avez assisté au début de sa carrière, disiez-vous ?

— En 1922. Le Cerveau m'avait chargé de réserver une table pour deux personnes, un jour à midi à l'hôtel Park Central. Il devait rencontrer un jeune homme ambitieux, aussi doué pour les chiffres que moi pour les mots. Ce jour-là, vers trois heures de l'après-midi, le maître d'hôtel m'a téléphoné de la part de Rothstein, qui voulait que je lui apporte des papiers. Quand je suis arrivé, il m'a présenté à un petit homme cynique, âgé de vingt ans, affublé d'un costume ridiculement trop grand. Meyer Lansky.

— À trois heures alors qu'ils avaient commencé à midi ?

— Le déjeuner a duré six heures.

— Je retiens que c'est un type dangereux, à votre égard surtout. Mais c'est surtout Anastasia qui nous préoccupe, pour le moment.

— Certes. Toutefois, si j'ai bien compris, Anastasia est un problème pour tout le monde, même pour Lansky, et je suppose que d'autres s'occuperont de lui avant que nous ayons besoin de le faire. Raison de plus pour temporiser.

— *Temporiser ?* Il a déjà descendu trois des quatre Allemands. Si nous ne réagissons pas, il abattra Muntz également et nous n'aurons aucune preuve de rien. De plus, qu'est-ce qui l'empêche de s'attaquer à nous ?

— Écoutez-moi ! s'emporta Danziger. Lansky est forcément impliqué dans l'histoire. Peut-être pas ces meurtres bâclés, mais certainement dans le scénario – l'affaire du *Normandie* –, et cela bien avant les arrangements conclus avec Hogan ou avec la marine. Cela ne vous paraît pas clair ?

— L'incendie du *Normandie* était un accident. Je doute que Hogan ou Haffenden soient allés jusqu'à maquiller une enquête.

— Bien sûr que c'était un accident, totalement imprévu, sauf qu'il a produit l'effet désiré, à savoir affoler suffisamment la marine américaine pour que Hogan et Haffenden viennent ramper devant Lansky. Pendant ce temps, les voyous avaient quatre Allemands qui commençaient à s'agiter sur les quais, avec leurs cartes du syndicat et les lettres qu'ils envoyaient à la mère patrie. Quatre hommes qui attendaient toujours des ordres, et, par-dessus tout, de l'argent. Alors Anastasia a entrepris de les supprimer. Pas comme Lansky l'aurait recommandé, car c'est du travail de sagouin. Mais je vous assure qu'il est derrière tout ça.

— Ce n'est pas démontré. Ni par Lorenz, ni par Muntz, ni par personne.

— La preuve réside dans l'intention, monsieur Cain. Dans le plan général.

— Pas à mon sens.

Exaspéré, Danziger tapa du poing, puis s'adossa à son siège. Il prit quelques instants pour se ressaisir et posa les deux mains sur la table.

— Alors dites-moi qui a affublé les quatre Boches de ces pseudonymes absurdes : Heine, Schiller, Goethe et Mann ? Ce serait le choix d'un assassin borné et sans instruction, comme Anastasia ? D'un bonimenteur cupide comme Herman Keller ?

N'ayant pas d'argument à opposer, Cain haussa les épaules.

— Je connais sa manière de penser, moi, et sa fascination pour les livres. Lansky est bouffi d'orgueil, mais il n'a pas confiance en lui parce qu'il n'a pas fait d'études. Si vous le rencontrez, il vous annoncera au bout d'une heure qu'il est capable de réciter *Le Marchand de Venise* du début jusqu'à la fin. Certes, il est intelligent, mais il voudrait vous persuader qu'il est génial. Et s'il vous dépeint Anastasia sous les traits d'un fou qui agit de sa propre initiative, c'est du bluff !

— Vous avez peut-être raison. Toujours est-il que Lansky n'est pas aujourd'hui le plus dangereux. Et même s'ils m'ont ouvertement menacé à l'hôtel Astor, je peux toujours...

— S'il vous plaît, non ! Ne me parlez plus d'Anastasia et de ce qui vous reste à faire ! D'accord, c'est un assassin. Heureusement pour vous, il est obligé de respecter certaines règles dans sa situation, et l'une d'elles est qu'on ne tue pas un policier. Même un fouineur invétéré qui commence sérieusement à contrarier certains. Sans cette règle, vous seriez déjà mort et enterré, croyez-moi. Mais c'est au milieu de s'occuper de lui, alors qu'il le fasse ! Et, au moment opportun, nous déciderons de la meilleure stratégie pour affronter Lansky.

Cain n'était pas convaincu.

— Ce n'est pas Lansky qui a garni ces gens de brûlures de cigarette, ni qui les a jetés dans le fleuve.

Danziger poussa un soupir et, cette fois, ne cria pas. Il se pencha au-dessus de la table et parla d'un ton posé et déterminé.

— Je vais vous raconter ma dernière entrevue avec Meyer Lansky. Little Man et moi, face à face. Il avait négocié un arrangement pour nous, et Rothstein m'avait chargé de vérifier que toutes les parties respectaient leurs obligations, ce que savait Lansky. Un soir, il s'est avancé vers moi devant chez Lindy, il a posé ses mains sur mes joues et il s'est mis à serrer, à la manière d'un sculpteur qui voudrait garder dans ses mains la forme d'un visage. Il a joué avec ma mâchoire, la poussant d'un côté et de l'autre, puis il m'a relevé le menton, pour que nos yeux soient à la même hauteur. Nous étions nez à nez, je sentais son haleine parfumée à la menthe, le tabac de son after-shave. Il a maintenu la position quelques secondes, puis il m'a fait un sourire parfaitement odieux.

— Je l'ai vu sourire, oui.

— Un sourire qui vous donne l'impression d'être vulnérable, n'est-ce pas ? Ensuite, il m'a parlé, en chuchotant, sans doute comme à vous à l'Astor.

Cain frissonna en se souvenant.

— « Rappelle-toi bien ce moment, Sacha, m'a-t-il dit. Grave-le dans ta mémoire. Car je n'oublie rien et je ne lâche jamais rien. Même le jour où tu me croiras disparu, je serai encore là. »

Faute d'imaginer une réponse, Cain hocha la tête. Il but une gorgée de bière et proposa une autre bouteille à son compagnon, qui déclina.

— Alors sommes-nous d'accord ? demanda ce dernier.

— Sur quoi ?

— Sur le fait que, pour l'instant, il ne faut plus faire de vagues. Entendu ?

— Entendu.

— Plus question d'actes téméraires, et vous gardez vos projets sous le coude jusqu'à ce que nous soyons en mesure de nous revoir. OK ?

Cain acquiesça.

— Promettez-moi.

— Je promets, dit Cain.

Danziger soutint son regard pour jauger sa sincérité.

— Parfait, conclut-il. Alors je la veux bien, cette bière. Buvez-en une autre, vous aussi.

Cain décapsula deux bouteilles et lui en tendit une. Danziger leva la sienne.

— Au bon sens, dit le vieil homme. Et à la prudence. Jusqu'à nouvel ordre.

Cain trinqua avec lui, et ils eurent le temps de vider quelques autres bières avant le retour de Beryl, qui était accompagnée de son oncle. Danziger n'ajouta rien à propos de son passé, et Cain, pour montrer qu'il tenait sa promesse, ne souffla mot, concernant ses déductions et ses objectifs.

Ce qui ne l'empêcha pas d'y penser.

39

Cain n'avait aucune intention de se tenir à carreau.

Après le départ du trio Danziger, Beryl et Fedya, il resta agité et dormit peu, pour la bonne raison qu'il passa mentalement en revue tous les événements. Pour finalement exulter, certain d'avoir trouvé une parade.

Promesse ou pas, ne rien faire était hors de question. Bon Dieu, il était flic, et Hogan, procureur. Lors des pourparlers à l'hôtel Astor, il aurait parié que Hogan et Gurfein lui auraient posé des quantités de questions, s'ils n'avaient pas décidé de présenter un front uni avec Haffenden – lequel semblait accepter bien facilement le point de vue des gangsters. À l'évidence, le procureur et son substitut avaient eu un moment d'hésitation quand Cain avait mentionné les trois meurtres dont il soupçonnait Anastasia d'être le commanditaire. Voilà justement ce qui lui ouvrait de nouveaux horizons.

Une réunion en petit comité avec les deux hommes serait susceptible de donner quelques résultats. Cain avait d'abord besoin de preuves tangibles. Une déclaration officielle de Gerhard Muntz tomberait à point. Mieux encore : pourquoi ne pas le leur livrer ? Cela permettrait de résoudre deux problèmes d'un coup : Hogan et Gurfein conviendraient qu'ils avaient été trompés ; et Muntz, le seul témoin encore vivant, pourrait être protégé. Spécialisé dans la lutte contre le racket, Gurfein avait sûrement l'habitude de mettre ses témoins en sûreté. Et qui sait – peut-être qu'en détenant Muntz, ils arriveraient à faire parler Lorenz ?

Pour commencer, il fallait trouver Muntz avant qu'Anastasia le fasse, ce qui impliquait une expédition à la cour des miracles – le Bowery, avec ses hôtels sordides et ses bars minables. Ces deux « kilomètres de misère », selon l'expression, s'étendaient de 4th Street jusqu'à Chatham Square. Des dizaines de milliers d'indigents y dormaient dans des lits à trente cents la nuit.

Pas simple. Aux dernières nouvelles, Muntz résidait au Sunshine, mais il avait probablement changé de crémerie, ce qui laissait quantité de possibilités. Cain devrait aller enquêter le soir, après ses heures de service, une fois débarrassé de Mulhearn et de ses impossibles corvées. Eileen se sentait maintenant si coupable des trop nombreux services qu'elle avait rendus à Euston que Cain n'aurait aucun mal à la persuader de rester tard pour s'occuper d'Olivia.

Évidemment, Danziger ne serait pas de la partie. Cain avait besoin de le préserver, d'autant plus que ses vieilles relations l'avaient reconnu et qu'il faisait une proie facile, sinon une cible légitime, pour elles. De son côté, Cain était protégé par son statut de flic. Selon le vieil homme, on pouvait le menacer, le brutaliser, mais pas le tuer. Voilà, du moins, ce que se répétait Cain dans la rame qui l'emmenait vers le sud de Manhattan, une heure après le coucher du soleil.

Le métro aérien de 3rd Avenue jouxtait le Bowery. Il n'eut pas à marcher longtemps pour savoir où il était. Les caniveaux puaient l'urine et la bière. Il n'y avait pratiquement que des hommes dans les rues, des clochards usés, barbus, aux chapeaux informes qui leur tombaient sur le nez. Quelques-uns titubaient ; les autres traînaient des pieds. Cain passa devant trois types, assis au bord du trottoir, qui partageaient une bouteille à moitié vide de rye bon marché, et s'exclamaient en riant. Une rame bringuebala au-dessus d'eux sur le viaduc en acier, les plongeant momentanément dans l'ombre.

Au carrefour suivant, un prêcheur des rues tendit à Cain un prospectus. Il jeta un coup d'œil au recto, qui représentait un ivrogne couché par terre devant ses bouteilles vides. Au verso, le même bonhomme, propre comme un sou neuf, regardait vers le ciel, auréolé de lumière divine et une bible sous le bras.

— Non, merci, dit Cain en rendant le papier.

Il commença par le Sunshine. Depuis un petit bar blafard au rez-de-chaussée, un escalier bruyant permettait d'accéder à la réception à l'étage. Au sol, le carrelage blanc sentait la vieille serpillière. Deux types, assis dans des fauteuils déglingués, braquaient un regard vide sur les fenêtres aux vitres sales. Un troisième, sur un canapé, fumait une cigarette mal roulée en lisant le *Herald Tribune* du dimanche précédent.

Cain se dirigea vers la loge. Derrière sa grille, l'employé leva les yeux d'un air maussade par-dessus son *Racing Form*. Cain lui montra son insigne, qui ne produisit pas grand effet.

— Je cherche un Allemand qui a dû séjourner ici il y a quelques jours. Gerhard Muntz. Peut-être sous un autre nom.

Le lecteur du *Herald* tendit le cou en continuant de feuilleter son journal. L'employé ouvrit un registre écorné, consulta quelques pages récentes en suivant chaque ligne avec son doigt.

— Oui, la 505. Deux nuitées. Parti hier.

— Savez où il est allé ?

— Aucune idée.

— J'irais bien inspecter la chambre.

— Si vous voulez, m'sieur l'agent.

L'homme assis sur le canapé rejoignit Cain au bas de l'escalier, l'œil brillant, et lui barra la voie.

— Vous cherchez le Boche ? Le triste sire ?

— C'est son surnom ?

— Le type le plus triste que j'aie jamais rencontré. Un cossard de première que vous pouvez crever devant lui sans qu'il remue le petit doigt. Il avait un peu de fric, tout de même. Pas beaucoup, mais assez, et radin avec ça, alors que nous autres on tend la main du matin jusqu'au soir pour trouver de quoi manger.

— Comment vous appelez-vous ?

— Ace Andy[1].

Encore un surnom, mais ça irait pour l'instant.

— Vous savez où il est ?

— Que je vous dise d'abord : les poulets, d'habitude, j'évite. Mais le triste sire, faut lui apprendre la politesse.

— Très bien. Merci pour tout.

Cain se retourna comme s'il s'en allait, pensant que son attitude délierait la langue de ce monsieur. Efficace, car Ace Andy revint à la charge.

— Je peux vous montrer où il va dîner, d'ailleurs qu'il va y aller dans une demi-heure. Il est réglé comme une horloge.

— Vous mangez souvent avec lui ?

Le type rigola. Il avait les bronches encombrées.

---

1. Andy la Gloire.

— Ah, la maréchaussée. Vous comprenez rien. J'étais comme qui dirait son groom.

— Son groom ?

— Je lui faisais ses courses. Il aimait pas sortir, alors il me payait pour les livraisons. Un nickel la course.

— Je croyais que c'était un grippe-sou ?

— Hé, j'ai pas chômé. Je lui en ai fait, des commissions.

— Quel genre ? Stupéfiants ?

— Non, non, pas un drogué. Juste un peu cinglé, quoi. Même la gnôle, il y touchait pas. À peine une bière de temps en temps.

— Vous alliez les lui chercher ?

— Tout, que je lui apportais. Comme un vrai larbin. Son groom, que je vous dis. Le journal du matin, le café, le déjeuner, le dîner. Et là, maintenant, je sais ce qu'il va béqueter. Toujours à sept heures pile.

— Tous les soirs, donc ?

— Ben tiens.

— Et vous avez appris ça... quoi, en deux jours ?

Ace Andy se renfrogna avec un geste de dépit.

— Si ça vous intéresse pas... J'ai pas besoin qu'on me voie vous cirer les pompes, de toute façon.

— Comme vous voudrez.

À nouveau, Cain fit mine de partir, et à nouveau Ace Andy le rattrapa.

— Bon, d'accord, dites-moi ce que vous savez.

— Quoi, pour pas un rond ? Je suis pas l'Armée du Salut, moi.

Cain lui donna un nickel, que le type empocha en riant.

— Comme acompte, ça ira, mais on est loin du solde. Maintenant que j'y pense, c'est sûrement à cause

451

de vous qu'il a filé sans demander son reste. Vous me coûtez vingt-cinq cents par jour, vous.

Cain lui offrit un quarter, que le gars refusa. À contrecœur, il sortit un dollar de son portefeuille.

— Voilà quatre journées de salaire. J'espère que ça en vaut la peine. Sinon, je peux toujours vous coffrer.

— Ça a duré dix jours, quand même. Avant qu'il ait la trouille.

— Vous l'avez suivi partout ?

— Au White House, au Comet, au Crystal, au Providence… Et maintenant, hop, disparu ! Un revenu assuré, et terminé ! J'avais sa confiance, moi. Votre faute, tout ça.

Muntz, si prudent, manquait-il de discernement pour se fier à un individu de ce genre ? Peut-être, mais il n'avait pas un choix infini en matière d'alliés, intéressés ou pas.

— Que faisait-il ?

— La messe le dimanche matin à St. Andrew. Trop tôt pour moi. Pas grand-chose, sinon. Le cinéma, une fois par semaine. Il aimait bien le Venice, à Park Row, parce qu'ils ouvrent à huit heures et qu'il pouvait rester jusqu'au soir. Ils donnent deux grands films, un petit, les actualités et un dessin animé. Même un feuilleton policier, des fois, le tout pour dix cents. Une affaire, si on reste deux séances à la suite. Mais je sais pas si ça l'intéressait tant que ça.

Ace Andy afficha un sourire tordu.

— Je crois qu'il s'allongeait la couenne, surtout.

— La couenne ?

— Le macaroni, explicita l'homme en mimant un va-et-vient avec son poignet.

— Ah.

Rire essoufflé.

452

— Bon, où est-ce qu'il mange, alors ?

— Je vous emmène. Mais il y a un supplément.

— Je m'y attendais un peu.

— Si vous le prenez comme ça, je vous indique où c'est et vous vous débrouillez. Mais je sais ce qu'il commande et je connais les autres grooms. Parce qu'il ira pas lui-même.

Cain lâcha un quarter de plus.

Ils marchèrent jusqu'au pâté de maisons séparant Grand Street de Hester Street, où une cantine dénommée le Blossom Restaurant arborait sur sa vitrine embuée un menu en grosses lettres blanches manuscrites.

— Des pieds de porc au chou à dix cents, voilà ce qu'il prend. Avec du babeurre. Son coursier devrait être là bientôt.

En effet, cinq minutes plus tard, Ace Andy sourit quand un type arriva au coin de la rue, les mains dans les poches. Il paraissait maigre et mal nourri. Les deux hommes le regardèrent entrer dans le restaurant.

— Easy Zeke, il s'appelle. Il vient du Victoria House. Ces Boches, ils tiennent à leurs habitudes, hein ? Leur *Ordnung*. C'est ça qui les aide à vivre.

— Sans doute.

Cain pensait à donner une dernière pièce à Andy pour se débarrasser de lui et suivre seul l'autre coursier, mais ses derniers mots retinrent son attention.

— Vous parlez allemand ?

Andy haussa les épaules.

— *Ein bisschen, aber genug.* « Un peu, mais assez », ça veut dire.

Tout s'éclairait. Muntz n'avait pas utilisé Andy parce qu'il lui faisait confiance, mais parce qu'il comprenait sa langue. Et donc Cain aurait encore besoin de ce dernier.

Ils allèrent au Victoria House pour y attendre le retour de Zeke et s'installèrent dans un canapé à la réception. Sinistre, elle ressemblait à celle du Sunshine, à deux différences près : les fenêtres étaient plus petites et, au-dessus de la loge, un panneau indiquait en lettres capitales : CHAMBRES AVEC LUMIÈRE ÉLECTRIQUE, 30 ¢.

Zeke apparut au bout de quelques instants, muni d'un sac en papier maculé de taches d'huile. Il traversa la réception, s'engagea dans l'escalier, et ils le suivirent. Cain et Andy atteignirent le troisième étage au moment où il ouvrait la sixième porte de l'étroit couloir. Zeke ressortit rapidement de la chambre en jonglant avec un nickel comme s'il venait d'empocher le couplé gagnant à l'Aqueduct.

Cain entra à son tour dans la chambre, une pièce exiguë, dotée d'un lit de camp et d'une ampoule électrique qui pendait au plafond. Torse nu près de la fenêtre, voûté sur sa chaise, Muntz était en train de bâfrer, les mains ruisselantes de graisse. Effrayé, il se leva, renversant de la nourriture autour de lui, et se rua vers la porte. Cain le retint difficilement par les poignets, tant ceux-ci étaient gras.

— Dites-lui qu'il s'affole pas ! cria Cain à Andy. Je suis là pour l'aider.

Muntz renonça à s'enfuir ou peut-être comprit-il, en tout cas il se calma. Cain le raccompagna gentiment à sa chaise et, une fois assis, l'Allemand contempla d'un air désolé son dîner répandu par terre. La pièce, qui mesurait environ deux mètres sur trois, avait tout d'une cellule de prison. Les cloisons n'atteignaient pas le plafond, et le taulier avait fixé du grillage par-dessus pour empêcher ses hôtes de passer d'une chambre à l'autre.

Tout le troisième étage devait les écouter, car Cain entendit les voisins tousser, rire ou marmonner dans leur coin. L'endroit puait la sueur, la pisse, la peur et la fatigue, et l'odeur des pieds de porc au chou complétait le tableau. Plus encore qu'à l'église, Muntz paraissait déboussolé, déprimé. Il s'était entre-temps fait raser la tête.

— Bonne idée, les cheveux, jeta Cain.

— On peut se les faire couper pour rien à l'école de coiffure de Chatham Square, commenta Andy.

— Traduisez ce que je dis !

Andy obtempéra, puis lâcha en anglais :

— Ça va coûter plus cher, OK ?

Cain lui tendit un quarter, le pria de la fermer, de se contenter de faire ce qu'on lui demandait. Un court instant, Andy parut presque soumis. Cain mentit éhontément :

— D'abord que je n'ai pas oublié. Que je n'ai pas essayé de me décharger de lui, l'autre jour. J'ai eu besoin de temps pour chercher une cachette où il serait à l'abri.

Andy mit un moment à tout transposer en allemand. Muntz fronça les sourcils, ce qui semblait indiquer que l'interprétation manquait de clarté. Finalement, Muntz hocha la tête et posa une question.

— Il dit... euh, donnez-moi une seconde.

Andy reprit la parole, en allemand, pour faire répéter Muntz. Ce dernier s'exécuta, au bord de l'exaspération.

— Il veut savoir où elle est, votre cachette.

— Dites-lui qu'on y va tout de suite. On va attendre quelques minutes, le temps qu'il finisse de manger, ensuite on file, et il sera à l'abri.

Cette fois, Andy s'était sans doute fait comprendre correctement. Muntz ramassa les restes de son dîner, le pied de cochon dans une main, le chou dans la paume de l'autre, et posa le tout sur le sac en papier étalé sur le lit.

— Bien, lança Cain à Andy. Maintenant, vous fichez le camp, vous.

L'intéressé se leva d'un air hésitant, puis s'arrêta devant la porte tel un chasseur en quête de son pourboire.

— J'ai dit : filez ! cria Cain.

Andy se décida et referma la porte derrière lui.

Muntz mangea rapidement et se lécha les doigts. Il alla dans le couloir se laver les mains dans le cabinet de toilette commun. Cain pensa qu'il valait mieux attendre encore un peu, ce qu'il expliqua à Muntz en anglais simple avec quelques gestes. L'Allemand parut saisir. Cain espérait qu'Andy était déjà loin, qu'il ne reviendrait pas à la charge. Il n'avait surtout pas besoin de quelqu'un qui les retarde ou qui exige encore de l'argent contre la promesse de se taire.

Il avait l'intention d'installer Muntz dans un endroit convenable, plus sûr, un petit hôtel qu'il avait repéré dans 7ᵗʰ Avenue, non loin des beaux quartiers. Son insigne l'y aiderait et, si nécessaire, il ferait venir plusieurs fois un agent en uniforme pour vérifier qu'il n'y avait pas de problème. Pas idéale, comme solution, mais c'était pour une nuit seulement et tout danger devrait être écarté. Le lendemain à la première heure, il se rendrait avec l'Allemand au bureau de Gurfein où, avec un peu de chance, un employé maîtriserait assez bien sa langue pour recueillir une déposition officielle.

Après quoi, l'affaire ne serait plus dans ses mains. Soit le procureur prendrait les décisions utiles, soit il arrêterait les poursuites contre Anastasia pour ne pas compromettre son opération avec les truands. Pas l'idéal non plus, comme alternative, mais pour l'instant Cain n'avait pas de meilleur plan.

Au rez-de-chaussée, la réception était déserte et il n'y avait personne dans la loge. Cain eut un mauvais pressentiment tandis que leurs pas résonnaient sur le sol carrelé. Il passa une main sous sa veste, tâta la crosse de son Colt et il allait ordonner à Muntz de rebrousser chemin quand une porte au fond de la salle s'ouvrit sur deux hommes armés. Ils portaient des costumes rayés, des chapeaux mous, et leurs pistolets semblaient assez gros pour vous envoyer au ciel *illico presto*.

— Touche pas à ton joujou, dit le premier en visant la poitrine de Cain. Voilà, doucement. Maintenant tu mets les mains sur la tête.

Cain obéit en s'efforçant de garder son sang-froid. Il ne fallait pas que Muntz cède à la panique et qu'ils se fassent canarder sans merci. Les yeux écarquillés, fou d'inquiétude, l'Allemand avait levé les bras en position de défense.

L'un des deux malfrats s'avança avec une nonchalance affectée, passa une main sous la veste de Cain et lui retira son arme. L'autre lâcha un petit rire.

— Bon boulot, le garde champêtre. On te confisque le Boche. Pour une fois que ça sert à quelque chose de payer ses impôts.

— C'est ça, comme si vous les payiez.

— Dis-lui qu'il vient avec nous, pour commencer.

— Dites-le-lui vous-même, je ne parle pas allemand.

— Hé, le Boche !

Le premier voyou colla son pistolet sous le menton de Muntz, fouilla ses poches avec son autre main et en sortit un couteau.

— Et voilà. Maintenant, tu viens avec nous !

Muntz jeta un regard furieux à Cain. Il n'allait pas le remercier. Il baissa la tête et sortit avec l'un des deux types, un pistolet braqué dans son dos. L'autre rangea le sien et s'approcha de Cain.

— On sort, nous aussi.

Une grosse voiture noire était garée devant l'hôtel – une Plymouth Road King, pas une Packard. Aidé par un compère, le premier malfrat fit monter Muntz à l'arrière, puis se planta près du capot pour surveiller les environs.

— C'est qui, ta doublure ? demanda le voyou qui escortait Cain.

— Ma doublure ?

— Ce mec qui te suit partout. Si c'est ton ange gardien, vaudrait mieux lui dire de filer sans chercher les ennuis.

— Aucune idée. Vous voulez dire Ace Andy, le clochard ?

— Fais pas le malin. Il te lâche pas d'une semelle. C'est comme si tu le tirais avec une ficelle dans le quartier.

Cain étudia les lieux sans rien remarquer de particulier. Quelques mendiants étaient là, qui tous détournaient scrupuleusement les yeux pour ne pas assister à ces péripéties gênantes devant le Victoria House. Tous sauf Ace Andy, qui se dressait sur le trottoir en face avec un sourire narquois aux lèvres et un billet vert récemment atterri dans sa main droite. Vendu, donc, aux derniers offrants, que Cain avait probablement à ses trousses depuis qu'il était descendu du métro.

Mais qui était la « doublure » en question ? Il repensa à la désagréable impression qu'il avait souvent eue d'être filé, épié.

Archer ? Probablement pas après les renseignements qu'il lui avait fournis. Ce qui lui donna une idée. Elle ne valait pas grand-chose, mais c'était toujours ça.

— Sans doute un flic, répondit-il finalement. J'avais demandé un peu de renfort.

Le voyou ricana et préleva un cure-dent d'une de ses poches, avec lequel il commença à piocher dans ses molaires.

— Sûrement pas un flic. Pour manquer d'expérience à ce point... Mais têtu, le mec, quand même. Hé, Bingo ! cria-t-il à son acolyte, posté près du capot de la voiture. Où il est passé, notre fantôme ?

— Foutu le camp. Tu devais pas lui plaire.

— Tu parles de renforts, dit le malfrat en jetant son cure-dent sur le trottoir.

Le moteur de la Plymouth vrombit. L'acolyte s'écarta, la voiture roula silencieusement jusqu'à la prochaine intersection, tourna à droite et disparut. Pauvre Muntz. Et pauvre Cain qui voyait s'envoler son dernier espoir de faire valoir ses arguments chez Hogan. Il enfonça la tête dans les épaules. Au moins avait-il relevé le numéro d'immatriculation de la Plymouth. Demain matin, peut-être rédigerait-il un rapport circonstancié des événements, du début jusqu'à la fin, pour le déposer, au cas où, dans les bureaux du procureur. Puis il s'occuperait de la sécurité de Danziger. Pour l'instant, Anastasia avait toujours une longueur d'avance.

— Eh bien, enchanté, fit Cain, mais j'aimerais autant que votre collègue me rende mon arme.

Il fit un pas vers celui-ci, mais l'autre se planta devant lui et le mit en joue.

— Tu crois aller où, comme ça ? Bingo et moi, on attend ton taxi. On se calme, mon petit vieux.

— Mon taxi ? fit Cain d'une voix légèrement chevrotante. Pour quoi faire ?

— Le patron veut t'exprimer sa gratitude. Alors, si tu la fermais, le temps d'arriver à Brooklyn ?

Cain se tut. Cette fois, il n'avait plus d'idée, même imparfaite.

40

La différence entre le portrait d'Albert Anastasia réalisé par la police et le personnage qui se dressait devant Cain, en chair et en os, était comparable à celle qu'on pouvait établir entre un tigre dans un zoo et un autre dans la jungle. Le premier était dompté – du moins, enfermé dans une cage –, sa sauvagerie maîtrisée au bénéfice d'éventuels observateurs. Le second était une force de la nature, une masse de muscles prête à bondir et vous dévorer.

— Alors, c'est vous le flic dont on me rebat les oreilles, dit-il d'une voix rauque.

L'œil brillant, il s'avança à pas mesurés vers Cain, comme s'il craignait d'effrayer sa proie.

— Ouaip, admit le policier, la gorge serrée, incapable, pour l'instant, d'imaginer une réponse plus pertinente.

— Comme c'est regrettable, fit Anastasia qui hocha lentement la tête. Comme c'est fâcheux.

Ils se trouvaient dans l'arrière-salle de Midnight Rose, la boutique qu'avait décrite Muntz dans Saratoga Avenue. Cain avait non seulement reconnu l'adresse, mais aussi la banne et les inscriptions *candy*, *soda*, *cigars*. Quant à Muntz, à l'heure qu'il était, son cadavre commençait sans doute à s'enfoncer dans la vase d'un fleuve ou d'un autre, à proximité de New York.

Cain avait tenté de se rassurer en chemin, se répétant sans cesse, à la manière d'un pratiquant récitant son chapelet, que la pègre avait pour règle inviolable de ne jamais tuer un flic. Cela impliquait trop de complications, trop de problèmes avec les autres policiers, trop de démarches de la part des procureurs. Un acte imprudent, négligent, qui n'en valait jamais la peine.

Lorsqu'il était sorti de la voiture – une Packard noire, rien de moins –, Cain avait décidé de traiter la confrontation à venir comme une réunion de travail. De chercher le meilleur arrangement possible en utilisant les quelques moyens de pression encore à sa disposition. Évidemment, Gerhard Muntz avait été son meilleur atout, et Cain tentait encore de trouver un angle d'attaque quand Anastasia avait fait irruption dans l'arrière-salle.

Il portait un pantalon ample de flanelle grise, une chemise blanche froissée, aux manches retroussées jusqu'aux coudes, des bretelles noires et une cravate jaune, mal nouée. Comme sur la photo, il avait des cheveux ondulés avec une sorte de crête sur un côté du crâne. Le plus surprenant résidait dans son allure, à la fois menaçante et désinvolte. Il donnait l'impression de pouvoir commettre les actes les plus violents dans une totale indifférence, comme on écrase une punaise ou que l'on détache une souris morte de son piège. Une calme cruauté se lisait dans le fond de ses yeux. Ou peut-être Cain avait-il trop prêté attention aux nombreuses coupures de presse insérées dans son dossier. Le terme de Murder Incorporated tournoyait dans sa tête telle une chauve-souris enfermée dans un placard. Pour ce type, le boulot, c'était le boulot, et il s'en lassait probablement de temps en temps, comme c'est le cas avec n'importe quel métier – une réflexion qui ne faisait que renforcer l'anxiété de Cain.

— Vous avez été une source constante de désagréments, lança le Mad Hatter. Mais tout cela est terminé maintenant.

— Très bien, dit Cain.

Anastasia suggérait-il une porte de sortie ? Cain s'aperçut qu'il avait, de fait, quelque chose à proposer. Sa complicité. La reddition d'un policier qui accepte de coopérer. Lâche, abject et totalement indigne, mais une vie humaine serait épargnée – la sienne – si un accord était conclu.

— « Très bien » ? Comment ça, très bien ? On n'est pas là pour négocier. C'est fini, ces histoires.

Cain s'humecta les lèvres et déglutit, faute de quoi il aurait été incapable de prononcer un mot.

— Vous n'avez pas pour règle de ne jamais tuer un flic ?

— Une règle ?

Un large sourire aux lèvres, Anastasia enfonça ses mains dans ses poches et renversa la tête en arrière avant de jouer son numéro.

— Hé, les gars, on a des règles, ici ? C'était quoi, la dernière, Bingo ?

— Ne jamais toucher à un gros bonnet de la pègre.

— Ouaip. Ne jamais tuer le patron. Notre ami pourrait demander à Joe Masseria ce qu'il en pense ? On l'appelait « le Boss »...

Cain connaissait la réponse : Anastasia, aidé par trois autres truands, avait descendu Masseria dans un restaurant de Coney Island.

Ainsi donc. Sachant à quel destin il était promis, Cain pouvait, sinon se détendre, essayer au moins de rassembler ses idées. Des idées qui, en l'occurrence, avaient surtout envie de l'envoyer promener. Il rétorqua :

— Je lui poserai la question dès que j'en aurai l'occasion.

Anastasia rit, ressortit ses mains de ses poches et applaudit. Il ne s'ennuyait pas toujours, finalement, du moins pas au « travail ». « Ravi de mettre un peu de soleil dans votre emploi du temps, monsieur, d'améliorer l'ordinaire. » Cain regrettait son Colt. Il aurait bien visé sa bouche ouverte, histoire de lui briser les dents et de lui trouer la nuque. Ses sbires l'auraient aussitôt abattu, mais cela aurait fait office de compensation.

Il n'avait d'autre choix que de rester immobile, flanqué par les deux nervis. Anastasia gagna le fond de la salle en se frottant les mains et récupéra un manteau gris sur le dossier d'une chaise.

— Bien, messieurs. Si on allait faire un tour ? dit-il à la cantonade.

Encore un trajet pénible en perspective avec des inconnus. Cain en avait assez de tous ces taxis.

La Packard noire attendait devant la boutique. Plutôt un corbillard, pensa-t-il, un accessoire pour un décor de cinéma avec de faux becs de gaz enveloppés de faux brouillard. Sauf que c'était une belle soirée d'avril, peut-être un peu fraîche, quoique le ciel fût parsemé d'étoiles – un des rares avantages du couvre-feu. Une lune bientôt pleine se levait, pour le plus grand plaisir, sans doute, des enfants et des amoureux.

Anastasia prit place à l'avant, Cain à l'arrière, entouré des deux costauds. Le patron baissa sa vitre.

— Où va-t-on, ce soir, monsieur ? demanda le conducteur. L'East River ou le Hudson ?

— Pourquoi pas la Harlem ?

Ils traversèrent Brooklyn en direction du Queens. En chemin, Cain remarqua les passants revenant de leurs courses avec leurs sacs et leurs paniers. Dans une rue perpendiculaire, sous un réverbère en veilleuse, des gamines jouaient une dernière partie de marelle avant d'aller se coucher, quand leur mère les appellerait depuis la fenêtre. Le dénommé Bingo brisa le silence.

— Hé, Cain. Considère les bénéfices. Tu vas devenir immortel. Tombé au combat. Dans les bars des poulets de Centre Street, peut-être qu'ils inventeront un cocktail à ton nom.

— Le Bloody Cain, ironisa Anastasia. Ou la bouée de sauvetage…

Ils s'esclaffèrent, puis se turent. La scène avait quelque chose de surréaliste. Ils s'amusaient bien autour de Cain, dans leurs beaux costumes, sous la brise fraîche qui soufflait par la fenêtre, comme au début d'une virée en ville.

Il y avait peu de circulation – un autre avantage des restrictions. Ils gagnèrent Manhattan par le pont de Queensboro et remontèrent l'East River Drive, d'où ils bifurquèrent vers le port, non loin de l'endroit où l'on avait retrouvé le corps d'Angela Feinman. Le chauffeur éteignit les phares quand la voiture quitta l'asphalte pour s'engager sur les pavés.

— Nous aussi, on respecte le black-out, dit-il en riant de sa propre plaisanterie.

— La ferme ! jeta Anastasia. Je te paie pour conduire, pas pour rigoler.

Il devenait irritable au moment de passer à l'acte.

Cain regardait droit devant lui. À quelque distance, dans les ténèbres, une eau sombre miroitait sous la lune, le long de cette partie des quais inutilisée. Il repensa à sa première journée de travail, au cadavre repêché dans le Hudson, et se vit ajouter son propre nom à la liste des victimes dans son bloc. *Woodrow Cain, 34 ans, arme à feu.* Sauf que la cause du décès tenait plus à sa bêtise ou au refus de lâcher prise tant qu'il était temps.

La voiture s'arrêta et les hommes ouvrirent les portières. Cain descendit avec eux, toujours flanqué des deux sbires qui lui maintenaient les bras. Il s'était attendu à perdre ses moyens, à pleurer, à pisser dans son froc, mais il n'éprouvait qu'une colère sourde, un sentiment d'incrédulité, tandis qu'Anastasia guidait le petit groupe vers le fleuve. Il tenta brusquement de s'échapper, tordant les bras de ses bourreaux et s'élançant dans l'autre sens. Ils le maîtrisèrent en lâchant un vague juron, certainement habitués à ces actes de résistance. La routine.

Ils l'emmenèrent jusqu'à l'extrémité du quai et le placèrent dos au fleuve. Cain contempla les fenêtres brisées d'un entrepôt désaffecté, aussi vides et muettes les unes que les autres.

Anastasia chargea plusieurs balles dans le barillet d'un gros revolver et leva lentement le canon. Les deux nervis se détachèrent de Cain, ce qui fit sourire leur patron.

— Plus prudent, en effet. Il ne faudrait pas tacher vos costumes.

Il s'approcha en visant Cain. Ils entendirent alors des pneus rebondir sur les pavés, et ce devait être une grosse voiture, vu le bruit qu'ils faisaient. Puis le faisceau des phares, trouant l'obscurité, les illumina tous. Cain reprit espoir un instant – vainement, car il vit que ce n'était pas la police, mais une Oldsmobile 98, longue et noire. Anastasia braqua son arme sur le véhicule. L'un de ses deux acolytes sortit, lui aussi, un revolver de sa poche.

Les phares s'éteignirent. La portière passager s'ouvrit et une silhouette mit pied à terre, faisant crisser des débris de verre sous ses chaussures.

— Belle soirée, messieurs. Le programme a changé.

Fronçant les sourcils, Anastasia baissa son arme.

— Ça n'est pas tes affaires, Stu.

— Je ne dis pas le contraire. Seulement, Little Man a un autre avis sur la question. Navré, Albert. Il n'est pas pour toi, celui-là.

La cavalerie arrivait finalement, envoyée par Meyer Lansky. Pourquoi ? Était-ce une sorte de sursis, le temps de changer de lieu et de bourreau ? Apparemment, Cain se trouvait pris dans les querelles intestines de la pègre, un conflit d'intérêts qui menaçait, quoi qu'il en soit, de l'écarteler. Cela n'augurait pas forcément d'un avenir meilleur, mais au moins il n'était pas encore mort.

Anastasia releva son revolver et visa Cain au visage.

— Ouais, eh bien, c'est ce qu'on va voir.

— Tu connais les règles, Albert. Ne fais pas l'imbécile.

Le doigt hésitant sur la détente, Anastasia tremblait de rage. L'espoir renaissant, Cain perdit soudain son sang-froid et se mit à transpirer abondamment. Une goutte de sueur coula dans son dos avec la lenteur d'une chenille. Une autre perla au bout de son nez, comme pour offrir une cible plus nette au tueur.

De nouveau, celui-ci baissa son revolver.

— Alors emmène-le, sale youpin, et fous-moi le camp, nom de Dieu !

— Il t'arrangera ça, Albert, dit Stu en marchant tranquillement vers eux. Comme d'habitude.

Stu n'était même pas armé.

Le Mad Hatter tourna les talons et se dirigea vers la Packard, refusant d'assister à la suite. Ses deux sbires lui emboîtèrent le pas. Stu prit Cain par le bras aussi gentiment que le père de la mariée à l'église, et le conduisit à l'Oldsmobile qui les attendait. Cain retint son souffle jusqu'à ce qu'il fût assis à l'arrière, seul cette fois, et que la portière se refermât. Alors il respira à fond et essuya la sueur sur son nez.

Stu s'installa à l'avant, à côté du conducteur.

— On continue, Curtis. Tu connais le chemin.

Un autre taxi avec d'autres inconnus. Cain se demanda s'il lui arriverait encore de circuler en voiture à New York de son plein gré plutôt qu'à l'initiative d'un tiers.

Ils s'éloignèrent dans la nuit. Cain était entier et bien vivant.

41

Le soulagement était tel que Cain mit quelques minutes avant de retrouver la parole.

— Où m'emmenez-vous ?

— Et si vous vous taisiez ?

Pas très rassurant, cependant ils descendaient 5th Avenue vers le centre-ville, en longeant le flanc est de Central Park. De quoi se sentir plus en sécurité. Cain éprouva presque une pointe de gaieté. En outre, l'Oldsmobile tenait plus d'un véhicule familial que d'un corbillard de la pègre. Il avait remarqué une poupée Félix le Chat sur le plancher à sa droite et trouvé un crayon d'écolier, mordillé à l'extrémité, enfoui dans la banquette. Des enfants montaient dans cette voiture avec leurs père et mère. On ne s'en servait pas pour transporter des condamnés à mort, comme Anastasia avec sa Packard.

Cain envisageait la situation avec quelque optimisme lorsque, à la hauteur de 72nd Street, ils s'engagèrent dans le parc où l'obscurité était totale. Pas de quoi pavoiser, sans doute. Allait-on l'étrangler devant un bosquet, puis l'enterrer en pleine nuit près du Ramble, ou de Sheep Meadow[1],

1. La Promenade et le Pré aux moutons : deux espaces distincts à l'intérieur de Central Park.

ces grandes étendues herbeuses qu'Olivia appréciait tant ?
Pour que, des années plus tard, un jardinier tombe par
hasard sur ses restes – ou peut-être jamais.

Ils s'enfoncèrent dans la végétation, et la voiture
ralentit. Seulement pour un virage, qu'elle abordait
prudemment. Sinuant entre les arbres, ils atteignirent
le milieu du parc, en haut d'une petite côte, et Cain
se remit à espérer. Au moins, ils étaient revenus à la
civilisation. Par-dessus les cimes, se dressa bientôt un
grand immeuble, surmonté de deux tours. En dépit du
couvre-feu, il était illuminé comme un sapin de Noël.
Après ce que Cain avait subi pendant les dernières
heures, il lui fit l'effet d'une oasis au milieu du désert.

— Quel est ce bâtiment, devant nous, qui ressemble
à un château ?

— Comment, vous ne savez pas ? C'est le Majestic.

— Il porte bien son nom.

— On peut le dire.

Ils sortirent du parc et débouchèrent dans l'avenue,
où la voiture se gara devant l'immeuble en question.
Stu se retourna et passa un bras derrière son siège.

— Vous n'étiez pas vraiment de taille à lutter, là-bas.

— L'impression que j'ai eue, oui.

— Vous ne le serez pas non plus ici. Mais allez
savoir ? À condition de jouer finement, vous devriez
sauver votre peau.

— Aurais-je rendez-vous avec Lansky ?

— *Monsieur* Lansky. Il vous attend au deuxième étage.

Cain se glissa vers sa gauche et déverrouilla la
portière. Il hésita un instant.

— Il serait sans doute vexé que je lui fasse faux
bond.

Stu haussa les épaules.

— C'est à choisir : Albert ou lui.

— Pas trop difficile.

Cain descendit, gagna la porte d'un pas léger et indiqua son nom au portier, qui lui montra les ascenseurs.

— Appartement 301, monsieur.

Meyer Lansky ouvrit lui-même. Il était vraiment petit – tout juste un mètre cinquante –, ce dont Cain ne s'était pas réellement aperçu à l'hôtel Astor, où le gangster était assis. Cain dut masquer son étonnement. Autant éviter de partir du mauvais pied. Il était déjà suffisamment nerveux.

Aujourd'hui encore, Lansky arborait un costume de marque, sans le moindre faux pli malgré l'heure.

— Entrez. Nous ne serons que tous les deux, donc mettez-vous à l'aise.

La pièce était luxueuse, spacieuse pour Manhattan, ornée d'un élégant papier peint, et un long tapis oriental recouvrait le sol. Deux causeuses et une bergère étaient disposées devant un grand canapé, et un piano à queue complétait le tout. Mais surtout une rangée de hautes fenêtres, au fond, attirait le regard. Elles donnaient sur les arbres du parc, éclairés par la lune. Cain se rapprocha pour mieux voir.

— Tout l'intérêt de cet endroit, commenta Lansky. Un verre ?

Il se tenait près d'un chariot, chargé de bouteilles et de carafes en cristal. Cain allait dire non quand il se rendit compte qu'il en avait bien besoin.

— Bourbon, sec.

Lansky se servit un whisky et se rapprocha de lui avec les deux verres.

— Vous seriez plutôt intelligent, comme inspecteur, mais vous n'apprenez pas très vite. Je vous ai fait venir dans le but de vous éduquer un peu, puisque la leçon de l'autre jour ne semble pas avoir porté ses fruits. J'aimerais que nous puissions parler franchement, d'homme à homme. Cependant, si vous avez l'intention de rentrer chez vous à la fin, pour tout noter dans votre calepin, eh bien, autant demander à Stu de vous ramener à Midnight Rose. Alors, qu'en pensez-vous ?

— OK, d'homme à homme et j'oublie le papier.

— Parfait. Comme je dis à mes associés : fiez-vous à votre mémoire, gardez tout dans le chapeau.

Lorsqu'il tendit son verre à Cain, il croisa son regard et ne le quitta plus. Celui de Lansky était aiguisé, pénétrant, et Cain sut alors comment il compensait sa petite taille. Malgré la décontraction étudiée du moment, ses yeux vous apprenaient que les nombreux rouages de son cerveau n'arrêtaient pas de tourner. Il calculait tous les angles, établissait des plans, anticipait la question suivante, les esquives et les feintes.

Cain comprit à quel point il s'était fourvoyé, lorsqu'il avait craint d'être liquidé dans Central Park. Cela n'était pas le genre de Lansky. Cet homme ne vous tirait pas une balle au milieu du front avant de vous foutre à l'eau. Il était capable d'obtenir ce qu'il voulait sans donner d'ordres. Il faisait simplement une suggestion à quelqu'un, qui en faisait une autre à un troisième. Et puis, un jour, vous n'étiez plus là au travail et votre chaise demeurait vide à la table du dîner. Vous aviez disparu sans laisser de traces, excepté quelques rumeurs bien placées, selon lesquelles vous aviez énervé une relation un peu chatouilleuse, ou peut-être filé avec la caisse lors du gala de charité du préfet de police. Peut-être même étiez-vous encore en train de dépenser le reste de la monnaie, quelque part. Voilà comment procédait Lansky – pardon : *monsieur* Lansky.

Des réflexions troublantes qui expliquaient pourquoi Cain tressaillit quand son hôte se dirigea brusquement vers les fenêtres pour fermer les stores.

Le remarquant, Lansky se raidit puis sourit.

— Voyez ? Voilà sur quoi repose le pouvoir dans cette ville. J'esquisse à peine un mouvement que vous interprétez de travers, et vous êtes prêt à vous coucher par terre.

Il posa une main sur l'épaule de Cain.

— L'autorité. Tout l'argent de Wall Street ne suffit pas à l'établir. C'est elle qui permet à Charlie Luciano de se faire respecter depuis sa cellule de prison. Il est parfois nécessaire de prendre des mesures, qui ont valeur de symbole, mais pour l'ensemble on ne commet rien d'illégal. Et qui vient nous trouver quand notre pays est confronté à l'adversité ? La marine américaine, en tout bien tout honneur.

Il serra l'épaule de Cain avant de la lâcher, puis indiqua le canapé.

— Si nous nous asseyions ?

— Volontiers.

Cain constata avec soulagement que ses cordes vocales étaient encore en état de fonctionner. Il prit place à un bout du canapé, et Lansky sur la bergère qui, avec ses accoudoirs rembourrés, prit l'apparence d'un trône. Une photo, sur le guéridon près de lui, attira son attention. Elle représentait l'épouse de Lansky, accompagnée de leurs deux fils et d'une petite fille en bas âge, tous souriants et tirés à quatre épingles. Lansky suivit le regard du policier.

— Vous avez des enfants, vous aussi. Une fille, si je suis bien informé ?

Pas le genre de sujet que Cain souhaitait évoquer avec lui, mais c'était probablement la raison pour laquelle il en parlait.

— Oui.

— Les enfants sont ce qu'il y a de plus merveilleux dans une vie. Quant à leur mère... Eh bien...

Lansky agita une main avec désinvolture, une référence, peut-être, à ses infidélités. Voire aux infortunes conjugales de Cain.

— Maintenant, passons aux choses sérieuses. Comme vous ne l'ignorez pas, vous tapez sur les nerfs de pas mal de gens.

— Il m'a semblé comprendre.

— Et vous devez penser que ces messieurs les gangsters s'en sortent un peu trop bien. Je me trompe ?

— L'un d'eux, notamment.

Lansky hocha la tête.

— Exact. Vous l'avez constaté vous-même, Albert est excessif à bien des points de vue. Il coupe des têtes sans l'avis de personne et, en plus, il se prend pour un génie. Mais c'est Albert, pas nous. Nous nous occuperons de lui au moment que nous choisirons, et comme il conviendra. Quoi qu'il en soit, si vous continuez à fouiller partout, vous et le vieux juif, vous allez tout foutre en l'air au détriment de tout le monde.

— Dans ce cas, pourquoi l'avez-vous empêché de me tuer ? Non que je me plaigne, évidemment.

— Pourquoi ? Parce que *vous* l'avez balancé au procureur et donc, si on *vous* supprimait, là, on se retrouverait réellement dans la merde. Ce que nous avons mis en place ne tiendrait plus, alors que c'est une excellente opération. Pas seulement pour Charlie et moi, mais aussi pour notre pays.

— Si vous le dites.

— Ne jouez pas au plus fin !

Lansky se pencha vers Cain et lui planta son index sur la poitrine. Le moment clé de la soirée était arrivé.

Lansky allait poser ses conditions et Cain n'aurait d'autre choix que de capituler ou de tenter en vain de s'opposer. La pire alternative qui puisse se présenter : sa vie contre son honneur.

Contre toute attente, le truand lui composa un sermon à sa façon, doublé d'un plaidoyer pour les intérêts de l'Amérique. En outre, ce *one man show* paraissait absolument sincère, comme si Little Man tenait à convaincre Cain qu'il était animé par les meilleures intentions du monde et que ses actes étaient irréprochables.

— Je suis partie prenante pour une raison très simple : je suis un patriote et j'aide mon pays. Ne souriez pas, ne dites rien, ou je vous fracasse le crâne contre les fenêtres.

— Bon.

Cain resta parfaitement immobile. Lansky retira enfin l'index qu'il lui avait planté entre les côtes et se rassit.

— Dites-moi une chose ? Savez-vous comment j'occupais mes week-ends dans les années 1930 ?

— Non.

— Je menais des rafles, partout en ville, dans les réunions des nazis. Connaissez-vous le nom de Nathan Perlman ? Un ancien député, qui est devenu juge ?

— Non plus.

Cain en resta muet. Il avait peine à croire que Lansky puisse s'adresser à lui sur ce ton pressant, comme s'il défendait sa vie devant un tribunal et qu'il allait délivrer son ultime argument.

— Il est venu me voir en personne en 1935 avec ces mots : « Nous autres juifs devrions nous montrer un peu plus militants. » Un juge, rien que ça. Alors je l'ai pris au mot. Un soir, Walter Winchell me téléphone – il habite dans l'immeuble – pour m'avertir qu'une bande de bundistes organise un meeting à Yorkville. Aussitôt, je contacte le plus grand nombre possible de mes camarades. Nous n'étions qu'une quinzaine mais, tenez-vous bien, à la fin de la soirée, ce sont les chemises brunes qui ont appelé les flics pour les aider à sortir vivants de la salle !

Lansky rayonnait.

— Maintenant, devinez ce que j'ai fait, l'année dernière, dès avant Pearl Harbor.

— Aucune idée.

— Je me suis rendu au conseil de révision pour m'engager. J'étais prêt à accepter n'importe quelle mission. Vous pourrez vérifier, tout a été consigné par écrit. Je me doutais qu'ils me trouveraient trop vieux pour combattre, c'est pourquoi j'ai proposé de travailler dans une usine, comme quand j'étais petit. Manier un tour, une foreuse, ce qu'ils voudraient ! Évidemment, ils ne m'ont jamais recontacté. Alors, quand Lanza m'a rapporté que Haffenden essayait de constituer un comité de surveillance des quais, je n'ai pas hésité un instant. J'ai sauté sur l'occasion de servir mon pays.

« Luciano partage-t-il mes préoccupations ? Je l'ignore. Il compte peut-être là-dessus pour sortir de taule – Charlie, c'est Charlie. En tout cas, il déteste ce connard de Mussolini, car les flics italiens ont coffré la moitié des parrains en Sicile, alors il lui en veut. Mais il nous apporte son soutien sans réserve, même s'il n'en retire rien. Lanza aussi. Toute l'équipe. Quant à Albert, eh bien, on a compris le problème dès qu'on a su ce qu'il tramait.

— Le sabotage du *Normandie* ?

Lansky parut exaspéré.

— Cette andouille s'est imaginé qu'il rendrait service à Charlie. En maquillant l'incendie pour qu'on l'attribue à une bande d'Allemands fanatiques, et que tout le monde ait assez la trouille pour qu'on supplie Luciano d'intervenir. De toute façon, le foutu bateau prend feu par la faute d'un crétin, alors les gars de chez Haffenden viennent nous chercher et le projet commence à se mettre en place. Ensuite, quand on apprend ce que mijotait Albert, Charlie pique une crise et lui ordonne de nettoyer devant sa porte avant qu'il bousille tout. Albert étant ce qu'il est, il ne fait qu'en rajouter, et c'est là que vous mettez votre nez dans l'affaire.

— Une affaire que vous me demandez d'oublier.

— De votre plein gré et pour le bien de la nation.

— Et Albert, qu'est-ce qu'il devient ?

— Je vous ai expliqué.

— Oui, vous vous en occuperez. Mais il manque le quand et le comment.

— Sinon quoi, vous le bouclez ? s'esclaffa Lansky. Vous êtes long à la détente, Cain. Cependant, comme vous savez être convaincant, je vais vous dire une chose, et une chose seulement, concernant son avenir. Seulement, il faut que cela reste entre nous, car, pour l'instant, il n'est pas au courant.

— Entendu.

— Albert a presque quarante ans. Deux mois de moins que moi, en fait. Malgré cela, et je le tiens de source sûre, il va bientôt partir sous les drapeaux. On l'enverra assez loin de New York, dans un endroit où il portera l'uniforme. Albert entraînera des recrues pour en faire des débardeurs militaires. Il sera hors d'état de nuire et on ne le verra plus dans sa boutique. Il logera dans une caserne et recevra des instructions. Je vous en donne ma parole.

Non seulement Cain était stupéfait, mais en plus il le croyait. Murder Inc. à l'armée. Un ultime coup de balai pour en finir avec les errements d'Anastasia, de sorte que l'alliance improbable de la pègre, du ministère public et de la marine puisse continuer à surveiller le port en évitant de nouvelles interférences. C'était assez extravagant pour être vrai.

— Alors sommes-nous d'accord, inspecteur Cain ?

— Peut-être.

Lansky fronça les sourcils et ouvrit la bouche. Pour la première fois de la soirée, c'est lui qui était surpris.

— Un dernier point, dit Cain. Le vieux juif, Danziger. Sacha, si vous préférez. Je veux qu'on lui fiche la paix.

Lansky inclina la tête.

— Vous n'êtes pas exactement en position d'exiger quoi que ce soit.

— Je pourrais aller voir le procureur demain, lui rapporter ce que vous venez d'admettre, sans oublier ma petite promenade au bord de la Harlem.

— Au péril de votre vie.

— Vous affirmez que me descendre ruinerait tous vos efforts.

— Oui, à condition de s'y prendre comme Albert…

Le gangster sourit. Les rouages s'activaient derrière ses yeux.

— Il ne s'agit pas de ma vie, mais de celle de Sacha.

Cain n'avait plus de carte dans son jeu et Lansky en était conscient. Ce dernier l'étudia longuement et sourit de nouveau.

— Voyez-vous, Cain, je ferais sans doute une affaire en m'insinuant dans les bonnes grâces d'un honnête policier new-yorkais. Allez savoir quel profit je pourrais en tirer, à plus ou moins longue échéance. N'est-ce pas ?

Pour Cain, répondre oui revenait à hypothéquer son avenir. Impossible. Il se contenta de sourire lui aussi, mal à l'aise, ce qui sembla beaucoup amuser Lansky. Que croyait-il vraiment ? Qu'on le laisserait repartir, avec sa probité intacte ? Ce serait déjà une chance de repartir tout court.

— Dans ce cas, poursuivit Lansky. J'ai quelque chose pour vous. Ou pour Sacha, plutôt. Suivez-moi, une seconde.

Ils se levèrent et traversèrent la pièce, contournant le piano à queue, vers un bureau lambrissé aux murs couverts de livres. Lansky ouvrit un tiroir dont il sortit un petit carnet noir – dont la lecture se révélerait sûrement du plus haut intérêt. Il se munit d'une enveloppe et d'une feuille de papier, puis farfouilla dans un autre tiroir, sans doute en quête de quoi écrire. Cain se rappela alors ce que contenait la poche de son pantalon.

— Permettez ? dit-il en tendant à Lansky le stylo à plume qu'il lui avait carotté à l'Astor.

Lansky sourit encore et l'observa.

— Qu'on ne dise jamais que vous manquez de *chutzpah*[1], inspecteur. Vous connaissez le mot ?

— Non, monsieur.

— Cela ne m'étonne pas. Un instant.

Lansky entrouvrit à peine son carnet pour empêcher Cain de trop s'y intéresser. Il mémorisa une page, puis le rangea et inscrivit quelques mots sur son papier. Il revissa le capuchon du stylo qu'il rangea également dans le tiroir, en faisant un clin d'œil à Cain. Il plia la feuille, l'inséra dans l'enveloppe, lécha le rabat et la ferma.

— Pour Sacha. Un acompte pour qu'il continue de se taire. D'ailleurs, si je ne me trompe, il y a là de quoi

1. Yiddish : culot, audace.

suppléer tout versement ultérieur. Mais écoutez-moi ! Il suffit que je pense à Dalitz pour parler comme lui ! dit Lansky en hochant la tête, médusé. Ce sacré Diction-naire !

Cain saisit l'enveloppe qu'on lui tendait.

— Puis-je demander ce qu'elle contient ?

— Ce que Sacha chérit plus que tout. Une infor-mation.

Cain ressortit de l'immeuble avec le sentiment d'avoir honoré une sorte de justice, imparfaite mais excusable, car il paraissait juste, à tout le moins, qu'un ami en protège un autre. Bien sûr, cela ne signifiait pas que la guerre était terminée – les conflits se prolon-geraient, pas seulement en dehors des frontières, mais ici même, avec des victimes sur chaque front, dont certaines resteraient inconnues. Faute de mieux, Cain avait défendu une petite citadelle, certes au prix d'un lourd compromis.

La lune poursuivait son ascension au-dessus du parc et, après ce qu'il venait d'endurer, il eut envie de flâner un peu. Peut-être de boire une bière quelque part en chemin. En tout cas, de se détendre et de rassembler ses esprits avant de rentrer. Il coucherait Olivia, l'embras-serait, s'inquiéterait de savoir si elle devait revoir sa mère, et il téléphonerait à Beryl pour lui proposer un rendez-vous. Demain, il mettrait Danziger au courant de la situation et sonnerait la fin de l'alerte. Cain était impatient d'apprendre ce que contenait cette enveloppe.

Il traversa la rue pour marcher aussi près que possible des arbustes en fleurs, qui exhalaient leurs parfums malgré la fraîcheur. Tout bien considéré, qu'il était bon d'être vivant ! Soudain, Cain se figea et se retourna, aux prises une fois de plus avec la sensation fugace d'être épié. Au vu des derniers événements, il n'était pas peu surpris de la retrouver.

Son regard se porta sur les arbres et le long du trottoir. Rien. Il allait se remettre en marche quand on l'appela.

— Cain !

Cette voix n'était pas inconnue, mais il ne parvint pas à la replacer. De nouveau, il étudia les environs. Personne.

— Hé, Cain ! Par ici !

Quelqu'un était perché dans les arbres, à peut-être trois mètres de hauteur, derrière le mur de pierre qui bordait le parc. Un visage familier apparut à la lumière de la lune. Un visage de Horton. James Vance, le jeune frère de Rob, levait lentement le bras droit, armé d'un pistolet à canon long, qui émergeait tel un périscope des profondeurs.

— C'est son arme, et ses balles que j'ai chargées ! cria-t-il. Je fais ce qu'il aurait dû faire, lui-même !

Juste avant de se jeter au sol, Cain crut sentir la présence d'un autre homme, en train de sortir du parc. Le temps qu'il s'en rende compte, il était déjà par terre, la détonation avait retenti et la balle, trouvé sa cible.

42

DANZIGER

J'aurai vécu longtemps – plus longtemps en tout cas que n'implique le nombre de mes années sur terre. Voilà ce qui me pousse à agir quand ce jeune homme désespéré, l'arme au poing, vise soigneusement M. Cain. Une longue vie, donc. Bien assez longue.

En outre, si je dois respecter la promesse que je me suis faite, il y a peu, de veiller davantage à la sécurité de M. Cain et de sa fille qu'à la mienne, alors il me faut agir vite, au risque d'être traité d'imposteur et de menteur. Le plus tragique – une terrible méprise de ma part – est que j'aurais dû m'y attendre. J'ai sous-estimé le danger que représentait ce pauvre gars. Les deux fois où je l'ai aperçu, il paraissait si perdu, si étranger à tout, que je lui ai à peine prêté attention, comme on peste devant un souffle de vent qui vous contrarie un instant, mais rien de plus. Je me rends compte maintenant, trop tard, que j'ai eu tort parce que, tel un animal errant, fou de chagrin, il est capable du pire. Cela m'avait échappé car j'étais davantage préoccupé par des visages familiers, sur lesquels pesaient d'autres menaces.

Il m'est encore possible d'intervenir. Ces hommes-là conçoivent leur vengeance comme un rituel. Ils ne se contentent pas de presser sur la détente et de filer : il faut d'abord qu'ils s'annoncent en même temps que leur objet. C'est précisément ce que je le vois faire, ce que je l'entends dire lorsque, à plusieurs reprises, il appelle M. Cain. Alors peut-être ai-je le temps.

Sans l'aide de mes amis, il aurait été difficile de m'interposer. En quittant M. Cain, la veille au soir, je savais qu'il ne tiendrait pas sa parole. Ses yeux et son attitude le trahissaient. Il a menti pour avoir les mains libres. J'ai menti également et me suis préparé à lui porter secours, si besoin.

M. Cain est un homme indocile, enclin à prendre des risques, et je pressentais qu'il agirait vite. Comme il n'est ni stupide ni téméraire, j'ai supposé qu'il attendrait la tombée de la nuit. Le fait que je sois moi-même traqué ne facilitait guère les choses et je ne pouvais deviner où il s'aventurerait en premier. J'ai donc attribué à Fedya et à Beryl le rôle de sentinelles. Fedya s'est montré enthousiaste de participer à cette entreprise somme toute incertaine. Beryl était davantage mue par l'inquiétude. Sa mission se présentait toutefois comme la moins périlleuse des deux.

J'ai posté Fedya devant le kiosque à journaux de Saratoga Avenue, celui précisément depuis lequel Gerhard Muntz avait vu Werner Hansch disparaître dans la Packard noire d'Anastasia. Beryl, quant à elle, s'est installée sur un banc dans la rue devant le Majestic, où réside M. Lansky. À l'évidence, de son plein gré ou pas, M. Cain finirait par atterrir dans l'un ou l'autre de ces endroits et, dès qu'il apparaîtrait, Fedya ou Beryl m'en informerait afin que je me rende aussitôt sur les lieux.

Mais ensuite ? Aucune idée. Je n'y ai même pas beaucoup pensé, pour ne pas considérer, sans doute, que je serais foncièrement incapable de le sortir des griffes d'aussi redoutables adversaires.

Fedya étant Fedya – un ami merveilleux, mais peu habitué aux services commandés –, il s'est vite lassé de rester planté comme un poireau. Bien qu'il eût payé son emplacement en achetant trois quotidiens et un magazine, il l'a déserté au bout d'une heure seulement, afin de se donner des forces pour la suite, en buvant une tasse de café dans un snack au coin de la rue. Naturellement, M. Cain a dû être amené peu après son départ car, à son retour, le kiosquier a rapporté à Fedya ce qui venait de se passer. Penaud, Fedya m'a téléphoné pour m'avertir et, pendant plus d'une demi-heure, j'ai fait les cent pas dans la pièce en craignant que tout espoir fût perdu.

C'est ensuite Beryl qui m'a appelé pour dire que, miraculeusement, M. Cain avait été conduit au Majestic. Je me suis mis en route immédiatement, hélant même un taxi et, aussitôt arrivé, je l'ai envoyée chercher le pauvre Fedya affolé afin qu'elle le raccompagne chez lui et qu'il se couche.

Et me voilà qui bondit, avec une célérité dont je m'étais cru privé depuis des lustres, tandis que le jeune homme, James Vance, annonce son projet avant de l'exécuter. Alors que je me précipite, je me surprends à penser qu'un certain Alexander Dalitz n'en aurait pas été capable.

Pendant la Grande Guerre – la *première* Grande Guerre, devrait-on dire à présent –, on m'a souvent relaté que des hommes de mon âge appelaient leur mère et pleuraient comme des bébés lorsque leur dernière heure sonnait dans les tranchées. Ils agonisaient dans la terreur, trépassaient misérablement, et j'aurais sans doute fait de même à leur place.

Mais vingt-cinq ans ont passé, en même temps qu'une deuxième vie. Quand l'idée de la mort s'immisce dans mes pensées, je remarque avec étonnement que je l'accepte tranquillement. Je suis prêt. Peut-être parce que j'ai subi tant de choses et survécu à plus encore.

Pour une fois, alors, que l'on dise de Danziger – ou de Sacha, à vous de choisir – qu'il a agi de manière purement désintéressée, et qu'on le dise en cinq langues, si possible. Si nécessaire, que cela figure sur ma nécrologie. Surtout, qu'on n'oublie pas.

Considérez cela comme ma dernière volonté, tandis que je cours sur ce trottoir mal éclairé vers l'espace qui sépare le jeune homme de Caïn. Je plonge au moment précis où l'arme fait feu. Je pousse un cri, dans quelle langue, je ne sais. L'anglais, probablement.

La balle frappe et le sol vient à ma rencontre.

43

Lorsqu'il se trouva devant le lit à roulettes de Danziger à l'hôpital Bellevue, Cain décida que, le jour où l'écrivain public s'en irait, il se paierait un taxi pour se rendre à son enterrement. Mais, Seigneur, pria-t-il, faites que cela ait lieu une autre année, et que Sacha décède d'autre chose.

On avait ramené le lit dans la salle des urgences. Pas à la morgue. Il y avait donc encore de l'espoir, même si le vieil homme était dans un état critique. Et il était tout de même bizarre qu'on ait envoyé Danziger à Bellevue, situé bien loin du Majestic. Les ambulanciers se livraient eux aussi des guerres de territoire, et donc voilà. Danziger venait de sortir du bloc opératoire, et l'une des infirmières se tenait encore à proximité. Elle avait des taches de sang sur son uniforme.

— Vous n'avez pas le droit de rester ici, monsieur.

— Police, dit Cain en lui mettant son insigne sous le nez.

Elle lui aurait probablement ordonné de partir si elle n'avait pas croisé son regard implorant. Mais elle voulut bien attendre – un rare instant de répit dans cet endroit grouillant d'activité. Elle permit seulement à Cain d'étudier le corps maigre et pâle, inconscient, étendu sur le drap blanc. Danziger avait la bouche ouverte, comme s'il allait commencer à ronfler d'un instant à l'autre. Sa poitrine était suturée comme celle d'un cadavre après une autopsie. Fin du répit.

— Navrée, monsieur, que vous soyez de la police ne change rien. Vous ne pouvez pas rester aux urgences.

— Bien.

Il posa la main sur le lit, mais n'osa pas toucher Danziger – peur de lui porter la poisse, des microbes, allez savoir quelles maladies il était susceptible de lui transmettre, dans l'état où il était ? Cain partit à la salle d'attente commencer sa veillée.

Cela avait été une pagaille sans nom devant le Majestic. Il y avait eu une déposition à faire quand la police avait débarqué, et une tonne d'autres formalités, c'est pourquoi il avait mis un temps infini pour gagner l'hôpital. En comprenant ce qu'il avait fait – la balle avait touché un vieil homme à la place de Cain –, James Vance était resté un instant ahuri tandis que Cain volait au secours de son ami. Levant les yeux en vitesse, Cain avait croisé le regard du gamin, anéanti, juste avant que celui-ci fourre le canon du revolver dans sa bouche et qu'il tire.

— James, non !

Le garçon s'était brûlé la cervelle et effondré par terre. Un autre membre de la famille Vance dont Cain aurait la mort sur la conscience jusqu'à la fin de sa vie.

Il s'assoupit sur une chaise dans la salle d'attente. Toujours repentante, Eileen, l'espionne de la famille, avait demandé quelques jours plus tôt s'il voulait bien qu'Olivia dorme, cette nuit-là, chez sa mère dans l'Upper East Side. Cain avait dit oui. Si Clovis se montrait capable de redevenir une mère à part entière, il n'en serait que soulagé. La jeune fille, en pleine adolescence, aurait certainement besoin d'elle, l'année prochaine. Sans doute parviendraient-ils à l'élever à deux, même si cela supposait beaucoup d'allers et retours en métro. Quant à eux, il ne fallait pas compter qu'ils se rabibochent – tout était fini depuis cette journée fatidique à Horton.

Peu après le lever du soleil, Cain se réveilla quand on lui tapota sur l'épaule. Courbaturé après quelques heures passées à somnoler sur cette chaise inconfortable, il ouvrit les yeux et reconnut l'infirmière de la veille. Elle paraissait si inquiète que la peur lui serra littéralement la gorge. Comme pour le rassurer, elle lui posa une main sur le bras et demanda :

— Vous êtes bien l'ami de M. Danziger ?

Il était trop anxieux pour répondre.

— Nous pensons qu'il va s'en tirer, cependant il risque de rester dans le coma un certain temps. La balle a fait pas mal de dégâts et son crâne a subi un choc en tombant.

— Quelques heures de plus ?

— Plusieurs jours, sans doute.

Elle hésita avant de poursuivre :

— Sinon davantage. Ce que je voulais vous dire, c'est que cela ne sert à rien que vous attendiez. Vous pourriez peut-être nous donner un numéro de téléphone ?

Il hocha la tête. Puis il remarqua soudain que Beryl était assise à sa gauche, parfaitement silencieuse. Elle avait dû arriver dans la nuit. Ils se levèrent et elle commença à lui expliquer ce que Sacha avait imaginé pour tenter de le protéger.

En sortant de l'hôpital, Cain vérifia qu'il avait toujours dans sa poche l'enveloppe que Lansky lui avait remise. Il songea à revenir à l'intérieur pour la confier à quelqu'un, mais il préféra éviter tout risque qu'elle se perde. Il en était responsable. Alors il la toucha simplement, comme on touche un talisman. Puis il prit Beryl par la main et ils marchèrent dans le matin clair.

Danziger sortit du coma, six semaines plus tard. Il semblait prêt à endosser une troisième identité, tant il s'était transformé pendant ce sommeil prolongé. En sus de son teint blafard, il avait minci. Les infirmières lui avaient rasé le bouc, les joues, et elles lui avaient fait la coupe militaire. Seuls ses yeux restaient inchangés et brillaient de cette vitalité printanière que Cain avait remarquée dès le début.

— Comment suis-je censé vous appeler, maintenant ? lui demanda-t-il.

Danziger sourit faiblement, un éclair amusé dans le regard.

— Comme vous voudrez.

Sa voix était rauque, mais chaleureuse ; sa diction, comme toujours impeccable, avec ce léger accent qui embrassait deux continents.

— Appelez-moi mon ami, suggéra-t-il.

— Cela me va très bien. Je vous ai apporté de petites choses, mon ami.

— Ah bon ?

— Des nouvelles fraîches, pour commencer, de l'armée américaine.

— A-t-on débarqué en Europe ?

— Non, désolé, il s'agit des affaires intérieures. Le deuxième classe Albert Anastasia, récemment enrôlé, a pris son service à Fort Indiantown Gap, quelque part au milieu de la Pennsylvanie. Il a droit à trois repas quotidiens, il dort dans une caserne et il doit répondre

« À vos ordres » environ vingt fois par heure. Peut-être apprendra-t-il à se comporter comme un être humain.

— J'en doute.

— Moi aussi. Mais c'est déjà ça. Et il paraît que sa femme cherche une maison dans le New Jersey, pour y habiter après la guerre.

— Et mon autre vieille connaissance ? Dois-je craindre une visite nocturne dans un avenir proche ?

— Lansky continue de se dévouer à sa patrie. À ce que dit Hogan, du moins.

— Hogan lui-même ?

— Oui. Gurfein est passé dans le renseignement. Il travaille pour une agence dénommée l'OSS[1]. Il en avait sûrement assez de coopérer avec une bande de gangsters au lieu de les envoyer en prison. Et pour ce qui est de votre différend avec Lansky, celui-ci affirme que c'est terminé.

Ce que Danziger médita un instant.

— En êtes-vous certain ? Vous a-t-il donné sa parole ?

— Oui. Environ cinq minutes avant que vous me voyiez sortir du Majestic.

— Peut-être puis-je garder mon nom actuel, dans ce cas. Ou même reprendre l'ancien.

Cain lui apprit ce qu'il était advenu de son enquête. Supprimée. Les dossiers concernant les quatre meurtres non élucidés allaient être rangés au rayon des affaires classées. Celui d'Angela Feinman était attribué à Dieter Göllner, l'une des victimes.

— Mais tout le monde ne s'en sort pas aussi bien. Hogan se penche quand même sur le cas de Herman Keller et des contrats pour lesquels il a servi d'intermé-

---

1. Office of Strategic Services, ancêtre de la CIA.

diaire, un peu trop favorables aux Allemands. Il aurait violé certaines lois que, seul, mon beau-père pouvait connaître.

— Des lois auxquelles, mystérieusement, échappent la Chase National Bank et les manœuvres de votre beau-père, n'est-ce pas ?

— En effet. Il y a des gens qui trouvent toujours les appuis dont ils ont besoin.

— Aujourd'hui comme demain. Et vous, monsieur Cain ? Avez-vous conservé votre emploi ?

— J'ai repris mes fonctions, mais j'ai été mis à pied une semaine, sans salaire.

Danziger leva un sourcil.

— C'est sans rapport avec nous. J'ai été sanctionné pour avoir égaré mon arme de service. Les sbires d'Anastasia ne me l'ont pas rendue. Il y a quinze jours, on m'a réaffecté au quartier général pour mener une enquête interne avec Zharkov. Certains de mes anciens collègues du 14ᵉ devraient bientôt être inculpés. Hogan a même rassemblé de nouvelles preuves contre eux, donc on devrait en avoir encore pour un bon moment.

— Un homme de parole, finalement.

— D'après ce que j'ai entendu, l'opération de surveillance du port porte ses fruits. Lanza a placé des soldats de la marine dans les flottes de pêche. La semaine dernière, aidés par des gangsters de Long Island, ils ont réussi à arrêter des saboteurs débarqués d'un sous-marin allemand. Luciano a été transféré à la prison de Great Meadows, le mois dernier, où Lansky pourra lui rendre visite presque tous les huit jours. Peut-être pas pour discuter des affaires du pays, quand même...

Danziger hocha la tête, médusé.

— Ah, toujours à propos de Lansky. Il m'a confié ceci pour vous.

Cain lui tendit l'enveloppe, toujours fermée.

— « Un acompte pour qu'il continue de se taire »,
a-t-il dit.

Le vieil homme fronça les sourcils et, avec quelque
difficulté, saisit l'enveloppe. Il essaya de la décacheter
sans y arriver et poussa un soupir exaspéré.

— Je vais vous aider.

Cain attrapa un couteau sur le plateau du petit déjeuner, l'ouvrit, en retira la feuille qu'il donna à Danziger
et fit le tour du lit pour lire par-dessus son épaule.
Après avoir résisté à la tentation pendant un mois et
demi, il estimait en avoir le droit.

Danziger déplia la feuille et découvrit quelques
courtes lignes d'une écriture soignée. Il y avait un nom,
Maria Corazza, puis une adresse dans le Queens, et
enfin la mention : « Veuve ».

— Est-ce… ?

Danziger confirma. Pendant quelques secondes, il
sembla ne pas y croire. Puis il ferma les paupières,
comme pour dérouler un film dans son esprit.

— Finalement, c'est pour elle que vous êtes resté
à New York. Pour elle seulement. Pour elle que vous
avez décidé, malgré tous les risques que cela comportait, de ne pas quitter votre quartier.

— Pour elle seulement ? Peut-être pas. Mais, entre
autres raisons idiotes, oui.

— Et maintenant ?

Danziger avait les yeux baignés de larmes. Il se tut
un instant pour les retenir. Serrant la feuille entre ses
mains, il soupira longuement.

— Maintenant, j'ai l'intention de vivre encore un
bon moment.

— Excellente idée, dit Cain. J'en suis ravi pour
nous deux.

NOTE DE L'AUTEUR

Lorsqu'ils terminent un roman qui associe le réel et l'imaginaire, certains lecteurs se posent inévitablement la question de savoir ce qui est vrai ou pas. Dans le cas de celui-ci, beaucoup de choses le sont, notamment l'alliance contre nature que l'Office of Naval Intelligence[1] et le procureur Frank Hogan ont conclue avec la Mafia pour protéger le port de New York contre les entreprises de sabotage et les sous-marins ennemis.

Il est également démontré que l'incendie du paquebot *Normandie* a précipité leur rapprochement. Bien qu'une enquête de la marine ait conclu qu'il s'agissait d'un accident, plusieurs gros bonnets de la Mafia – Charles « Lucky » Luciano et Meyer Lansky en particulier – ont prétendu, des années plus tard, qu'Albert Anastasia, tueur à gages et complice de Luciano, avait préparé la destruction du navire dans l'espoir d'améliorer la situation de son patron, qui se trouvait derrière les barreaux. De mon point de vue, c'est à tout le moins une possibilité. Un type aussi imprévisible qu'Anastasia était capable de monter un tel projet, même s'il ne l'a jamais mis en œuvre.

1. Service du renseignement militaire de la marine américaine.

L'intrigue secondaire, qui a pour protagonistes Harris Euston et Herman Keller, collectant des fonds pour le gouvernement allemand (des reichsmarks contre des dollars), se base également sur des faits, détaillés par Charles Higham dans son ouvrage de 1984, *Trading with the Enemy : An Exposé of the Nazi-American Money Plot*[1].

Le roman met en scène divers aspects très documentés de l'opération conjointe de la Mafia et de la marine. Au départ, les agents de cette dernière avaient tenté de procéder seuls, cependant les truands et leurs alliés des syndicats virent rapidement clair dans leur jeu. Le capitaine Roscoe C. MacFall pensa alors que ses hommes auraient intérêt à s'assurer le concours du milieu, et il mit à leur tête le capitaine de corvette Charles R. « Red » Haffenden.

MacFall et Haffenden s'adressèrent au procureur Frank Hogan et à son substitut Murray Gurfein pour qu'ils leur conseillent un moyen de prendre contact avec la pègre. Gurfein suggéra que la marine s'adresse à Joseph « Socks » Lanza, qui contrôlait le marché aux poissons de Fulton. Celui-ci leur répondit qu'il ferait ce qu'il pourrait, toutefois un grand nombre de ses pairs soupçonnèrent qu'on leur tendait un piège, du fait que Lanza était à l'époque sous le coup d'une inculpation. Lanza émit l'idée que, pour obtenir la participation de tout le monde, le mieux serait d'avoir l'assentiment de Charles « Lucky » Luciano, qui purgeait une peine de trente à cinquante ans de prison, à Dannemora dans l'État de New York. Gurfein téléphona à Moses Polakoff, l'avocat de Luciano, qui leur proposa Meyer Lansky comme intermédiaire.

1. En affaires avec l'ennemi : un exposé sur les financements nazi-américains.

Ainsi qu'il le déclare au chapitre 41, Lansky était, de fait, favorable à l'effort de guerre et hostile à Hitler. Il a réellement mené des opérations violentes contre des meetings bundistes au cours des années 1930, et il a réellement tenté de s'engager dans l'armée à l'âge de trente-neuf ans. Comme rapporté dans ce roman, il a contribué à mettre en place le projet conjoint de surveillance des quais en rencontrant Gurfein et Polakoff, un samedi matin d'avril 1942, au restaurant Longchamps dans 57th Street – le petit déjeuner dont parle Danziger au chapitre 12.

Comme il est décrit également, les trois hommes y ont débattu de la possibilité d'incarcérer Luciano dans un endroit plus commode. C'est un fait authentique qu'ils ont pris un taxi pour poursuivre leur conversation à l'hôtel Astor en compagnie de Red Haffenden, qui y disposait de plusieurs bureaux, sous le couvert de l'Association des hauts responsables du Grand New York. Par la suite, Haffenden s'est servi de ces bureaux comme d'un lieu sûr pour des rencontres de plus en plus fréquentes avec les gros pontes de la pègre, quoiqu'il fût devenu si complaisant à leur égard qu'ils commencèrent à lui rendre visite dans les locaux du renseignement naval, situés dans le bâtiment fédéral de Church Street.

Effectivement, les autorités ont transféré Luciano à la prison de Great Meadows, où Lansky lui a régulièrement rendu visite, ce qui faisait partie de l'arrangement. Un vaste éventail d'autres gloires de la Mafia l'ont imité, avec la bénédiction de la marine. Personne ne s'est jamais soucié de poser des micros pour enregistrer leurs discussions, alors que, de l'avis général, elles dépassaient largement les questions liées à la défense du pays. C'est ainsi que la marine américaine a aidé Luciano à poursuivre ses activités criminelles.

Si Hogan avait donné son accord, il a toujours éprouvé de la méfiance envers certaines personnes. Il a mis sur écoute la ligne de Lanza à l'hôtel Meyers et notamment enregistré une conversation, lors de laquelle Haffenden approuve une initiative qui se traduira par le passage à tabac – par des truands – d'un représentant syndical qui tentait de lancer une grève sur les quais de Brooklyn.

On aura fermé les yeux ou dissimulé d'autres abus. Ainsi que le note un historien, une trentaine de meurtres commis dans le port de New York entre 1942 et 1950 n'ont pas été élucidés.

Comme indiqué dans le livre, Gurfein a quitté ses fonctions auprès du procureur, peu après avoir apporté son concours au projet. Il a servi comme officier dans l'OSS, qui fut le précurseur de la CIA.

Mais la question la plus importante qui reste en suspens a trait au rôle joué par Anastasia, dont on savait à l'époque que son organisation, Murder Incorporated, avait pour siège le Midnight Rose, un magasin de bonbons à Brooklyn. Si Anastasia s'était vraiment donné pour objectif de saborder le *Normandie*, comme Luciano et Lansky devaient l'affirmer plus tard, comment aurait-il réagi, face à un incendie accidentel ? Voilà qui, en l'absence d'une réponse claire et convaincante, ouvrait de nombreuses possibilités – celles que j'exploite dans ce roman.

Je me suis donc demandé si Anastasia aurait décidé, sans consulter personne, d'effacer toute trace de ses préparatifs, afin de ne pas compromettre le dispositif établi par son patron et la marine. Dans ce cas, s'il était allé trop loin, comment ses associés auraient-ils eux-mêmes réagi ? L'Histoire fournit la solution que j'ai choisie pour ce dénouement : en juin 1942, au moment où l'arrangement marine-Mafia devint opérationnel, et quelques mois avant le quarantième anniversaire d'Anastasia, l'État accepta de l'enrôler dans l'armée, qui se dépêcha de l'expédier à Fort Indiantown Gap, en Pennsylvanie.

Danziger, quant à lui, est inspiré d'un personnage réel, du moins en ce qui concerne ses activités. On trouve dans un livre de Helen Worden, *The Real New York*[1], paru en 1932, la description en sept paragraphes d'un certain « Alexandroff, écrivain public », laquelle a également paru sous forme d'article dans une édition du *New Yorker*, datée du 8 octobre de la même année, et signé par le même auteur. Worden le dépeint sous les traits d'un « Cosaque » d'âge indéterminé, aux larges épaules, et qui, dans son bureau de 4th Street, rédigeait des lettres pour ses voisins illettrés et non anglophones du Lower East Side. Il maîtrisait le russe, le polonais et l'allemand, demandait cinquante cents par lettre et en pondait cinq par jour. Fort bien, mais voici le passage qui, plus que le reste, a retenu mon attention, compte tenu des horizons qu'il ouvre :

Quand Alexandroff n'écrit pas des lettres, il répond aux questions qu'on lui pose. Sur sa vitrine est inscrit : « Alexandroff – Informations ». [...] Grâce aux milliers de lettres qu'il déchiffre (sa boutique fait office de poste locale), il se tient régulièrement au courant de la situation actuelle des petites villes d'Europe. [...] « Alexandroff est un sage, disent ses voisins. Il sait beaucoup de choses. »

Après avoir lu cela, comment aurais-je pu résister ?

1. Le Vrai New York.

REMERCIEMENTS

Je souhaite remercier les personnes suivantes pour l'aide inestimable qu'elles m'ont apportée au cours de mes recherches : Ellen Belcher, directrice des collections particulières au John Jay College of Criminal Justice ; Barry Moreno, au musée de l'Immigration d'Ellis Island ; le professeur Trevar Riley-Reid, au City College of New York ; le personnel des Archives municipales de la ville de New York (pour la permission, notamment, de consulter l'extraordinaire collection de photographies prises par les services fiscaux, entre 1938 et 1940, de tous les biens immobiliers de la ville) ; ainsi que les personnels de la Bibliothèque municipale de New York et des archives de la New York Historical Society.

Ces ouvrages, en outre, m'ont été fort utiles[1] :

1. Non traduits, dans l'ordre : Le Projet Luciano ;
Par ici ! New York pendant la Seconde Guerre mondiale ;
New York dans les années 1940 : 162 photographies ;
L'Essor et la chute des gangsters juifs en Amérique ;
Sacrée ville : L'histoire de New York pendant la Seconde
Guerre mondiale ;
Le Dernier Testament de Lucky Luciano ;
Tristes hôtels : La vie dans le Bowery ;
La Seconde Guerre mondiale et New York ;
Haute finance : La vie et l'époque d'Arnold Rothstein ;
Le Monde d'en haut et le monde d'en bas : Études de cas,
racket et noyautage des entreprises aux États-Unis ;
Un recueil de Damon Runyon ;
Little Man : Meyer Lansky et la vie de gangster ;
Un flic honnête, la vie dramatique de Lewis J. Valentine ;
Là-haut dans le vieil hôtel ;
Les Alliés de la Mafia ;
L'Incendie du *General Slocum* ;
Boogie-Woogie à Broadway : Damon Runyon et l'émergence
de la culture new-yorkaise ;
Ma mère et moi ;
Ronde de nuit ;
Le Vrai New York.

The Luciano Project, de Rodney Campbell ;

Over Here ! : New York City During World War II, de Lorraine B. Diehl ;

New York in the Forties, 162 photographs, de Andreas Feininger ;

The Rise and Fall of the Jewish Gangster in America, d'Albert Fried ;

Helluva Town : The Story of New York City During World War II, de Richard Goldstein ;

The Last Testament of Lucky Luciano, de Martin A. Gosch et Richard Hammer ;

Flophouse : Life on the Bowery, de David Isay, Stacy Abramson et Harvey Wang ;

WWII & NYC, de Kenneth T. Jackson ;

The Big Bankroll : The Life and Times of Arnold Rothstein, de Leo Katcher ;

The Upperworld and the Underworld : Case Studies of Racketeering and Business Infiltrations in the United States, de Robert J. Kelly ;

A Treasury of Damon Runyon, compilé par Clark Kinnaird ;

Little Man : Meyer Lansky and the Gangster Life, de Robert Lacey ;

Honest Cop : The Dramatic Life Story of Lewis J. Valentine, de Lowell Limpus ;

Up in the Old Hotel, de Joseph Mitchell ;

Manhattan' 45, de Jan Morris ;

Mafia Allies, de Tim Newark ;

The Burning of the General Slocum, de Claude Rust ;

Broadway Boogie Woogie : Damon Runyon and the Making of New York City Culture, de Daniel R. Schwarz ;

My Mother and I, mémoires d'Elizabeth G. Stern ;

Night Stick, de Lewis J. Valentine ;

The Real New York (1932), de Helen Worden.

Je tiens également à remercier le Centre de recherches urbaines de la City University of New York, dont le site 1940snewyork.com est une mine de renseignements.

Imprimé en France par **CPI**

N° d'impression : 3031935
X07381/01